MIS O FEHEFIN

gan
EIGRA LEWIS ROBERTS

GWASG GOMER

Argraffiad Cyntaf - Awst 1980
Ail Argraffiad - Hydref 1981
Trydydd Argraffiad - Chwefror 1986

ISBN 0 85088 513 2

Lluniwyd y nofel hon yn ystod cyfnod pan gafodd yr awdur Ysgoloriaeth gan Gyngor Celfyddydau Cymru. Dymuna ddiolch i'r Cyngor am ei nawdd.

Dymuna'r cyhoeddwyr gydnabod cymorth a chyfarwyddyd Adrannau'r Cyngor Llyfrau Cymraeg a noddir gan Gyngor Celfyddydau Cymru.

Argraffwyd gan J. D. Lewis a'i Feibion, Cyf.,
Gwasg Gomer, Llandysul, Dyfed

Cyflwynaf y nofel hon i drigolion sawl ' Minafon '
yng Nghymru

RHAGARWEINIAD

Mae'r byd mawr y tu allan yn llawn helyntion a phroblemau a phoenau ond mae'r cyfan mor bell i ffwrdd fel ein bod yn cipio arnyn nhw, fel drwy darth. Fe fyddwn yn gresynu weithiau, yn clecian tafodau ac yn dweud—' Wn i ddim be ddaw o'r byd 'ma, wir ', ac yna'n anghofio. Wedi'r cyfan, be fedrwn ni ei wneud ? Onid oes gan bob un ohonom, yn ei fyd bach ei hun, ei helyntion a'i broblemau a'i boenau ? Ac mae ceisio dygymod â'r rheini yn dwyn yr ychydig nerth sydd ynom. Eithriadau ydi'r rhai sy'n gallu edrych allan. Mae llygaid y mwyafrif ohonom wedi eu hoelio ar ein libart cyfyng. A dydi pobol Minafon ddim gwahanol.

Stori ydi hon am drigolion stryd gyffredin yn ystod un mis Mehefin. Rhyw rygnu ymlaen y mae bywyd a phrin ydi'r uchafbwyntiau. Ond fe ddaw adegau pan fo pŵer rhyfedd ar gerdded, grym sydd fel petai'n benderfynol o ysgwyd pobol o'u syrthni arferol. Ac yn ystod y mis Mehefin hwnnw tro pobol Minafon oedd hi. Efallai fod a wnelo'r storm ar y pedwerydd o'r mis rywbeth â'r peth. Beth bynnag am hynny, fe wnaeth y mis Mehefin hwnnw dipyn o lanast ar bobol Minafon.

Creadigaethau'r dychymyg ydyn nhw, ond mae'n siŵr gen i eich bod chi'n 'nabod degau o rai tebyg. A dyma nhw—trigolion Minafon, Trefeini :

Rhif 1 (*Cartref*) : Mati Huws, gweddw Arthur Huws, chwarelwr —yn ceisio dygymod â bywyd heb Arthur ac yn ymwybodol iawn o'r diffyg dealltwriaeth rhyngddi a'i mab, Glyn (sydd wedi gadael Minafon ers tro) a'i merch, Lena (Powell) sy'n byw yn rhif 4.

Rhif 2 : Leslie a Pat Owens a'r babi, Robert. Leslie yn gweithio yn y banc, yn hŷn na'i wraig, yn rêl dandi bach ac yn llawn hunanhyder a Pat ddiolwg, ddidrefn yn ymdrechu i fyw yn unol â delfryd Leslie o wraig a mam dda.

Rhif 3 : Emma Harris, hen ferch ganol oed, wedi'i gadael, flynyddoedd yn ôl, i sefyll yn ofer wrth yr allor ; yn chwerw oriog ac yn cael trafferth i fyw efo hi ei hun, heb sôn am neb arall.

Rhif 4 : Lena a Richard Powell—yn wynebu argyfwng yn eu priodas. Lena yn ferch oer, annibynnol a Richard yn hogyn mawr wedi gordyfu, yn manteisio ar ei lygaid gleision i'w gael ei hun allan o drybini. Mae'r ferch, Gwyneth, yn y coleg— hithau yn wynebu dewis mawr cyntaf ei bywyd.

Rhif 5 : Katie Lloyd, gweddw Harri Lloyd, siopwr a phen blaenor. Er nad ydi Harri bellach ond llun mewn ffrâm, mae'i ddylanwad yn aros a Katie yn gymaint o garcharor ag erioed y tu ôl i ddrws rhif 5.

Rhif 6 : Brian ac Eunice Murphy—wedi cael eu haelwyd eu hunain am y tro cyntaf a'r aelwyd honno'n cael ei bygwth. Brian, yn dioddef o'r afiechyd a laddodd ei dad ac Eunice yn ymladd i geisio dal gafael yn yr ychydig werthoedd sydd ganddynt.

Rhif 7 : Madge Parry ac Oswald, ei phlentyn siawns. Madge Parry, yr eneth ddeniadol a fagwyd gan ei nain ym Minafon, sy'n mentro allan wedi nos ac wedi rhoi ei bywyd yn gyfan gwbl i'r mab na fydd byth yn ddim ond plentyn.

Rhif 8 : Dei a Gwen Ellis. Dei, y chwarelwr, sydd bellach yn yr amgueddfa yn Y Rhosydd yn arddangos ei grefft i ymwelwyr a Gwen straegar sy'n gwybod popeth am bawb ond heb fod yn ymwybodol o'r llanast sydd o gwmpas ei thraed ei hun.

PENNOD I

— I —

Am y tro cyntaf ers wythnosau—pump, a bod yn fanwl—
roedd Richard a Lena Powell efo'i gilydd ar fin nos ac wedi
eu gorfodi, gan fod gweddill y tŷ'n oer, i eistedd yn yr un
ystafell ac mor agos ag oedd bosibl i'r tân. Ac yng ngolau
hwnnw y gwelodd Gwen Ellis y ddau wrth iddi fynd heibio.
' Mae hi'n siŵr o droi tywydd,' meddai wrthi ei hun.
Aeth i mewn i'r drws nesaf at Katie Lloyd i ailadrodd y
geiriau er ei bod hi wedi addo i Dei y byddai ei swper ar y
bwrdd erbyn wyth. Ond beth oedd tamaid o swper o'i gymharu
â'r tamaid blasus o newydd oedd ganddi hi i'w gynnig rŵan ?
' Be sydd, felly ?' holodd Katie Lloyd yn ofalus, gan ym-
drechu i gadw'r cywreinrwydd o'i llais.
' Mae o'n ôl.'
' Pwy, deudwch ?'
' Pwy ddyliach chi ?' Yna, heb aros am ateb—' Dic Pŵal.'
' Nag 'di rioed.'
' Mi gwelis i o â'm llygaid fy hun. Dowch efo fi i weld os
ydach chi'n ama.'
' Na, mi creda i chi, Gwen Ellis.'
. ' Mi fasach yn meddwl y byddan nhw'n tynnu'r cyrtan, o
leia. Ŵyr rhai pobol ddim be ydi cwilydd.'
Ond gadawsai Lena Powell y cyrten yn agored yn y gobaith
y deuai Gwen Ellis heibio, a'u gweld. A phan glywodd giât
y drws nesaf yn agor a chau a sŵn traed ar y cerrig gleision
teimlodd y cur fu'n gwasgu arni ers oriau yn llacio. Gallai
ymddiried yn Gwen Ellis i wneud yr hyn fyddai'n costio cym-
aint iddi hi, yn rhad ac am ddim.

— 2 —

Erbyn i Gwen gyrraedd ei thŷ ei hun roedd Dei wedi bod
ac wedi mynd gan adael olion ei de tramp a'i frechdan fêl ar y
bwrdd. Aethai'r tân bron yn ddim yn y grât. Ni fyddai ddim
gwaeth o fod wedi aros i swper efo Katie Lloyd. Nid fod yno

9

argoel paratoi swper ond gwyddai fod Katie'n arfer bwyta'n gynnar rhag cael camdreuliad yn y nos a byddai'n rhaid iddi fod wedi hwylio ati yn hwyr neu'n hwyrach. Nid oedd fawr ddiben rhoi glo ar y tân bellach ; fe gymerai awr go dda i'r gegin g'nesu. Gallai fynd i'w gwely mae'n debyg. Ond be wnâi hi yn y fan honno ? Pa well oedd hi o gysgu, i gael ei deffro wedyn gan Dei, yn mynnu ei hawliau ? Roedden nhw wedi dod i gytundeb, flynyddoedd maith yn ôl, ei fod i gael ei damaid bob nos Iau a nos Sadwrn ond pan fyddai hi'n gwaedu. A rŵan, nid oedd ganddi'r esgus hwnnw hyd yn oed.

Rai wythnosau'n ôl, gwelsai wely bach digon o ryfeddod yn y Co-op—yr hedbord wedi ei badio ac ymyl aur iddo fo, a'r fatras, er yn solad, yn rhoi'n braf o dan bwysau llaw. Gwely plu oedd ganddi hi a Dei, yr un gwely er pan briodon nhw, ac roedd hi'n amhosibl cadw pellter gan fod pant yn ei ganol. Byddai'r gwely bach yn ffitio'n berffaith i'r llofft gefn ac fe welsai bapur yn ffenestr siop Annie, papur papuro efo patrwm o flodau melyn aur fyddai'n gweddu iddo i'r dim. Gallai fforddio'r gwely a'r papur wal o'r celc oedd ganddi mewn tun te y tu ôl i'r wardrob yn y llofft gefn—arian wedi'i gynilo o'r lwfans wythnosol a gâi gan Dei. Roedd hi wedi gorfod mynd heb rywbeth ei hun lawer wythnos er mwyn gallu rhoi'r arian o'r naill du ond nid oedd erioed wedi torri i lawr ar ddogn Dei. A gan mai hi oedd wedi aberthu, ei harian hi oedden nhw i wneud fel y mynnai â nhw. Felly, o leiaf, y gwelai hi bethau.

Daeth i Gwen Ellis, fel bob amser y meddyliai am ei chelc, yr ysfa i'w gael rhwng ei dwylo. Rhoddodd orchudd o flaen y llygedyn tân, rhag ofn. Roedd hi wedi bod arswyd tân byth er pan glywsai Wmffra Jones yn traethu am dân uffern yn y Cyfarfodydd Dirwest ar nosweithiau Sadwrn ers talwm. Diffoddodd y golau ac aeth i fyny'r grisiau. Roedd y llofft gefn ar ben y landin. Ystafell ymolchi oedd hon bellach yn y mwyafrif o dai Minafon ond roedd Gwen wedi dal yn erbyn ei newid.

' Mi fydda lle chwech i fyny grisia reit handi,' meddai Dei, ond heb bwyso. Roedd pot o dan y gwely yn gwneud ei dro fo'n iawn. Ac am unwaith roedd hi'n falch ei fod mor ddi-feind ynglŷn â'r tŷ. Ond Dei ei hun oedd wedi awgrymu, pan ddaethon nhw i weld y tŷ sbelan cyn priodi, eu bod nhw'n gadael y llofft gefn yn wag, dros dro. Roedd yr un peth yn union wedi ei tharo hithau. A gwag y buo hi am flynyddoedd, ei drws wedi ei gau'n glòs, ond pan âi hi yno weithiau i agor y ffenestr neu i olchi'r leino. Ni welsai mo Dei yn rhoi ei droed dros y trothwy erioed er iddi ddod ar ei warthaf yn loetran o gwmpas y drws fwy nag unwaith.

Erbyn hyn, roedd y llofft yn llawn o sbwriel eu byw—pethau yr oedden nhw wedi gallu gwneud hebddyn nhw heb weld eu colli. Aeth at y wardrob fach ac estyn y tun. Hi oedd wedi prynu'r wardrob mewn ocsiwn, rywdro'n ystod y blynyddoedd cynnar rheini pan oedden nhw'n para i obeithio. Er ei bod hi'n isel roedd hi'n ddigon helaeth i gynnwys hynny o ddillad oedd ganddi hi. Ac os gallai ddal ati i gelcio fel hyn ni fyddai fawr o dro cyn cael digon i brynu cwpwrdd bach i'w roi wrth erchwyn y gwely a lamp i'w rhoi ar hwnnw. Ryg wedyn, un blewog, melyn i'w roi ar y leino a defnydd o'r un lliw yn gyrten. Rhoddodd y tun yn ôl yn ofalus yn ei guddfan rhwng cefn y wardrob a'r wal.

Aeth at y ffenestr a rhwbio'r gwydr efo'i llaw. Nid ei bod hi fawr elwach o wneud. Nid oedd lampau yma, fel yn y ffrynt, ond gallai ddychmygu'r olygfa fel y byddai ar foreau braf—yr haul yn sglefrio i lawr y Doman Ddu a'r llechi ar doeau'r tai ag ymyl aur iddyn nhw fel i hedbord y gwely bach yn y Co-op.

Roedd Bob Ifans wedi holi oedd hi am iddyn nhw gadw'r gwely iddi. 'Mae 'na alw mawr am wlâu sengal dyddia yma,' meddai'n awgrymog. 'Ond mi gewch ragor i mewn?' holodd hithau. 'Falla ; falla ddim. Wyt ti ar frys ?' Na, fe allai aros. Wedi'r cyfan, roedd hi wedi aros am ddeng mlynedd ar hugain. Gadawodd Gwen y llofft gefn gan gau'r drws yn dynn ar ei hôl ac aeth i'w llofft hi a Dei.

Yma y daethon nhw o'u hanner diwrnod mis mêl yn Llandudno—mynd efo'r trên dau ac adra efo'r trên deg. Gallai eu cofio'n cerdded o'r stesion i fyny'r stryd fawr a hithau'n troi am stryd Capal Wesla. 'Hei, lle wyt ti'n mynd ?' gwaeddodd Dei, nes bod criw o laslanciau oedd yn loetran wrth gornel siop Pyrs yn chwerthin yn agored. 'Noson fawr heno, Dei,' galwodd un ohonynt. Byddai wedi rhoi'r cwbwl oedd ganddi ar y pryd am gael bod yn rhydd i roi sws nos dawch i Dei ar ei dalcen a'i gwadnu hi i lawr stryd Capal Wesla, drwy ddrws nymbar nein, i fyny'r grisiau culion ac ar hyd y landin a phlannu i mewn i'w gwely bach ei hun. Ond byddai'r drws wedi ei gloi a'r lle mewn tywyllwch ac roedd ei mam wedi sôn ei bod hi flys cymryd lojar rhag blaen, rŵan y byddai ganddyn nhw lofft sbâr, er mwyn helpu efo'r rhent.

'Drws tŷ fy nhad sydd wedi ei gloi/Rwy'n wrthodedig yno.' Nel bach Meri Ann fyddai'n canu hynny yn y Cyfarfod Dirwest a hwythau, blant, yn pwffian yn eu dyrnau wrth ei chlywed hi'n sôn am ei thad a phawb yn gwybod mai babi siawns oedd hi. Ac Wmffra Jones yn codi ar ei draed i ddilyn Nel ac yn dweud mai am ei thad nefol yr oedd Ellen Owen yn sôn, wrth gwrs, ac mai rhybudd oedd yn y gân o'r hyn fyddai'n digwydd i blant a phobol oedd yn meiddio torri'r Ymrwymiad Dirwestol. 'Yr wyf yn addaw, drwy gymorth Duw, ymgadw rhag bob math o ddiodydd meddwol . . .' A dyna hi, cyn gadael Llandudno, wedi troi i mewn i dafarn efo Dei ac wedi yfed yr hyn oedd o'n ei alw'n gwrw er bod Gwen yn ei chael hi'n anodd credu y gallai'r peth chwerw o'r un lliw â the oer fod y peth melltigedig hwnnw oedd, yn ôl Wmffra Jones, yn gyfrwng dinistr i gorff ac enaid.

Wrth iddi gerdded i fyny am Minafon a chwerthin y glaslanciau yn ei tharo fel cawod o raean teimlai Gwen yn sicr mai ei chosb hi fyddai'r un y canai Nel Meri Ann amdani, nid yn unig yn nymbar nein stryd Capal Wesla, ond i fyny acw lle byddai Gabriel yn dweud—yn bendant, ond yn gwrtais, am mai angel oedd o—'Mae'n ddrwg gen i, Gwen Pugh, ond fedra i ddim agor i chi.'

Gallai gofio'r cyfan fel petai'n ddoe—y hi'n methu'r trothwy drwy niwl ei dagrau ac yn baglu i mewn a Dei yn ei herian mai wedi meddwi yr oedd hi. Hithau'n methu dal rhagor ac yn beichio crio, yno yn y lobi, a Dei yn ei harwain i fyny'r grisiau ac i'r llofft ac yn ei rhoi i orwedd ar y gwely. Roedd o wedi gorwedd wrth ei hochr, yn ei ddillad fel roedd o. Toc, mentrodd agor ei llygaid a gwelodd, yng ngolau'r lamp stryd, ei fod

12

yntau'n crio. ' Be sydd Dei ?' holodd. Er ei fod o'n mwnglian drwy'i ddagrau deallodd ddigon i wybod ei fod mor ofnus â hi. ' Mi wyt ti'n difaru, on'd wyt ?' meddai. ' Difaru be ?' ' Dy fod ti wedi 'mhriodi i. Dwyt ti mo f'isio i.' ' Wrth gwrs 'mod i d'isio di, yn fwy na neb na dim.'

Roedd hi wedi tynnu ei ben i orffwys ar ei bronnau ; y bronnau rheini na fedrai'n ei fyw gadw'i ddwylo oddi arnyn nhw pan oedden nhw'n canlyn. Ond ni wnaethai osgo i'w chyffwrdd hi. Gallai deimlo lleithder ei foch drwy ddefnydd tenau ei blows. Ac felly yr aeth i gysgu. Gorweddodd hithau'n hollol lonydd, rhag iddi ei darfu.

Roedd y wawr wedi torri a hithau'n pendwmpian pan gymrodd o hi, yn dyner a gofalus. Pan ddeffrôdd roedd Dei wedi mynd i'r chwarel ac mewn gwydr ar y bwrdd gwisgo roedd rhosynnau o'r goeden a dyfai efo talcen y cwt glo. Rhosynnau ? Tybed ? Dychmygu roedd hi ; ei chof yn chwarae triciau efo hi. Gallai ofyn i Dei os oedd o'n cofio. Ond os mai dychmygu roedd hi byddai'n meddwl fod coll arni. Byddai'n ailadrodd yr hyn ddywedodd hi wrth ei fêts yn y Queens ac yn ychwanegu, fel y clywsai eraill yn dweud am eu gwragedd—' I hoed hi ydi o '.

Symudodd at y ffenestr. Drwy hon gallai weld y stryd i gyd. Byddai'n eistedd oriau yma i wylio mynd a dwad pawb. Fe wyddai'r hen stejars ei bod hi yma ond tueddai'r rhai ifanc a newydd i fod yn rhemp o esgeulus ar brydiau. Ychydig iawn fyddai hi'n ei fethu. Ond roedd hi wedi methu Dic Pŵal. Efallai mai drwy'r cefn yr aeth o. I'w hosgoi hi, nid o gywilydd reit siŵr. Ond doedd o ddim gwell o fod wedi stelcian drwy'r cefn. Fe wyddai hi ei fod adra. Tybed oedd o'n ôl i aros ?

— 3 —

Yr un cwestiwn oedd ym meddwl Lena Powell, er pan gyrhaeddodd Richard yn gynnar fin nos. Roedd hi'n y gegin, lle gadawodd o hi bum wythnos yn ôl. Ond bryd hynny roedd hi'n ei ddisgwyl i lawr o'r llofft lle'r aethai i bacio ac wedi sefyll yno'n fwriadol â'i chefn ato. Heno, pan glywodd giât y cefn yn agor, roedd hi wedi cymryd mai Gwyneth oedd yno, ddiwrnod yn gynt na'r disgwyliad, ac wedi troi i wynebu'r drws a'r wên, fyddai bob amser yn croesawu Gwyneth, ar ei hwyneb. Roedd Richard yn ddigon wynebgaled i feddwl mai iddo fo y bwriadwyd y wên ac wedi croesi ati a'i chusanu ar ei boch.

' Rwyt ti'n edrych yn dda,' meddai.

Mae'n wir ei bod hi'n llwyd dywyll yn y gegin. Ers wythnosau bellach, roedd hi wedi bod yn teimlo'i ffordd o gwmpas y tŷ yn hytrach na rhoi'r golau. Byddai'r tywyllwch yn esmwytho peth ar y cur na fyddai byth yn ei gadael hi. Ond roedd pawb arall wedi sylwi ; rhai'n gwneud ati i feio rhyw hen slegan oedd o gwmpas ac eraill yn awgrymu ag edrychiad neu eiriau eu bod nhw'n gwybod, neu o leia'n tybio eu bod nhw'n gwybod, beth oedd ei achos.

Pan ddaethai Gwyneth adref ar dro siawns ddeufis yn ôl roedd hi wedi rhybuddio Lena i fynd at y doctor. ' Be fedar hwnnw i 'neud ?' holodd hithau. A Gwyneth yn ei hatgoffa, yn eitha siarp, ei fod wedi treulio blynyddoedd yn astudio. Ond nid oedd Gwyneth i wybod achos ei gofid. Roedd hi wedi llwyddo i gadw'r cyfan rhagddi ; wedi gofalu ei bod hi'n arwyddo pob llythyr, yn ôl ei harfer, efo enwau'r ddau. Rŵan, wrth gwrs, a Gwyneth yn dod adref i aros, byddai'n rhaid iddi gael gwybod, a hynny ganddi hi, cyn i neb arall gael ei big i mewn. Am y tridiau diwethaf, drwy'r dyddiau blin a'r nosau di-gwsg, bu Lena'n cynllunio sut a phryd i ddweud. Ac yn ofer. Roedd Richard yn ôl.

Wrth ei weld yn gorweddian yn ei gadair roedd hi'n anodd credu iddo fod i ffwrdd, yn anodd dychmygu'r ystafell hebddo. Roedd o wedi tynnu ei esgidiau ac wedi ymestyn ei goesau ar draws yr aelwyd nes peri i'r ystafell ymddangos yn llai. Heblaw hynny, roedd ei goesau'n cuddio'r tân ac yn dwyn y gwres.

Eisteddai Lena â'i choesau oddi tani. Gwyddai y câi drafferth i symud petai'n aros felly'n hir ond ni allai roi ei thraed ar yr aelwyd heb iddyn nhw gyffwrdd â thraed Richard a byddai yntau'n cymryd ei bod yn gwneud hynny'n fwriadol. Pan gyffyrddodd â'i boch wedi iddo ddod i'r tŷ gynnau sylweddolodd fod arni gymaint o'i eisiau ag erioed. Fe wyddai yntau hynny. Dyna pam y daethai'n ôl fel hyn heb air o rybudd na gair o eglurhad. Dyna pam yr oedd o mor sicr na fyddai iddi ei droi allan ac y byddai'n rhannu ei gwely hi heno. A dyna pam nad oedd, o'r llu cwestiynau fu'n rhuo drwy'i phen ers wythnosau, ond un cwestiwn y byddai'n rhaid iddi ei ofyn.

' Mi 'dw i am iti atab un peth imi,' meddai.

' Unrhyw beth fynni di.' Yn hyderus.

' Wyt ti'n ôl i aros ?'

Cododd Richard ei draed o'r aelwyd nes eu bod yn gorffwyso ar ei chluniau lle roedd ei sgert wedi codi wrth iddi geisio ei gwneud ei hun yn fwy cyfforddus.

' Wrth gwrs,' meddai, ' hwn ydi 'nghartra i, yntê ?'

— 4 —

Cafodd Katie Lloyd gamdreuliad a'i cadwodd yn effro am oriau. Wedi bwyta ei swper yn rhy hwyr yr oedd hi, wrth gwrs. Byddai wedi clirio i fyny cyn wyth fel arfer ond roedd hi sbel wedi hynny ar Gwen Ellis yn gadael. Gallai fod wedi rhannu ei swper efo hi—roedd yno ddigon o gig oer i ddwy—ond nid oedd am ddechrau cynnwys Gwen Ellis at ei bwrdd. Roedd Harri wedi ei rhybuddio hi ddigon. Byddai'n gwaredu pe gwyddai pa mor aml y byddai Gwen Ellis yn galw heibio'n ddiweddar ac yn gwaredu mwy fyth pe gwyddai mor falch oedd hi, Katie, o'i gweld.

Roedd ei brest ar dân. Pa ddrwg fyddai 'na, mewn difri, mewn gofyn i Gwen Ellis aros i swper ? Roedd Harri, heddwch i'w lwch, y tu hwnt i falio am bethau felly bellach. P'run bynnag, nid oedd Gwen Ellis mor ddu ag oedd pobl yn ei pheintio hi. Mae'n wir ei bod hi'n straegar ac yn fras ond nid oedd malais ynddi. Ac ar bobl yr oedd y bai yn rhoi gwaith siarad iddi ; pobl fel Richard Powell y drws nesaf.

Roedd 'na wythnosau, reit siŵr, er pan alwodd Lena yma un min nos pan oedd hi'n hwylio swper.

' Mi 'dw i am i chi fod y gynta i wybod fod Richard wedi mynd,' meddai hi.

A hithau'n gofyn, fel ffŵl—' Mynd i b'le, deudwch ?'

Wedi'r cyfan, roedd yr eneth yn hollol normal a dim yn ei hosgo na'i llais i awgrymu trychineb o fath yn y byd.

15

' Wedi 'ngadael i, am enath nad ydi hi fawr hŷn na Gwyneth.'

Roedd Katie wedi deall, drwy Gwen Ellis, fod gan Richard Powell lygad am y merched. Nid oedd hynny yn ei synnu o gwbl. Byddai angen sant o ddyn i beidio gwneud yn fawr o'r wyneb a'r corff oedd ganddo fo. Er y byddai Harri'n taeru fod y blysio cynddrwg â'r gwneud ni allodd hi erioed dderbyn fod drwg mewn edrych. Ac roedd perygl i ddyn fel Richard Powell, yn olygus a chyfeillgar fel roedd o, gael bai ar gam.

' Pwy ddeudodd wrthach chi, Lena ?' holodd.

' Fo'i hun.'

' Be'n union ddeudodd o ?'

Byddai pobl yn dweud pethau hollol wallgof weithiau mewn ffit o wylltineb. Roedd hi wedi teimlo fel dweud pethau go hallt ei hun weithiau pan fyddai Harri'n dwndran, ond fe gawsai ras i atal. Mae'n siŵr mai ei chenhedlaeth hi oedd yr un olaf i arfer y gras ataliol hwnnw. Byddai pobl heddiw'n ymfalchïo yn yr hyn oedden nhw'n ei alw'n onestrwydd ac yn ei gyfri'n rhinwedd. Ond o'i phrofiad hi roedd hi'n ddoethach atal a chuddio. Felly, o leiaf, y gallodd hi oddef deugain mlynedd o fywyd priodasol.

Ond nid oedd Lena Powell, mae'n amlwg, yn credu mewn atal. Roedd hi wedi ailadrodd yr hyn ddywedodd Richard, a hynny'n hollol oeraidd. Er bod rhai o'r geiriau'n ddieithr i Katie nid oedd yn anodd dyfalu eu hystyron. Ceisiodd roi taw ar Lena ond âi honno ymlaen yn ddidrugaredd. O'r diwedd, llwyddodd Katie i gael gair i mewn—

' Wn i ddim be fydda Mr. Lloyd yn i ddeud o glywad y fath iaith.'

' Doeddach chitha ddim yn byw fel brawd a chwaer 'dw i'n siŵr.'

' Ond fydden ni byth yn siarad am betha fel'na.'

' Dim ond 'u gneud nhw.'

Trugaredd mawr, i be oedd y byd 'ma'n dwad ? Hogan y gallai ei chofio'n ei chlytiau yn meiddio siarad fel'na efo hi. A chymryd ei bod hi wedi cynhyrfu, er nad oedd ôl cynnwrf arni, roedd 'na'r fath beth â pharch. Ond na, doedd 'na mo'r fath beth bellach ran'ny, dim ond rhwng hen begoriaid yr un fath â hi.

' Ddylech chi ddim fod wedi deud hynna wrtha i, Lena,'
meddai.

' Chi ddaru ofyn.'

Doedd 'na ddim terfyn ar bowldra'r eneth. Ond, erbyn
meddwl, roedd 'na rhyw feiddgarwch ynddi hi erioed. Fel
y tro hwnnw y torrodd hi baen eu ffenestr nhw efo pêl. Dam-
wain oedd hynny, debyg, ond roedd ei hosgo wrth iddi wynebu
Harri yn hollol fwriadol. Roedd hi wedi dal ei thir, ei phen
tywyll wedi ei daflu'n ôl, a golwg herfeiddiol arni. ' Do'n i
ddim yn trio, yn nag o'n ?' meddai. Dridiau wedyn, daethai
at y drws ac estyn hanner coron i Katie gan ddweud—' I'ch
gŵr, i dalu am y paen '.

Ni welsai fawr arni wedi hynny. Clywodd ar siawns ei bod
wedi gadael Minafon i fynd at ei modryb i Lerpwl a chlywed
ar siawns wedyn ei bod wedi priodi er na wyddai hyd yn
ddiweddar, a hynny drwy Gwen Ellis, mai gorfod priodi ddaru
hi.

Yna, un nos Sul, a Harri a hithau newydd gyrraedd adref
o'r capel, daethai Lena i'r drws. Ni chawsai gynnig dod
ymhellach.

' Sut ydach chi ers hydoedd, Katie Lloyd ?' holodd. ' Wedi
galw i ddeud y byddwn ni'n gymdogion eto yr ydw i.'

Roedd Katie wedi cymryd mai wedi symud i mewn at ei
rhieni i'r tŷ pen yr oedd hi er ei bod hi'n methu deall sut y
gallai dau deulu ei weddro hi mewn lle mor gyfyng. Ond i'r
drws nesaf y daethon nhw. Roedden nhw i mewn trannoeth
i'r hen Forys Jones gael ei symud i wyrcws Y Traeth Bach ac
fe fuon nhw wrthi am wythnosau'n llifio ac yn dobio.

Un bore, galwodd Lena arni dros wal y cefn i fynd i weld y
tŷ. Roedd o fel plasty bach.

' Mi 'dach chi wedi gneud gwyrthia, Lena,' meddai.

' Nid fi—Richard.'

Gwnaethai ati i'w ganmol i'r entrychion ; digon i droi ar
stumog rhywun a dweud y gwir. A phan oedd hi wrthi'n
pentyrru clodydd felly daethai Richard i'r tŷ. Cawsai Katie
sawl cip arno er pan ddaethai i Finafon ond o bellter neu ar
frys bob amser. Hwnnw oedd y tro cyntaf iddi ei weld wyneb
yn wyneb a'i hymateb cyntaf oedd bod eisiau ei gyffwrdd.

Roedd y diwrnod yn un poeth ac yntau wedi datod botymau ei grys i'w ganol. Roedd ei frest yn noeth ac wedi'i gorchuddio â blew crychiog a gwawr winau iddo, fel ei wallt. Tyfai hwnnw'n llaes dros ei war. Âi Harri i dorri ei wallt yn rheolaidd bob pythefnos, heb fod angen. Eisteddodd Richard gyferbyn â hi wrth y bwrdd. Gwyddai ei fod yn syllu arni a gallai ei theimlo ei hun yn gwrido fel geneth bymtheg. Roedd hi'n falch ei bod ar ei heistedd ; go brin y gallai ei choesau ei chynnal. Dyn a ŵyr sut yr oedd hi wedi gallu llwyddo i godi mewn sbel a gwneud ei ffordd am y drws, yn ymwybodol, bob cam a gymerai, o'i lygaid arni. Roedd yntau wedi codi ac wedi cyrraedd y drws o'i blaen i'w agor iddi. Rhoddodd ei law ar ei braich wrth iddi wthio heibio iddo. Cofiai sylwi fod yr un blew ar gefn ei law, ond wedi melynu efo'r haul

' Peidiwch â bod yn ddiarth,' meddai.

Ni allai ei ateb. Wedi iddi gyrraedd ei thŷ aeth ar ei hunion i'r llofft a phenlinio wrth y gwely. Bu yno ar ei gliniau sawl tro yn gofyn maddeuant ei Duw ond nid oedd erioed wedi erfyn fel y gwnaethai'r prynhawn hwnnw—' ac nac arwain ni i brofedigaeth ; eithr gwared ni rhag drwg . . . .' ; nid oedd erioed wedi gofyn, mor angerddol, am gael ei glanhau. Nid oedd y mân bechodau y bu'n cyfaddef iddyn nhw—aros adref o'r capel rai nos Suliau efo esgus o gur yn ei phen ; dweud ambell gelwydd bach wrth Harri ynglŷn â phrisiau nwyddau ; hiraethu am bethau y dylai eu hanghofio—yn ddim o'u cymharu â'r pechod marwol o chwennych gŵr dynes arall a hithau'n ddigon hen i fod yn fam iddo. Tyngodd lw, yno ar ei gliniau, nad âi led troed i'r drws nesaf byth wedyn ac na fyddai rhyngddi hi a Richard Powell ddim mwy na'r bore a'r prynhawn da oedd yn ofynnol rhwng cymdogion. Ac roedd hi wedi cadw'r llw.

Rai misoedd wedyn, daethai Richard i'w thŷ un bore i holi am waith. Roedd o wedi dechrau ei fusnes ei hun ac yn fodlon troi'i law at unrhyw beth. Ni chofiai ei wahodd i mewn ond roedd yn y gegin cyn iddi sylweddoli, ac o fewn cyrraedd llaw iddi. Pwysodd hithau yn erbyn y bwrdd, ei gwaed yn pwyo yn erbyn ei thalcen.

' Ydach chi'n sâl, Katie Lloyd ?'

Roedd o'n symud tuag ati. Gwasgodd y bwrdd yn dynn a hanner gweiddi—' Na, mi 'dw i'n iawn. Plîs, ewch odd'ma. Plîs.'

Fe'i gwelodd yn gwegian fel pe wedi ei daro. Yna roedd o'n ei sadio ei hun ac yn dweud—' Fel y mynnwch chi, Katie Lloyd, ond fe gofiwch amdana i, 'dw i'n siwr.'

Am y gwaith yr oedd o'n sôn, wrth gwrs. Ond roedd hi wedi cofio. A heno, pan alwodd Gwen Ellis efo'r newydd ei fod o'n ôl, roedd hi wedi teimlo'r cryndod yn rhedeg i lawr ei meingefn. Trugaredd mawr, be oedd ar ei phen hi, yn drigain oed ac yn weddw ers dwy flynedd ?

Cododd i wneud paned iddi ei hun. Roedd yno lygedyn o dân yn y grât. Pan oedd hi'n sefyll wrth hwnnw yn disgwyl i'r tecell ferwi gwelodd Dei Ellis yn ymlwybro heibio efo'r clawdd fel y gwnâi bob nos ond nos Sul. Gwen Ellis druan. Ond pam druan ? Byddai gan Gwen Ellis gwmni heno ; corff i dynnu gwres ohono ac anadl fyddai'n lleddfu'r synau bach rheini oedd yn gallu bod mor arswydus ym mherfedd nos.

Symudodd at y seidbord lle roedd yr unig lun oedd ganddi o Harri ; llun wedi ei dynnu ar gyfer y papur lleol pan gafodd ei ethol yn llywydd yr Undeb Dirwest. Roedd o wedi'i dynnu â'i wyneb at yr haul, ei lygaid wedi eu crychu'n ei erbyn. Rhoddai hynny olwg annwyl, bron yn fachgennaidd, arno. Mae'n rhaid ei bod hi'n wyntog hefyd. Roedd ei wallt ar chwâl yn lle ei fod wedi'i blastro i'w ben. Pan welsai hi'r llun y tro cyntaf roedd hi wedi meddwl eu bod nhw wedi methu ac wedi rhoi enw Harri i wyneb rhywun arall. Ond rŵan, ag wyneb Harri'n pylu'n ei chof, âi i ddibynnu mwy a mwy ar yr wyneb clên yma fyddai'n goleuo i gyd wrth i'r haul ei daro.

Estynnodd y llun oddi ar y seidbord a syllodd i'r llygaid bach oedd fel pe baen nhw wedi dechrau toddi'n y gwres. Roedd hi wedi bod yn ffyddlon i Harri mewn gair a gweithred ; wedi llwyddo i fygu'r gwendid a etifeddodd gan ei thad. I Dduw yr oedd y diolch, ac i Harri, wrth gwrs—yr Harri oedd wedi ei thorri i mewn pan oedd hi'n ferlen fynydd anhydrin ac wedi ei hyfforddi i gerdded llwybr union â'i llygaid ar i waered i wylio'i cham. A dyma hithau rŵan yn maeddu'r aelwyd y bu Harri'n ei gwarchod mor ofalus drwy gynnwys Gwen Ellis straegar, amrwd i'w thŷ. Ac yn ei thwyllo ei hun fod Harri y tu hwnt i falio er iddo ddweud, efo'i anadl olaf, y byddai efo hi am byth.

Aeth Katie i'r gegin a pharatoi'r baned de. Wrth i hwnnw bwysleisio yn hytrach na dileu'r llosgi yn ei brest tyngodd lw y byddai, o drannoeth ymlaen, yn gadael Gwen Ellis lle y câi fod petai Harri'n fyw—y tu allan i ddrws rhif pump Minafon.

PENNOD 2

— I —

Tai preifat oedd y mwyafrif o dai Minafon bellach er bod
rhai tenantiaid yn para i dalu rhent i Stad Brynafon. Eiddo'r
Stad oedd y cyfan lai na deugain mlynedd yn ôl, ond pan
fu farw'r hen Gyrnol Vaughan cytunodd Ellis ei fab, oedd â'i
lygad yn ei ben, i werthu'r tai ar brydles o ugain mlynedd.
Taflodd y cyfan o'r arian ar siawns i'r Gyfnewidfa Stociau a
bu'r rheini'n dodwy'n braf dros y blynyddoedd. Ychydig a
wyddai pobl Minafon mai eu harian hwy oedd wedi sicrhau
ysgolion preswyl i blant Ellis Vaughan a thŷ haf yng nghefn
gwlad Ffrainc lle cawson nhw bob chwarae teg i roi sglein
ar eu hail iaith.

Yn y cyfamser, aethai rhai o drigolion Minafon, rŵan fod
yr awenau yn eu dwylo hwy, ati wrth eu pwysau i wella eu
tai. Arthur Huws, tad Lena Powell, oedd y cyntaf i fentro.
Bu wrthi'n ddygn ar ôl ei swper chwarel yn adeiladu cegin
yng nghefn y tŷ. Bu digon o feirniadu arno ar y dechrau, ac
arni hi, Mati ei wraig, yn fwy fyth. Yn y cyfnod hwnnw y
cawsai hi'r enw o fod yn wraig fawr. Hi, yn ôl rhai, oedd
wedi gyrru Arthur i'w fedd cyn ei amser efo'i mympwyon a'i
hen eisiau tragwyddol. Hi oedd yr un gyntaf i fynnu rhoi enw
i'w thŷ er mai fel Mati Tŷ Pen, neu Mati Cwt Sinc i Gwen
Ellis a'i thebyg, y câi ei hadnabod hyd heddiw.

I'r tŷ pen y daethai'r carped wal-i-wal a'r set deledu gyntaf.
Pan oedd gweddill hogiau Minafon yn stwffio eu llyfrau ysgol
i lawr eu trowsusau ac i frestiau'u cotiau roedd gan Glyn Huws
fag lledr a llythrennau'i enw wedi eu stampio arno. A thra
roedd y mwyaf lwcus o enethod Minafon yn gwthio'u beiciau
ail law, yn laddar o chwys, i fyny'r rhiwiau, byddai Lena Huws
yn hedfan heibio iddyn nhw ar ei beic tri gêr. Unig gysur y
rhieni oedd ei fod yn sefyll i reswm fod Mati Huws yn fyw o
ddylêd ac y caent ei gweld yn llyfu'r llwch yn hwyr neu'n
hwyrach. Ond er iddyn nhw aros yn eiddgar ni chawsant y
pleser hwnnw a llwyddodd Mati Huws, drwy ryw ryfedd wyrth,
i gadw'i phen uwchlaw'r llwch.

Y gegin gefn honno a'r llofft a'i dilynodd, wedi ei ffitio'n
daclus ar ei tho, fu dechrau'r cyfan. Cawsai Arthur ei herian

21

yn ddidrugaredd ynglŷn â'r bws ddwbwl-dec oedd ganddo yn ei iard gefn ond o dipyn i beth dilynodd eraill ei esiampl a phan ddaeth y brydles i ben roedd nifer helaeth o dai Minafon wedi tyfu o fod yn ddwy i fyny, dwy i lawr, i fod yn dai chwe ystafell.

Cyrhaeddodd y newydd hwnnw Ellis Vaughan drwy Jones ei gasglwr trethi ac adnewyddodd yntau'r brydles am ugain mlynedd arall ond am ddwbwl y tâl. Roedd y rhai a ddilynodd esiampl y tŷ pen â'u llach yn arw ar Mati Huws a'r rhai oedd yn para i fyw mewn pedair ystafell am ei lladd hi. Oni bai amdani hi a'i mympwyon fe fydden nhw wedi arbed peth mwdral o gostau a llanast. Ac wedi'r cyfan doedd 'na ddim byd o'i le ar Finafon fel roedd o. Onid oedd amryw o'u tadau wedi magu tyeidiau o blant mewn pedair ystafell a'r plant rheini wedi troi allan yn glod iddyn nhw?

Cyhuddai'r dynion Mati Huws o roi chwilen ym mhennau'r gwragedd a'u gwneud yn anfodlon eu byd ac âi rhai o'r gwragedd cyn belled â'i chyhuddo o greu anghydfod rhwng eu gwŷr a hwythau. Am rai misoedd wedi'r codiad bu Mati Huws yn ddynes ddrwg iawn a daeth yr ymadrodd ' oni bai am Mati Huws ' yn fyrdwn dyddiol mewn sawl tŷ ym Minafon. Ond daethai Mati drwy'r cyfan heb ei sigo. Gwyddai eu bod yn ei beio am yrru ar Arthur ac weithiau, pan fyddai ei hiraeth amdano'n fwy ysol nag arfer, fe'i holai ei hun tybed oedden nhw'n iawn ac mai hi, i bob pwrpas, oedd llofrudd ei gŵr. Yna, fe'i gwelai yn yr iard gefn, ar goll i'r byd, yn dewis a dethol ei gerrig ac yn eu gosod yn eu lle, mor dyner â phetai'n rhoi babi yn ei grud, ac mor gyndyn o'u rhoi i'w cadw.

Ni welsai'r cymdogion mo hynny a phe baen nhw wedi gweld go brin y bydden nhw wedi deall. Nid oedd Arthur ei hun, hyd yn oed, wedi deall. Yn ei salwch roedd o wedi gofyn iddi—' Wyt ti'n meddwl 'mod i wedi gneud drwg i mi'n hun yn codi'r hen gerrig 'na ? ' ' Yr hen gerrig 'na,' meddai, am y talpiau rheini na allai fod wedi byw hebddyn nhw. Ond doedd o mo'no fo'i hun neu ni fyddai byth wedi meiddio dweud y fath beth. Na dweud chwaith, fel y daru o unwaith, y dylen nhw fod wedi anghofio am yr hen dŷ 'ma a rhoi hynny o arian ac amser oedd ganddyn nhw i'w mwynhau eu hunain, cyn ei bod hi'n rhy hwyr. Ond yma yr oedd eu mwynhad nhw, mewn gweld y lle'n blodeuo o dan eu dwylo. Biti ei fod wedi cael cyfle i amau. A biti na fyddai wedi cael ei gymryd o ganol ei waith a llwch ei gerrig wedi caledu ar gledrau'i ddwylo, cyn iddo gael amser i ddifaru a chwerwi. A'i chwerwi hithau. Ddiwrnod yr angladd, roedd hi wedi mynnu cael dychwel i'w lle ei hun er bod Lena'n eitha taer am iddi aros noson neu ddwy. Daethai i mewn drwy'r cefn. Roedd yr haul yn machlud ar war y Doman Ddu a ffenestr y gegin fach yn ddrych iddo.

Dallwyd hi gan y golau a baglodd ar y llechi anwastad nes ei bod hi'n cael ei thaflu yn erbyn y wal. Teimlodd rywbeth oer, gludiog yn rhedeg i lawr ei thalcen. Chwiliodd efo'i bysedd a chael fod y cnawd wedi agor fel caead tun, ond ni allai deimlo poen o fath yn y byd. Bu'n gorwedd lle disgynnodd nes bod y golau wedi cilio o'r ffenestr a'r cysgodion yn rhwbio'n ei herbyn fel cadachau tamp. Cofiodd fel y dywedodd rhywun yn ystod y dydd—'Lwcus fod y tŷ ganddoch chi'. O'r lle roedd hi'n gorwedd gallai ei weld yn hofran drosti, fel cigfran. Cododd yn wyllt a dechreuodd ddyrnu wal y gegin, yna'i chicio. O'r pellter, gallai glywed ei llais ei hun yn dweud— ' Be wna i efo'r blydi tŷ, heb Arthur ? '

Roedd carreg rydd yn y wal rhyngddi a'r drws nesaf. Tynnodd hi a'i thaflu'n fwriadol drwy ffenestr y gegin. Chwiliodd am garreg arall ond teimlodd law yn cau fel feis am ei garddwrn a llais Lena'n dweud—' Be 'dach chi'n drio'i 'neud ? Mi gwelis i chi'n taflu'r garrag 'na. Be fydda dad yn i ddeud ?' —' Ddeudith o ddim byd, byth eto,'—' Nefoedd fawr, mi 'dach chi fel carrag.'

Syllodd Mati i'r wyneb oedd mor debyg i'w hun hi i edrych arno fel bod hynny fel edrych i ddrych. Ond ni welsai erioed ar ei hwyneb ei hun yr oerni yma allai fferru rywun fel hwrdd o rewynt. A hon, oedd mor anhyblyg â roden haearn, yn ei chyhuddo hi o fod fel carreg—ei gair olaf hi, mae'n debyg, mewn caledwch. Roedd Lena efo nhw pan fyddai Arthur yn codi carreg oddi ar lwybr ac yn ei dal hi yng nghwpan ei law fel petai yno gyw 'deryn ofnus. ' Chlywodd hi mohono fo'n peri iddyn nhw roi clust ar y garreg a gwrando am y curiad cyflym, afreolus ? Sŵn y ddaear oedd o, meddai Arthur, yno yn y garreg, fel sŵn y môr mewn cragen. Ac o wrando'n fwy astud fe allen nhw glywed mân synau o'i mewn oedd yn peri i rywun feddwl am hen lwythau cyntefig yn siarad eu hieithoedd eu hunain. Ac roedd Lena'n siŵr o fod o gwmpas, weithiau, pan ddeuai Arthur â llechen adref ; tafell o'r graig y soniai mor barchus amdani.

' Yr hen ledi,' meddai, oedd wedi colli ei morwyndod dros nos oherwydd i ddyn ei blysio a'i threisio hi. Mewn breuddwyd un noson gwelsai hwnnw enfys, yn ymestyn o'i gartref hyd at Geunant y Diffwys, ac wrth ei throed, nid y cawg aur diarhebol, ond gwenithfaen pur. Dilynodd lwybr yr enfys a gwireddu ei freuddwyd, ar draul yr hen ledi. Geni plant y buo hi wedyn a chael y fraint, drwy'r Arglwyddes Penrhyn, o'u bedyddio nhw'n frenhines a thywysoges, yn dduges ac arglwyddes a hyd yn oed y cywion olaf yn ladis bach. Roedd o'n siŵr o fod wedi adrodd yr hanes wrth Lena a gorffen, fel bob amser, drwy ddweud mai gan yr hen ledi, wedi'r cyfan, yr oedd y gair olaf. Sut, ar wyneb daear, yr oedd hi wedi gallu gwrando heb gael ei chyffwrdd, heb sugno peth o'r cariad oedd ynddo at yr hen ledi a'i phlant ?

Gadawsai Mati i Lena ei harwain i'r tŷ a'i rhoi i eistedd ond mynnodd gael trin ei hwyneb a'i dwylo ei hun.

' Dydach chi ddim ffit i gael eich gadael eich hun,' meddai Lena'n gyhuddgar. Ond ei hun y byddai hi rŵan, am byth.

Roedden nhw o fewn tafliad carreg iddi—Lena a Richard a Gwyneth. ' Mi fyddan o gysur mawr i chi rŵan,' meddai rhywun. Ond nid oedd Mati erioed wedi bod yn un i fynd ar ofyn neb.

O dipyn i beth, caeodd y briw ar ei thalcen a gadael craith. Rŵan, pan fyddai wedi blino, gallai deimlo'r graith yn plycio. Ond roedd hi'n falch o allu teimlo'r boen.

— 2 —

Erbyn hyn, roedd yna dai ym Minafon a roddai'r tŷ pen yn y cysgod. Roedd blynyddoedd bellach er pan gawsai hwnnw lyfiad o baent ond câi Emma Harris, rhif tri, beintio'i thŷ yn rheolaidd bob tair blynedd a chawsai'r cwpwl newydd yn rhif chwech osod ffenestri newydd drwy'r tŷ i gyd. O'r cefn, hefyd, edrychai'r gegin a'r llofft y bu Arthur Huws wrthi mor ddyfal yn eu codi, yn grintach iawn o'u cymharu â'r ceginau a'r llofftydd a godwyd mewn chwarter yr amser efo blociau concrid, pob un o'r un trwch a maint. Dim ond tri o'r tai a berthynai i'r hen drefn o ddwy i fyny a dwy i lawr ac roedd dau o'r rheini'n boen ar lygad, fel dannedd drwg mewn ceg. Gwyddai pawb fod Harri Lloyd wedi gwneud ei beil yn y siop ddillad ac wedi gadael Katie Lloyd yn ddigon cyfforddus ei byd i allu fforddio talu am beintio'i thŷ a thrwsio'r pórtico bach uwchben y drws ffrynt. Neu'n well fyth, rhoi gordd arno a chael cyntedd gwydr fel roedd 'na yn amryw o'r tai eraill. Ac roedd ei gardd hi'n warth ar y lle. Clwt o ardd oedd hi ac nid oedd Katie Lloyd yn rhy analluog i allu torri gwair a chwynnu mymryn. Ac os oedd hynny'n ormod o drafferth gallai gael smentio'r cyfan drosodd. Ond beth oedd i'w ddisgwyl gan ddynes oedd wedi byw, yn ôl Gwen Ellis, ar fwyd cath—ciwbiau Oxo a thuniau pilsiard ?

Roedd gan Harri Lloyd dipyn o waith ateb drosto'i hun cyn y câi ei dderbyn uchod, er bod ganddo bentwr o gredentials o Galfaria a'r Cyfarfod Misol a'r Undeb Dirwest. Ond lawr grisiau yr oedd ei le, yr hen ddiawl bach rhagrithiol. Roedd gan y rhai a elwid yn oedolion capel Calfaria gof o Katie Lloyd yn cyrraedd Minafon yn eneth ugain oed. Hogan o'r wlad oedd hi. Yn fuan wedi iddi gyrraedd roedd sosial yng Nghalfaria a gwnaeth Katie deisennau cri ar gyfer y te a thrwch o fenyn ffres arnyn nhw. Ac ar ôl y sosial roedd hi wedi canu ' Ynys y Plant ' nes tynnu dagrau i lygaid pawb oedd yno. Hwnnw oedd y tro cyntaf a'r olaf iddyn nhw flasu'r teisennau cri a'i chlywed hi'n canu. Ond ar aml i nos Fercher rŵan, pan ddeuai'r ffyddloniaid ynghyd i seiadu ac i hiraethu, byddai rhywun yn siŵr o ofyn—' Ydach chi'n cofio fel y byddan ni'n cael sosial i agor y Gymdeithas ? ' A rhywun arall yn siŵr o ychwanegu—' Ydach chi'n cofio Katie Lloyd yn canu ' Ynys y Plant ' ? Mi alla fod wedi gneud enw mawr iddi'i hun.' A phawb yn distewi ; pob un ohonyn nhw'n gwybod ymh'le roedd y bai ond yn gyndyn o ddweud. Wedi'r cyfan, roedd Harri Lloyd yn un ohonyn nhw.

Ond roedd un tŷ ym Minafon yn fwy o boen llygad hyd yn oed na thŷ Katie Lloyd. Byddai hi'n glanhau'r ffenestri o leiaf—roedd dŵr yn ddigon rhad—ond roedd ffenestri rhif saith mor bygddu fel y gellid taeru fod y llenni blacowt yn dal arnyn nhw. Ac roedd yr ardd, os oedd hi'n haeddu'r enw, wedi tyfu mor wyllt fel nad oedd yno argoel llwybr rhwng y giât a'r drws ffrynt. Drwy'r cefn y byddai Os yn mynd a dod, a Madge hefyd ar yr adegau prin y byddai'n dangos ei thrwyn i'r byd. Yn y cefn yr oedden nhw'n byw ac yn cysgu ; yn yr un ystafell yn ôl pob golwg. Ni welsai neb lygedyn o olau yn y llofft ffrynt ers blynyddoedd. Ceisiodd Gwen Ellis, oedd yn byw y drws nesaf iddyn nhw, fynnu ei ffordd i mewn i'r tŷ fwy nag unwaith ond Os a atebai'r drws bob amser a gan ei fod mor fawr a llydan roedd hi'n amhosibl gwthio heibio iddo. Safai yno, yn llenwi ffrâm y drws, a'r wyneb nad oedd wedi newid dim ers pymtheng mlynedd yn serennu arni. Yna, cyn iddi gael cyfle i ddweud ei neges, roedd o wedi cau'r drws a gallai ei glywed yn chwerthin, rywle ym mherfeddion y tŷ. Gwnaethai bwynt o alw pan fyddai Os allan ond ni chawsai ateb o fath yn y byd y troeon rheini.

Roedd hi wedi awgrymu i Dei y dylen nhw fynd i Swyddfa'r Cyngor i gwyno cyn i'r tamprwydd dreiddio drwy'r waliau ac i'r budreddi hel llygod. Er ei dychryn, roedd Dei wedi troi arni a'i chyhuddo i'w hwyneb o'r hyn y byddai'r mwyafrif yn ei chyhuddo yn ei chefn.

' Pam ddiawl na fedrwch chi adael llonydd i bobol ?' arthiodd.

Yna, roedd o wedi dweud peth anfaddeuol ; wedi ei tharo yn ei man gwannaf un. Byddai'n dal i sgytio o boen bob tro y meddyliai am y peth. P'run bynnag, pa hawl oedd gan Dei i roi'r bai arni hi ? Ni chymrai'r ddau mo'r byd â bod wedi mynd ar ofyn doctor fel y gwnâi cyplau ifanc heddiw. Peth preifat oedd o na fedren nhw mo'i drafod efo'i gilydd, heb sôn am ddieithryn. Fel roedd hi'n deall, byddai cyplau rŵan yn caru ar ordor ac yn rhoi cyfri manwl o hynny i'r doctor a byddai rhai merched yn talu'n ddrud am gael eu gwneud yn feichiog efo had dynion eraill. Y nefoedd fawr, doedden nhw ddim gwell na phuteiniaid.

Yn ystod y blynyddoedd cynnar rheini pan fyddai Dei yn ei chymryd hi yn llawer amlach na'r nos Iau a'r nos Sadwrn roedd hi wedi ei rhoi ei hun iddo am ei bod hi'n adnabod ei angen. Ac er y byddai hi'n falch o gael y peth drosodd nid oedd erioed wedi ei wrthod. Hyd yn oed rŵan, a hithau'n gorfod gwasgu ei dannedd i geisio llacio rhywfaint ar y boen fyddai'n brathu fel y ddannodd yn ei meingefn, ni fyddai byth yn troi draw oddi wrtho. Nid oedd wedi crybwyll y drws nesaf wedyn er ei bod hi'n ymwybodol iawn o'r clwt tamp ar wal y lobi rhyngddyn nhw a thŷ Madge Parry ac yn deffro sawl tro yn y nos i glywed sŵn crafu yn y pared.

— 3 —

Ond nid oedd gan Eunice Murphy rhif chwech reswm yn y byd dros anwybyddu'r tamprwydd a'r sŵn. Ychydig fisoedd oedd 'na er pan symudodd hi a Brian ei gŵr i fyw i Finafon ac yn ystod y misoedd rheini bu Eunice wrthi fel lladd nadroedd yn ailwampio ac ail-wneud. Roedd hi wedi papuro pob ystafell ei hun ac wedi peintio'r drysau mewn lliwiau golau, lliw gwahanol i bob drws. Uchafbwynt y cyfan oedd yr ystafell eistedd oedd wedi costio—a byddai Eunice yn sibrwd hyn, hyd yn oed wrthi'i hun—deg punt ar hugain i'w phapuro. Nid rhyfedd felly, a defnyddio un o ystrydebau Minafon, iddi gael cathod bach pan welodd hi'r lleithder ar bared helaetha'r ystafell, yn lefel â llygaid unrhyw un a ddeuai drwy'r drws. 'Condensation,' meddai Brian. Agorodd hithau'r ffenestr newydd led y pen a phan fethodd hynny, cynnau tân, er ei fod yn loes calon iddi orfod maeddu'r grât. Ond methiant fu hynny hefyd a mynnodd gael arbenigwr i'r tŷ. 'Tamprwydd,' meddai hwnnw ac ychwanegu mai'r unig beth i'w wneud, wrth gwrs, oedd stripio'r papur i gyd a chael ei gwmni o, oedd â'r prisiau mwyaf rhesymol ar y farchnad, i drin y wal ac ail blastro'r cwbwl.

Wedi iddo adael aeth Eunice ar ei hunion i'r drws nesaf a llwyddodd yn ei chythral i wneud yr hyn a fethodd Gwen Ellis ; llwyddodd i gael mynediad i'r tŷ drwy wthio Os o'r neilltu er ei fod ddwywaith ei maint hi. Aeth drwodd i'r parlwr ac at y pared oedd rhwng y ddau dŷ. Rhedai ffrydiau o damprwydd ar hyd-ddo a hongiai'r papur yn rhydd o'r wal, fel llabedi côt. Gallai deimlo'r tamprwydd yn codi o'r wal fel tarth ac yn glynu wrth ei chnawd a'i dillad. Cofiodd fel y byddai ei mam yn ei siarsio pan âi oddi cartref i roi drych

27

bach rhwng cynfasau'r gwely diarth. Roedd gwely tamp, meddai hi, wedi gwneud cripil o ambell un am ei oes.

Camodd Eunice yn ôl am y drws a daeth i wrthdrawiad ag Os, oedd ar ei ffordd i mewn yn cario dysgl. Siglodd honno'n beryglus a syrthiodd talp o rywbeth poeth ar law Eunice. Bara wedi'i fwydo mewn llefrith oedd o. Cododd Os y darn bara oddi ar ei llaw a'i ollwng yn ôl i'r ddysgl.

' Cinio i'r llygod bach,' meddai.

Wrth iddi ruthro allan gallai Eunice dyngu fod llygaid yn ei gwylio ond ni allai weld neb.

Ni fu erioed mor falch o weld Brian yn cyrraedd adref er nad oedd ganddo ddim i'w gynnig, wedi cyrraedd, ond addewid y byddai'n galw yn y drws nesaf. ' Gad ti o i mi,' meddai. Tawelodd hithau er iddi wybod, wrth gytuno, na fu erioed elwach o adael dim i Brian.

Cadwodd Brian ei addewid ac aeth i'r drws nesaf. Cafodd un cip ar Os yn hofran yn y drws a gwadnodd hi oddi yno nerth ei draed. Pan welai Eunice yn rhythu ar y clwt tamp byddai'n dweud—' Mae o'n siwr o glirio wedi i'r tywydd g'nesu' —ond heb ronyn o argyhoeddiad yn ei lais.

Yn ystod yr wythnosau dilynol bu Eunice yn ystyried y posibilrwydd o gyflwyno deiseb i'r Swyddog Iechyd ar ran pobl Minafon yn cwyno ynglŷn â chyflwr rhif saith ac yn pwyso ar iddo gymryd camau i wella'r sefyllfa, yn ddiymdroi. Aeth ati i lunio deiseb, yn Saesneg, gan fod i'r iaith honno fwy o awdurdod. Ond roedd yna un anhawster. Gan ei bod hi'n ddieithr i Finafon ni allai fod yn siŵr pa groeso a gâi'r ddeiseb. Wedi'r cyfan, roedd Madge Parry yn un o'r lle a hithau'n dderyn dwad. Yna cofiodd am Gwen Ellis, oedd wedi galw i'w gweld awr neu ddwy wedi iddyn nhw symud i mewn ac wedi ei dilyn hi o ystafell i ystafell a hyd yn oed i'r llofftydd gan esgus cario hyn a'r llall. Roedd Eunice wedi cymryd cas ati'n syth wrth ei gweld yn mesur hyd a lled pob ystafell ac yn storio pob eitem yn warws ei chof i'w defnyddio'n ôl y galw. Ond gallai Gwen Ellis fod o ddefnydd iddi rŵan.

Gwahoddodd Gwen Ellis i goffi un bore. Roedd hi wedi paratoi hwnnw yn y gegin ac wedi gwneud yn siŵr fod drws yr ystafell eistedd wedi'i gau. Ni fwriadai sôn am y tamprwydd ar ei wal hi, dim ond am y peryglon oedd nid yn unig yn eu hwynebu hwy, fel cymdogion agos i Madge Parry, ond yn bygwth pawb oedd ag enw da Minafon yn golygu rhywbeth iddyn nhw. Er mai siomedig fu'r canlyniadau o safbwynt y ddeiseb cawsai Eunice Murphy, yn ystod yr un bore hwnnw, wybod cymaint (os nad mwy) am bobl Minafon ag a wyddent hwy eu hunain.

Roedd Gwen Ellis wedi cytuno efo hi fod y peth yn gwilydd gwarth ac wedi dweud fel y byddai hi'n deffro ganol nos i glywed y llygod yn crafu. Wrth gwrs, doedd hi erioed wedi gweld un, ond roedd eu clywed yn ddigon. Soniodd Eunice fel y bu iddi weld Os yn cario'r bwyd i'r llygod.

'Fuoch chi 'rioed i mewn yno?' holodd Gwen Ellis, yn filain. Efallai mai dyna oedd wedi ei chythruddo hi. P'run bynnag, gwnaethai ati i fod yn gecrus, hyd yn oed yn fygythiol ar adegau.

'Waeth i chi heb â galw efo Mati Tŷ Pen,' meddai. 'Dydi pry sydd wedi hedag oddi ar gachu ddim yn mynd i gymryd arno nabod budreddi.'

Ac aeth ymlaen i ddweud mor gyndyn fyddai hi a gweddill ei dosbarth o eistedd yn ymyl Mati Cwt Sinc am ei bod hi'n fyw o lau. Gallai gofio fel y byddai Mati'n crafu—digon i'w gyrru nhw'n wallgof. Roedd rhai o'r hogiau wedi ei chael hi ar lawr yn yr iard un diwrnod ac wedi cymryd cyllell a thorri'r gwallt ar ei chorun i'w fôn er mwyn cael gweld y llau ar gerdded. 'Fel twmpath morgrug, myn diawl,' meddai Jac Penmeini. Na, ni fyddai Mati Cwt Sinc eisiau cael ei hatgoffa o bethau yr oedd hi wedi gwneud ati i droi ei hen drwyn snobyddlyd arnyn nhw ar hyd y blynyddoedd.

'Ond beth am ei merch hi?' holodd Eunice.

Na, roedd gan honno reitiach pethau i feddwl amdanyn nhw; fel sut i gadw'r gŵr 'na oedd ganddi rhag ymlid popeth mewn sgert (a throwsusau bellach, ran'ny)—yr hen hwrgi iddo fo.

'Eisia torri arno fo sydd,' meddai Gwen Ellis. 'Er, cofiwch, dydi hitha fawr o gop. Rhyngoch chi a fi a'r wal (diolchodd Eunice i'r drefn mai yn y gegin yr oedden nhw) mi 'dw i'n siŵr i fod o'n cael gwaith byw efo hi. Ydach chi wedi sylwi ar i llygaid hi?' Na, ni chawsai Eunice gyfle i edrych mor fanwl â hynny arni. 'Fel llafna, yn torri drwyddoch chi. Mi fedra

29

honna daro rhywun yn gelan efo un edrychiad. Faswn i ddim
yn mynd ar i gofyn hi am un dim taswn i chi.'
' Drws nesa iddi 'ta,' awgrymodd Eunice, mewn anobaith.
' Emma Harris ? O'r nefoedd, 'd ewch chi ddim i fan'no,
siawns. Tynnwch chi honna'n eich pen ac mi fydd hi'n uffarn
arnoch chi am byth. O, ydi, mae hi'n bropor i edrych arni,
ond mae ganddi hi dafod sipsan. Tynnu ar ôl i thad wyddoch
chi ; Ned Harris. Dibynnu ar i ddyrna y bydda fo ond mae
ganddi hi fwy yn i phen—gormod o lawar ar i lles. Ond fe
wyddon ni i gyd be sy'n i chorddi hi. Cael i gadael yn sefyll
wrth 'r allor ddaru hi. Chafodd neb fwy o waredigaeth na'r
Idris Preis hwnnw er nad oedd dda gen i mo'i olwg o. Llygaid
Chinc, 'dach chi'n dallt—fedrwch chi byth drystio pobol felly.
Chymrwn i mo'r deyrnas â mynd i'w caffis nhw. Ond mi roedd
o â'i lygaid yn i ben pan adawodd o Emma Harris ar yr unfad
awr ar ddeg. Fedra angal o'r nefoedd ddim byw efo honna.
On'd ydi hi'n cael traffarth i fyw efo hi'i hun.'
' Ond mae synnwyr cyffredin yn deud na ddyla peth fel hyn
ddim cael i ganiatáu heddiw. Fyddan nhw ddim gwaeth o roi
'u henwa ar hwn.'
' Pa well fyddan nhw ?'
'Wel, mi fydda deg o enwa yn cario mwy o bwysa nag un.
A tasa pawb yn gytûn fedra'r Cyngor mo'n hanwybyddu ni'n
hawdd.'
' Dyna ydach chi'n i feddwl. Mi fedra rheina edrych ar
rywun yn gwaedu i farwolaeth o dan 'u trwyna heb droi ble-
wyn. Ac os ca'i ddeud, mae eisia chwilio'ch pen chi yn awgrymu
y galla pobol Minafon gytuno ar un dim.'
'Ond mae'n siŵr fod 'na rywun. Beth am Katie Lloyd drws
nesa ? Mae hi'n edrych yn ddynas resymol, i mi.'
' Ydach chi wedi gweld yr olwg sydd ar i thŷ hi ? '
' Nid arni hi mae'r bai os na fedar hi fforddio i dwtio fo.'
' Fforddio ! Wyddoch chi ddim byd amdani. Mae Katie
Lloyd yn werth i miloedd. Y fo, yr hen sgrwb iddo fo, fuo'n
pluo pobol ddiniwad yn y siop 'na ar hyd y blynyddoedd.
Dyna lle bydda fo ar i linia yng Nghalfaria yn prygywthan
am drugaradd a thosturi Duw heb wybod y peth cynta amdanyn
nhw. Na, chaech chi mo'i henw hi ar hwn (a tharo bawd ar
y ddeiseb y bu Eunice yn ei chopïo'n llafurus yn ei sgrifen a'i

Saesneg gorau). Egwyddor fyddai hi'n i alw fo ; ofn gneud drwg i rywun. Ofn drosti'i hun, a neb arall. Dydi'r Os 'na ddim hannar call wyddoch chi. Mi oedd rhai'n deud mai cyflog pechod Madge Parry oedd iddi i eni o felly ond fedra i'n 'y myw lyncu hynny. Dydw i ddim yn dal 'dani, ond mi roedd hi'n hogan ddel, y glenia ohonyn nhw, a mae 'na hen ddiawliaid o ddynion o gwmpas. Falla y caech chi'r petha newydd 'na sy'n nymbar tŵ i roi 'u henwa arno fo. Wn i ddim byd am rheini eto.'

' Ond fe rowch chi'ch enw arno fo ?' Yn hyderus.

' Mi fydda'n well gen i beidio. Mi 'dw i eisia byw yma, ac efo Dei. Ond os cymrwch chi air gen gall, mi faswn i'n cloi pob drws, hyd yn oed pan mae'r gŵr yma efo chi. Does ganddo fo fawr o fôn braich, yn nag oes ?'

Roedd Gwen Ellis wedi ei helpu ei hun yn helaeth i'r deisen hufen ac wedi gadael ôl ei bawd yn staen ar y papur deiseb. Rhwygodd Eunice y papur ar draws ac ar hyd a'i daflu i'r tân yr oedd hi'n dal i'w gadw i fflamio'n ddyddiol yn y gobaith o allu atal rhywfaint ar y tamprwydd. Roedd ganddi storm o gur yn ei phen a bu'n rhaid iddi ildio iddo a mynd i orwedd ganol y prynhawn.

Cafodd y ddos ddwbl o dabledi effaith, ac aeth i gysgu. Ac yn y cwsg hwnnw cafodd yr hunllef fwyaf melltigedig a gawsai erioed. Fe'i gwelodd ei hun wedi ei chloi mewn cawell efo dwsinau o lygod mawr. Gallai deimlo eu poer yn syrthio ar ei chnawd wrth i'w hisian chwyddo yn ei chlustiau. Yn eu mysg roedd un lygoden fwy na'r gweddill, efo wyneb dyn. Na, nid wyneb dyn, chwaith, er bod blew ar yr ên a'r cernau ; wyneb plentyn oedd o a gwyddai y dylai ei adnabod. Gwasgai'r llygod amdani, yr un fwyaf efo wyneb plentyn ar y blaen i'r lleill.

Brian oedd wedi ei hachub hi o'r hunllef drwy gyrraedd adref yn gynnar, wedi cytuno i fynd yn ôl ar sifft nos. Roedd o'n ffwdan i gyd o'i chael hi'n ei gwely ac yn mynnu mai wedi bod wrthi ormod efo'r tŷ yr oedd hi.

' Mi 'dan ni wedi dwad i fyw i le ofnadwy, Brei,' meddai hi, a dechrau ailadrodd yr hyn a glywsai'r bore, ond wedi ei dyneru beth wmbredd. Gwrandawodd Brian yn fud am sbel ac yna dywedodd, yn dawel—

' Mae'n siŵr fod 'na ryw dda ynddyn nhw, hefyd.'

Roedd hynny wedi gwneud iddi grio. Deuai'r dagrau'n hawdd y dyddiau yma. Roedd rhai ohonyn nhw iddi ei hun am iddi fethu dweud wrth Gwen Ellis yr hyn a ddywedodd Brian wrthi hi a rhai i Brian, oedd yn credu'r hyn ddywedodd o ac wedi ei gredu erioed, am bawb.

Gwyrodd Brian ymlaen ati a dweud, yn ymbilgar—

' Plîs, Eunice, fedra i ddim diodda dy weld di'n crio.'

Gwnaeth hithau un ymdrech fawr er ei fwyn a sychodd y dagrau. Gwenodd Brian arni. Pwysodd yn ôl yn ei gadair a chau ei lygaid. Ond crwydrodd llygaid Eunice, yn reddfol bellach, at y pared gyferbyn a gallai dyngu iddi glywed sŵn crafu y tu arall iddo. Roedd un peth yn sicr—byddai'n rhaid iddi, fel bob amser, ymladd hyn eto ar ei liwt ei hun. Ac os oedd hi i lwyddo byddai'n rhaid iddi orchfygu'r dagrau oedd yn procio'n gyson y tu ôl i'w llygaid ac yn ei bygwth hi.

Teimlodd Eunice unigrwydd mawr yn cau amdani fel niwl mynydd a hwnnw'n rhedeg yn ddagrau i lawr ei gruddiau. Cododd yn wyllt ac aeth ati i dwtio cegin nad oedd mymryn o angen ei thwtio. Pan ddeffrôdd Brian o'i gyntun roedd hi wedi paratoi pryd oedd yn llawn haeddu'r gwin a'r canhwyllau. Bu'r ddau'n ymdroi'n hir efo'r bwyd, yn ddiogel a chynnes mewn pwll o oleuni a gweddill yr ystafell yn ymestyn oddi wrthyn nhw i dywyllwch ac anghofrwydd dros dro.

Aeth Brian yn ôl i'w waith a sŵn chwerthin Eunice yn ei glustiau. Rywdro yn ystod y nos meddai wrth un o'i gydweith-wyr, oedd wedi cwyno fod ei wraig yn y felan dragywydd—

' Does 'na ddim byd yn cael Eunice 'cw i lawr.'

' Mi wyt ti'n lwcus, mêt,' meddai'r llall.

Cytunodd yntau ei fod ac ychwanegodd, o dan ei wynt—' Wn i ddim be faswn i'n 'i 'neud hebddi hi '.

DYDD GWENER, MEHEFIN YR 2IL

— I —

Bore siomedig ar y naw a gawsai Gwen Ellis. Er iddi gerdded hyd Minafon deirgwaith yn y gobaith o daro ar Mati Huws ni welsai argoel ohoni ac roedd drws y cyntedd bach gwydr, a arferai fod yn llydan agored, wedi ei gau'n glòs. Byddai wedi rhoi un cynnig arall arni oni bai fod ei chefn yn ei lladd.

Neithiwr, am y tro cyntaf erioed, roedd hi wedi troi'r cefn hwnnw ar Dei.

' Be gythral sydd arnoch chi ?' arthiodd yntau.

' Wedi blino yr ydw i.'

' Does 'na ddim byd imi i 'neud, felly, ond mynd i'r afael â rhyw gywan ifanc, 'r un fath â Dic Pŵal.'

Pa ddewis oedd ganddi wedyn ond ildio iddo ? Roedd y cyfan drosodd mewn llai na deng munud. Nid oedd Dei wedi boddran efo rhagymadrodd ers blynyddoedd. Ond gallai deimlo'i chefn yn hollti efo'i bwysau arni. Aethai i gysgu ar ei union, fel y gwnâi bob amser. Cysgodd hithau'n ysbeidiol gan droi a throsi i geisio lle esmwythach i'w chefn ond ni fennodd ei haflonyddwch ddim ar gwsg Dei. Ni chlywodd mohoni'n codi ganol nos ac yn gadael yr ystafell. I'r llofft gefn yr aeth hi, ac at y ffenestr. Roedd 'na ewin o leuad uwchben y Doman Ddu, digon i leddfu mymryn ar y tywyllwch. Eisteddodd ar lawr wrth y ffenestr a phwyso'i chefn yn erbyn y wal. Llwyddodd caledwch ac oerni honno i lacio'r boen dros dro.

Ond erbyn y bore roedd yn ôl ac yn cnoi fel y ddannodd. Bu ond y dim iddi a chwyno wrth Dei ond beio'i hoed a wnâi hwnnw. Ac nid oedd am fentro, wedi'r hyn ddywedodd o neithiwr. Nid ei bod hi'n amau am eiliad yr âi Dei i ganlyn rhyw hoeden, fel Dic Pŵal. Er na fyddai ar ôl o binsio ambell i ben ôl cyfarwydd yn y Queens wedi iddo gael dropyn, efo'i fêts yn y gornel y byddai fel rheol, yn chwarae dartiau. Ond hyd yn oed wedyn, roedd 'na hen gnafon o ferched o gwmpas, oedd â dwylo blewog cyn belled ag yr oedd gwŷr merched eraill yn y cwestiwn. Ac roedd Dei, er ei fod o'n tynnu 'mlaen

33

rŵan, yn bictiwr o iechyd ac yn ddyn o'i gorun i'w sawdl, nid rhyw gadi ffan o rwbath fel y Murphy drws nesa ond un.

Pwy fyddai'n disgwyl i rywun efo enw fel'na siarad Cymraeg ? Enw Gwyddelig oedd o, meddai Katie Lloyd wybodus. Ond doedd y Murphy 'ma ddim byd tebyg i'r Gwyddelod fyddai'n dew hyd y dref ar un adeg ; pethau mawr, ysgwyddog, yn feddw gaib liw dydd golau. Doedd gan y Murphy 'ma ddim digon o fôn braich i allu codi gwydryn peint. Ond mwngral oedd o ran'ny a doedd 'na byth gystal graen ar fwngrelod. 'Châi neb wobr am ddyfalu pwy oedd yn gwisgo'r trowsus yn rhif chwech. O, wel, ni allai neb ei chyhuddo hi o hynny. ' Y gŵr yw pen y wraig '—dyna fyddai ei thad yn arfer ei ddweud. Doedd hynny ddim yn golygu fod yn rhaid i'r wraig wneud mat sychu traed ohoni ei hun chwaith fel y gwnaethai Katie Lloyd ar hyd y blynyddoedd.

Roedd angen amynedd Job efo hi, yn cymryd arni fod mor neis neis pan fyddai ganddi hi, Gwen, damaid i'w gynnig, a hithau'n torri'i bol o fod eisiau gwybod. Byddai hithau'n ceisio dal heb ddweud orau y medrai hi er mwyn gweld Katie'n gwingo yn ei chadair. Eitha gwaith â'r hen gyrbiban fach ragrithiol. Ond roedd hi wedi bod mewn ysgol dda, efo fo. Fel y byddai'r hen snichyn yn troi'i drwyn ar Dei am ei fod o'n codi'i fys bach! Roedd dyn yn haeddu cael ei bleser wedi diwrnod caled o waith. A doedd hi erioed wedi dannod hynny iddo. Wir, roedd hi wedi datgan hynny ar goedd drwy fynd i'w ganlyn i'r Queens bob hyn a hyn er na châi fwy o flas ar y cwrw heddiw nag a gawsai'r diwrnod pell yn ôl hwnnw yn Llandudno. Roedd yn ganmil gwell ganddi ei phaned.

Na, nid oedd gan Dei reswm yn y byd dros fynd i hel merched. Be oedd ar ei phen hi'n meddwl y fath beth ? Y Dic Pŵal 'na oedd wedi gwenwyno'i meddwl hi. Biti iddo fo ddwad yn ei ôl o gwbwl.

Roedd hi wedi meddwl yn siŵr y byddai'n rhaid i Mati fod wedi picio allan am ei thorth tuag un ar ddeg ond roedd y dorth yn dal yno am hanner dydd, wedi'i lapio mewn papur sidan a ' Cartref ' wedi'i sgwennu arno fo. Hen enw gwirion ; on'd oedd tŷ pawb yn gartref ? I be oedd eisiau enw o gwbwl ran'ny ? Roedd rhifau'n ddigon da i bawb arall.

Damio unwaith, lle roedd y ddynes, a hithau wedi edrych ymlaen am gael sgwrs efo hi ? Er, doedd 'na fawr o sgwrs i'w chael efo Mati Huws a go brin y byddai'n gwybod mwy na hi. Ond o leiaf fe gâi'r pleser o brocio dipyn arni. Roedd hi'n ddigon hy ar Mati i allu dweud pethau na feiddiai eu dweud wrth Lena Powell.

Gallai wneud efo paned. Efallai y byddai gan Katie Lloyd un wrth law. Ond y cwbwl oedd gan honno ar fynd oedd cwpanaid o ddŵr poeth. Trugaradd mawr, doedd hi rioed yn rhy grintach i brynu te ?

' Fiw imi gyffwrdd dim byd cryfach na dŵr. Camdreuliad, wyddoch chi,' meddai, a thorri gwynt yn sidêt y tu ôl i'w llaw.

Mygodd Gwen Ellis ei hawydd i ddweud—Eitha gwaith â chi. Nid oedd am dynnu gwg Katie Lloyd, rŵan fod ei chynulleidfa yn prysur leihau.

Eisteddodd, heb ei chymell. Syllodd Katie Lloyd yn ddisgwylgar arni.

' Pa newydd heddiw ?' holodd, yn ddamniol o ddidaro.

' Dim byd arbennig. Fyddwch chi'n i gael o'n amal ?'

' Be 'dwch ?'

' Camdreuliad.'

' Ddim yn amal iawn.'

' Ydach chi'n byta ?'

' Hynny ydw i i angan.'

' Dydi o ddim yn talu i sgrimpio ar fwyd.'

Ysgytiodd Katie Lloyd fel pe mewn poen. Roedd yr ergyd yna wedi taro adra. Gallai fforddio bod yn glên rŵan.

' Mi fydd raid i Mati Huws 'neud heb i chinio heddiw,' meddai.

' Pam, felly ?'

' Gormod o gwilydd dangos i thrwyn.'

' Does 'na ddim bai arni hi.'

Lle oedd yr hulpan wirion wedi bod yn byw ar hyd y blynyddoedd i ddweud peth mor ddwl ?

' Ar bwy mae o 'ta ?'

' Fedra i ddim deud, wir.'

Ddim am ddweud yr oedd hi. Osgoi, fel arfer ; ofn i farn ddisgyn arni petai hi'n meiddio codi bys.

' P'run bynnag, mae o'n ôl rŵan.'

35

' Mi fydda'n harddach iddo fo fod wedi cadw draw. Mynd eto wnaiff o, cymrwch chi o gen i. Ond roedd hi'n gofyn amdani.'

' Lena Powell ?'

' Honno hefyd. Ond am Mati Huws ro'n i'n sôn.'

' Efo be, felly ?'

' Rhoi syniada ym mhenna'r plant 'na ; gneud iddyn nhw feddwl fod yr haul yn codi o'u tina nhw.'

Tynnodd Katie Lloyd ei gwynt ati.

' Wela i ddim fod a wnelo hynny ddim â'r peth,' meddai'n gysetlyd.

Roedd hi'n bigog ar y cythral heddiw, meddyliodd Gwen Ellis. Rhoddodd gynnig arall arni.

' Maen nhw'n deud fod y Glyn Huws 'na wedi torri'n racs jibidêrs a bod i wraig wedi'i adael o. Busnas i thad hi oedd o, wyddoch chi. Dyna pam y priododd o hi. A rŵan mae o wedi i cholli hi a'r busnas.'

' Biti.'

' Wn i ddim sut y gwnaeth o awr o fusnas rioed a fynta'n gymaint o surbwch. Ond hen drwyna o blant oeddan nhw, fo a hon drws nesa. Mae'n siŵr i bod hi'n credu fod pawb yn derbyn mai babi seithmis oedd y Gwyneth 'na. Be mae hi'n i feddwl ydan ni—penna defaid ? Dipyn o lanast wnaeth Mati Cwt Sinc ar fagu'i phlant mae arna i ofn.'

' Chawsoch chi a finna ddim cyfla i wneud na llanast na dim arall.'

Doedd dim galw am hynna, meddyliodd Gwen Ellis, dim galw o gwbwl. Mae'n rhaid fod y camdreuliad 'na wedi gwenwyno'i chyfansoddiad hi. Wel, hi fyddai ar ei cholled. Roedd hi'n lwcus ar y cythral ei bod hi, Gwen, wedi gallu ei goddef gyhyd a hynny pan oedd pawb arall wedi ei rhoi i fyny mewn anobaith. Ac nid oedd arni hi ddyled i Katie Lloyd. I'r gwrthwyneb—roedd yr Harri Lloyd 'na wedi bod rêl Hitlar bach efo'i mam am iddi fethu talu'r Clwb pan oedd tada'n wael.

Wrth iddi stormio allan ni allai Gwen Ellis ddirnad sut yr oedd hi wedi gallu byw yn ei chroen yn yr un ystafell â Katie Lloyd. Gallai gofio ei mam yn dod i'r tŷ un diwrnod â golwg un wedi cael cweir arni. Harri Lloyd oedd wedi bod yn

ffiaidd efo hi. Hithau'n dweud—' Hidiwch befo, mam bach,
mi luchia i garrag drwy ffenast i hen siop o.' ' Waeth iti heb,'
meddai ei mam. ' Ti ddaw allan waetha. Does 'na ddim ennill
i bobol fel ni.'

Yfodd Katie Lloyd weddill y dŵr poeth, oedd yn glaear
erbyn hyn. Dyna hi wedi ei gwneud hi rŵan. Be ddaeth drosti,
mewn difri ? Fe ddylai wybod yn well nag edliw ei phriodas
ddi-blant i Gwen Ellis. Nid fod honno erioed wedi cyfeirio
at y peth ond roedd ei mudandod hi, am unwaith, yn siarad
yn huotlach na'i geiriau. Roedd o'n beth creulon i'w wneud.
A hithau, yn y gwraidd, yn cytuno â phopeth ddywedodd hi
ynglŷn â'r ddau blentyn er nad oedd ganddi ddim yn erbyn
Mati Huws. Wir, roedd hi wedi edmygu'r ddynes, yn ddistaw
bach, am fentro cynnau llid pobl ac am allu ei oddef mor . . .
mor urddasol. Ac nid ei bai hi, beth bynnag oedd Gwen Ellis
yn ei ddweud, oedd fod y plant wedi troi allan fel darun nhw.
' Nid ceidwad fy mhlant ydwyf i.' ' Brawd ' ddywedodd Cain,
ond roedd o'r un mor wir am blant. Peth annheg oedd disgwyl
i rywun allu eu cario nhw ar ei gefn am byth.

Nid oedd hi erioed wedi bod eisiau plentyn. Na, doedd
hynny ddim yn hollol wir chwaith. Byddai wedi croesawu
plentyn petai wedi gallu cynnig tad da iddo—da efo ' d ' fach,
nid un y ' D ' fawr. Roedd 'na fyd o wahaniaeth. Byddai
tad da yn oddefgar o wendidau ei blentyn ac yn fodlon rhoi
rhywfaint o raff iddo ddatblygu'i bersonoliaeth ei hun. Gallai
tad da fod yn gefn ac yn gysur yn ogystal â bod yn blentyn
ymysg plant. Roedd hi'n argyhoeddedig erbyn hyn mai priodas
ddiffrwyth oedd un Harri a hithau i fod. Ni allai byth fod
wedi rhoi ar blentyn y cyffion a roesai Harri arni hi.

Edrychodd, yn reddfol, tuag at y seidbord. Ar ddiwrnod
mwll fel hwn ymddangosai'r dyn yn y llun yn debycach i'r
Harri a gofiai hi. Byddai'r Harri hwnnw'n cymeradwyo'r
hyn a wnaethai gynnau er na fyddai ei dull hi o'i wneud wedi
apelio ato. Ond o leiaf roedd hi wedi para'n ffyddlon ac ufudd
hyd angau, a thu hwnt iddo. Pam, felly, yr oedd hi mor gyn-
dyn o godi a pham na fyddai'r camdreuliad wedi ei gadael
hi efo Gwen Ellis ?

Ymestynnai'r diwrnod o'i blaen, fel ffordd ddiderfyn, ac ni allai feddwl am gychwyn ei cherdded. Roedd y glaw wedi dechrau disgyn ; hen law budr na chymrai mo'r byd â rhoi ei thafod allan i'w ddal fel y gwnâi gartref ers talwm. Ia, gartref, lle byddai hi'n mynd ar redeg drwy'r dyddiau ac mor siomedig o'u gweld nhw'n dirwyn i ben. Yno y dylai hi fod rŵan ac nid yn y tŷ yma nad oedd wedi bod ond llety iddi am ddeugain mlynedd. Ond be fyddai diben mynd yn ôl i le fyddai'n gwatwar ei harafwch ac yn ei hatgoffa o'r eneth adawodd hi yno ? ' Rhodio lle gynt y rhedwn.' O b'le daeth honna rŵan ? O b'le roeddan nhw i gyd yn dod, yn llinellau a nodau fyddai'n codi i'r wyneb fel hyn yn hollol ddirybudd ac yn ei sigo hi ? Ai'r rhain oedd yn gyfrifol am y saeth o boen a wibiai o rywle yng nghyffiniau ei chalon, i fyny ei hysgwydd chwith ? Ynteu ai rhybudd oedd o o'r henaint oedd yn prysur wasgu arni ? Henaint ? Roedd hi'n hen yn ugain oed pan gerddodd i mewn i'r tŷ yma ar fraich Harri Lloyd. Ond roedd hi wedi camu i mewn yn hyderus, heb wybod ei bod yn ei dedfrydu ei hun i oes o garchar.

— 2 —

Petai Gwen Ellis ond yn gwybod gallai fod wedi arbed dwy siwrnai i fyny ac i lawr Minafon. Gwelsai Mati Huws hi ar y siwrnai gyntaf. Digwydd bod yn ffenestr y llofft yr oedd hi. Doedd hithau fawr gwell na Gwen Ellis, erbyn meddwl. Digwydd bod y byddai honno, hefyd,—yn y ffenestr, yn y siop, ar y stryd—yn y lle iawn ar yr amser iawn. Beth bynnag am hynny, diolchodd Mati Huws i ba bynnag drefn oedd wedi gofalu ei bod hi yn y ffenestr. Roedd hi'n ddigon cyfarwydd â Gwen Ellis i adnabod pob un o'i hwynebau ac roedd yn yr wyneb a welsai hi'r bore rybudd pendant i rywun. Ac o sylwi fel roedd Gwen Ellis yn craffu i gyfeiriad y tŷ pen ac yn arafu wrth y giât i gogio tynnu carreg o'i hesgid byddai'n well iddi fanteisio ar y rhybudd hwnnw. Er ei bod wedi rhannu'r dafell olaf o fara efo'r gath strae neithiwr roedd yn well ganddi wneud heb y frechdan ŵy a addawsai'n ginio iddi ei hun na mentro dod wyneb yn wyneb â Gwen Ellis. Roedd hi wedi credu ei bod hi'n ddiogel rhag ensyniadau honno ers blynydd-

oedd lawer, ond rŵan ei bod heb Arthur roedd hi mor ddiam-
ddiffyn ag erioed. Pan oedd hi'n iau byddai'n ysu am gael
rhoi clewt am glewt i Gwen Ellis. ' Dangos dy hun yn well na
hi,' meddai Arthur. Ond pa well oedd hi o fod wedi dal ei
thafod pan fyddai rhai fel Gwen yn cymryd mudandod fel
arwydd o euogrwydd ?

Gwnaeth ŵy wedi'i ferwi iddi ei hun ond ni chafodd flas
arno. Peth garw oedd bod wedi arfer efo brechdan. Roedden
nhw wedi cael eu hannog, yn blant, i ' fyta brechdan ' er
mwyn ceisio lleddfu'r gwanc nad oedd gan eu mam obaith ei
ddigoni. Y nef wen, mae'n rhaid eu bod nhw'n dlawd. Nid
oedd neb o'u cydnabod yn byw'n fras ac roedd hi'n o dynn ar
rai ond nid oedd neb o'i chyfoedion yn gorfod byw mewn cwt
sinc. Wydden nhw ddim beth oedd methu cysgu am fod
dafnau glaw'n taro'r sinc fel graean neu am fod plu eira'n
chwythu i mewn drwy'r agennau rhwng y shetiau. Doedden
nhw erioed wedi gorfod dioddef y sarhad o gael cribo'u gwall-
tiau efo crib mân a'i olchi wedyn efo sebon y byddai ei arogl
yn glynu wrth rywun am wythnosau. Cofiai Gwen Ellis yn
dweud wrthi rywdro, flynyddoedd lawer yn ôl bellach, y
byddai'n rhaid iddi wrth gryfach peth na dŵr lafant Ifans
Drygist i ladd ogleuon y cwt sinc.

Ni allod yn ei byw ailadrodd hynny wrth Arthur a bu'n
ei fagu y tu mewn iddi am hydoedd. Dyna pryd y cawsai hi'r
penadynnod rheini. Roedd Doctor Puw wedi ofni i ddechrau
mai'r clefyd melys oedd arni ac wedi mynnu ei chael i mewn i'r
ysbyty am archwiliad. Ond roedden nhw wedi methu cael
dim organig o'i le arni.

Daethai Doctor Puw i mewn ati i'r ward fach un prynhawn
ac eistedd ar erchwyn y gwely.

' Deud ti, ' mach i,' meddai.

Ac fe ddywedodd hithau. Nid oedd angen iddi gelu dim
oddi wrtho fo. Am Doctor Puw y byddai ei thad yn galw
pan fyddai'r lleisiau yn ei boenydio a'i fygwth. Nid oedd yntau
erioed wedi gwrthod dod, na dangos ôl brys ar ôl dod. Byddai'n
eistedd efo'i thad, fel yr eisteddai efo hi. ' Mi ofala i na chan'
nhw mo dy frifo di, Now,' meddai. A phan aethon nhw â'i
thad i Ddinbych roedd Doctor Puw yno, yn yr ambiwlans,—
' i 'neud i Now deimlo'n saff.' Roedd o wedi gwthio sawl swllt

i law ei mam ac wedi ei chanmol, a fo oedd wedi llwyddo i gael tŷ cyngor iddyn nhw. Doedd hi'n dweud dim byd newydd wrtho ond gwrandawai mor astud â phetai'n clywed y cyfan am y tro cyntaf.

' Wnes i rioed feddwl y bydda gen ti gwilydd ohonyn nhw,' meddai'n dawel, wedi iddi hi dewi.

Gwadodd hithau hynny'n ffyrnig. ' Fe wnaeth dy fam gamp 'sti,' meddai. ' Mi fydda 'na amal i ddynas braffach na hi wedi rhoi fyny'r ysbryd. A lle byddach chi, blant, wedyn ? Ond roedd hi'n benderfynol o gadw'r teulu wrth ei gilydd ar waetha salwch dy dad, a salwch ar y diawl oedd o, cred ti fi. Mi oedd o'n hogyn nobl. Ac mae cwymp rheini, pan ddaw hi, yn ddwbwl cletach am fod ganddyn nhw fwy o ffordd i ddisgyn.'

Yna, roedd o wedi troi ati ac edrych i fyw ei llygaid wrth ddweud—

' Mae 'na fwy nag un math o faw 'sti—baw glân a baw budur. Mae'r baw glân yn hel ar waetha pobol ond pobol ar 'u gwaetha sy'n hel y baw budur. A chofia mai colli tir maen nhw wrth ei daflu o.'

Roedd hynny wedi bod o gysur mawr iddi ar y pryd ond ychydig o ddiddanwch a gâi ynddo rŵan. Roedd y tir o dan draed Gwen Ellis yn ymddangos mor soled ag erioed.

Galwodd Lena pan oedd hi wrthi'n golchi'r llestri. Safodd yn y gegin â'i chefn ar y drws.

' Dim ond picio ar fy ffordd i'r siop i weld sut ydach chi,' meddai.

Dim ond picio heibio yr oedd hi wedi'i wneud er pan ddychwelodd i Finafon ; dangos ei thrwyn er mwyn ei chyfiawnhau ei hun.

' Ydach chi wedi gweld Gwen Ellis bora 'ma ?'

' Dim golwg.'

Roedd eu sgwrs bob amser, meddyliodd Mati, yn llawn o fân gelwyddau fel'na, er mwyn arbed geiriau.

' Dydach chi ddim wedi clywad felly. Mae Richard yn ôl.'

A dyna pam roedd Gwen Ellis yn hofran o gwmpas y tŷ. Ond nid oedd a wnelo dychweliad Richard ddim â hi. Am ddefnyddio hynny i bwrpas yr oedd Gwen Ellis mae'n debyg. Cawsai waredigaeth.

' Mae o'n ôl i aros, hefyd.' Yn fygythiol.

' Mae'n dda gen i.' Yn dawel ac mor ddi-ffrwt ag oedd bosibl.

' Wedi bod yn aros efo'i chwaer yn Lerpwl roedd o. Teimlo'i hun dan straen a meddwl y bydda newid aer yn lles.'

Roedd Lena'n fwy siaradus nag arfer heddiw. Ond doedd hi rioed yn disgwyl i rywun gredu i Richard fynd i Lerpwl er lles ei iechyd ? Byddai'n haws credu petai wedi mynd at y môr neu i'r mynydd. Ac roedd bod yr eneth fach 'na wedi diflannu 'r un pryd yn ormod o gyd-ddigwyddiad.

Roedd Mati'n gyfarwydd â'r eneth. Arferai weithio yn siop y Becws. Byddai'n bleser edrych arni o'i chymharu â'r gen-ethod eraill oedd yn ymddwyn fel petai'n dda ganddyn nhw eich pledu chi efo'r bara. Roedd yn hawdd deall sut y byddai un olwg arni yn ddigon i droi pennau mwy gwantan na'i gilydd. Ond roedd pen Richard yn eitha sad. Be oedd wedi dod drosto i rwdlan efo geneth ei hoed hi ? Wedi blino arno fo yr oedd hi, debyg, unwaith y gwelodd na allai gadw i fyny efo hi. Digon posib iddo fod yn Lerpwl. Er na fedra fo a Margaret ei chwaer oddef ei gilydd roedd yn gasach gan honno Lena ac roedd hi'n debygol o fod wedi cynnwys Richard pan gafodd wybod ei fod wedi gadael ei wraig. Roedd Margaret a'i mam wedi cynnig talu i Lena am gael gwared â'r babi ar yr amod ei bod hi'n gadael llonydd i Richard. Roedd hynny fel dal cadach coch i darw. Faint bynnag mor daer oedd Lena am ei gael o cynt nid oedd yr un adyn byw a allai ei rhwystro wedyn. Roedd yr hen wraig wedi'i chladdu ond yn byw ymlaen yn Margaret. A byddai honno wedi defnyddio'r holl adnoddau oedd ganddi i gael Richard i aros efo hi. Ond roedd hi wedi methu yn ôl pob golwg.

Be ddaeth a fo'n ôl, tybed ? Nid Lena, roedd Mati'n sicr o hynny. Efallai ei bod hi'n annheyrngar, ond roedd hi wedi sylweddoli pan nad oedd Lena ond plentyn nad oedd ganddi'r gallu i garu nac i ennyn cariad yn neb arall. Roedd cyffwrdd ynddi fel cyffwrdd mewn llyffant—yr un oerni, na allai gwres llaw ei bylu, a'r un manteisio ar afael llac i fesur pellter. Efallai mai arni hi yr oedd y bai a'i bod hi'n brin o'r teimladau mamol rheini y rhoddai pobl y fath bwyslais arnyn nhw. Dyna pam yr oedd hi wedi prynu i'w phlant ; meddwl y byddai hynny nid yn unig yn gwneud i fyny am y diffyg oedd ynddi, ond yn dod a'i phlant yn nes ati. Ac roedd hi wedi mwynhau

41

rhoi ; wedi mynd heb rywbeth ei hun lawer gwaith er mwyn rhoi. Ond pellhau wnaethon nhw. Rŵan, nid oedd y ferch hon a safai o'i blaen yn golygu dim mwy iddi nag unrhyw gydnabod arall ac ni allai deimlo drosti o gwbl, hyd yn oed pan ddywedodd—

' Mae Gwyneth fod i ddwad adra heddiw. Wn i ddim am faint, chwaith.'

Oni ddylai allu teimlo ias o dosturi tuag at un oedd mor ansicr o'i gŵr a'i phlentyn ? Ond hyd yn oed petai'n gallu ffugio cydymdeimlad byddai un edrychiad o'r llygaid oerion, tywyll yn ddigon i'w grino. Duw mawr, pam nad âi hi'n ôl i'w thŷ ei hun at y gŵr yr oedd hi wedi mynnu ei gael yn lle aros yma i'w phoenydio hi ? Dyna hi wedi llwyddo i osgoi Gwen Ellis i gael ei dal gan ei merch ei hun, yn enghraifft o'i methiant truenus fel mam.

Ond roedd gan Lena ragor i'w ddweud, cyn gadael.

' Mi 'dw i'n gobeithio na soniwch chi ddim am hyn wrth Gwyneth.'

' Nid Gwen Ellis ydi f'enw i.'

' Mi fedrwch lithro. Mi 'dw i wedi llwyddo i gadw'r peth rhagddi. Nid fod 'na ddim i'w gelu, ond fe wyddoch sut mae pobol.'

' Ddaw hi ddim i wybod drwydda i.'

' Mi 'dan ni'n dallt ein gilydd, felly.'

Fe allai hynna fod yn ddigri petai hi'n teimlo fel chwerthin. Richard druan ; fo fyddai'r un 'dani gan y rhelyw o bobl. Hen ddyn ffiaidd ; treisiwr genod bach diniwed ; hwrgi, a gwaeth. Nid oedd yr iaith yn brin o eiriau ar gyfer rhai fel fo. Byddent yn dal hyn yn ei erbyn am byth rŵan ac yn ei gosbi drwy fynd â gwaith at rywun arall. Ymh'le yr oedd y gymdeithas oddefol y soniai pobl amdani ? Nid yma yn Nhrefeini reit siŵr ; nid yn y pentrefi a'r trefi bach o gwmpas chwaith. Ac nid goddefgarwch oedd yn cymell pobl y ddinas i droi clust fyddar, ond diffyg diddordeb, diffyg malio. Na, roedd pobl mor barod i ddilyn eu cri o 'Hosanna' â chri o 'Croeshoelied' heddiw, fel erioed. Ac fe wyddai Richard hynny. Un peth oedd cellwair caru a chael yr enw o fod yn dipyn o dderyn ; peth arall oedd dinistrio bywyd teulu, heb sôn am fywyd geneth ifanc. A pha mor barod bynnag oedd honno i gydweithredu, ar Richard y byddai'r chwip yn disgyn. Roedd o'n ddigon o hen ben i sylweddoli na allai ddefnyddio'r llygaid gleision i ystumio'i ffordd allan o hyn. Pam na fydda fo wedi cadw draw, nid efo Margaret, ond lle câi ddechrau o'r newydd ar ei liwt ei hun ? Roedd o'n haeddu ail-gyfle. Pa ddyfodol fyddai iddo yma bellach ? Be barodd iddo ddod yn ôl, mewn difri ?

— 3 —

Ond hyd yn oed petai Mati'n ddigon hy ar Richard i allu gofyn hynny iddo ni fyddai fawr callach. Ni wyddai Richard ei hun mo'r ateb er y byddai, petai rhywun yn mynnu, yn cynnig 'unigrwydd'. Ond hanner y gwir oedd hynny. Gwyddai y gallai fod wedi concro'r unigrwydd mewn amser. Nid oedd erioed wedi cael trafferth i wneud ffrindiau, nac i'w cadw nhw, ran'ny. Mae'n debyg mai Lis oedd y gyntaf. Fe allai hynny fod yn sigiad. Roedd i bob tro cyntaf ei rym a'i danbeidrwydd. Ond er ei fod wedi'i ysgwyd ar y pryd, oherwydd ei fethiant i'w chadw, nid oherwydd y golled, nid oedd wedi colli na deigryn na munud o gwsg ar gorn y peth. Roedd o wedi mwynhau ei chael hi, ac nid yn y gwely'n unig chwaith. Roedd gweld pennau pobl yn troi i'w dilyn yn gwneud byd o les i ego dyn ac roedd Lis yn ddigon ifanc i allu dotio. Liw dydd, gallai adnabod ei deimlad tuag ati o'r cof oedd ganddo am Gwyneth. Llaw fach chwyslyd Gwyn oedd ganddi a'r un arferiad o gnoi ei gwallt pan gâi rai o'i hysbeidiau tawel. Ni allai wneud dim ohoni ar adegau felly. Gallai ddygymod yn well â'i sŵn a'i rhialtwch er bod hynny'n llethol ar brydiau. Teimlai'n hollol ddiymadferth pan fyddai'n ei chau ei hun yn ei chocŵn bach. Wedi pwdu y byddai gan amlaf ; Duw a ŵyr am be. A doedd hi ddim am ddweud chwaith, dim ond gwasgu'i gwefusau, fel plentyn. Ond plentyn oedd hi, i bob pwrpas, er y câi rhywun hynny'n anodd ei gredu o'i gweld hi'n caru. Roedd mwy o sglein a sgôp ar ei pherfformiad hi rŵan nag oedd 'na ar ei un o. Wedi iddi gael ei bodloni, byddai'n mynd i gysgu, wedi ei lapio ynddi ei hun fel babi mewn bru. Yn groes i'r gred, fo fyddai'n dyheu am gnesrwydd a chysur cyffyrddiad corff wedi'r caru. Ond nid oedd y teimlad hwnnw'n un newydd.

Aethai drwy bynnau o bapurau pumpunt efo hi, heb sôn am y siec i glirio costau'r gwesty. Yno y buon nhw am wythnos. Dyna oedd wedi'i drefnu. Cyn belled, a dim pellach, er ei fod wedi cymryd yn ganiataol y bydden nhw, wedi i'r wythnos fêl ddod i ben, yn chwilio am ystafell neu ddwy go resymol fyddai'n gwneud y tro nes câi ei draed 'dano. Ond nid dyna'i syniad hi. O, na, ar ben yr wythnos roedd y bits fach wedi troi ato a dweud yn dalog ei bod hi'n gadael drannoeth—nid yn mynd yn ôl i Drefeini, drwy drugaredd, ond at ffrindiau oedd ganddi mewn comiwn i fyny yn ucheldir yr Alban. 'Mi gei ditha ddwad os lici di,' meddai. Cafodd yntau ras o rywle, os gras hefyd, i atal ei dafod a'i gollwng hi'n ddi-seremoni.

Ni allai fod wedi dychwel adref yn hawdd ac ni allai'n siŵr fod wedi fforddio aros noson arall yn y gwesty. Rheidrwydd a'i gyrrodd i Lerpwl at Margaret, i'r tŷ lle cawsai ei fagu.

' Ac mi wyt ti wedi cael dy synhwyra'n ôl, o'r diwedd,' meddai Margaret, yn Saesneg. Nid oedd wedi boddran dysgu Cymraeg—iaith y nefoedd, yn ôl ei dad. Fe wnaeth y creadur ei orau i'w cadw nhw'n Gymry yng nghanol y Sgowsiaid drwy ddysgu telynegion Eifion Wyn a rhannau o awdlau T. Gwynn˙ Jones iddyn nhw a'u bwydo efo hanesion arwyr Cymru yn lle straeon tylwyth teg. Roedd o wedi llyncu'r cyfan a Margaret wedi troi ei thrwyn. A phan fyddai ei dad ac yntau'n siarad Cymraeg efo'i gilydd, Saesneg, yn gymysgiaith o Sgows a'r hyn y tybiai ei fam oedd yn llediaith y dosbarth canol, a siaradent hwy eu dwy.

Wedi dilyn rhieni ei fam i Lerpwl yr oedden nhw—y rheini wedi mynd i gadw tŷ capel yn Anfield ac wedi cael addewid gwaith i'w dad fel pobydd, gan un o flaenoriaid y capel. Ac er mai chwarelwr oedd ei dad wrth reddf a chrefft gwnaethai ffortiwn fach yn y becws hwnnw yn Anfield er mai ychydig ar y naw a welsai o'r ffortiwn honno. Byddai ei fam yn ymfalchïo yn y ffaith iddi allu achub ei dad o grafangau'r ' hen chwarel afiach yna ' ond heb gyfaddef unwaith mai'r becws a'i wres ormesol oedd wedi andwyo'i iechyd.

Treuliodd ei dad oriau yn y parlwr yn Edith Road yn syllu ar y goeden rosynnau yr oedd o wedi'i phlannu yng nghanol y darn concrid o flaen y tŷ. Roedd ei fam wedi chwarae'r andros pan aeth ei dad ati i dorri'r sment i fyny a phalu twll fyddai'n ddigon dwfn i dderbyn gwreiddiau'r goeden a ddaethai efo'r lein yr holl ffordd o Gaernarfon. Dyna'r unig dro i Richard weld ei dad yn herio ei fam.

Cawsai Margaret godi'r sment a'r goeden a bu arbenigwr yn gosod cerrig amryliw ar groes ymgroes rhwng y tŷ a'r palmant. Fe'i câi Richard ei hun, bob tro yr edrychai drwy'r ffenestr, yn chwilio am y goeden rosynnau. Drwy drugaredd, doedd o ddim yn y tŷ'n aml, dim ond hynny oedd raid. Cawsai waith rhan amser yn gwerthu petrol mewn garej. Roedd ganddo'i amheuon ynglŷn â'i gyflogwyr ond roedd hi'n talu'n well iddo gau ei geg. Treuliai weddill y diwrnod yn y Nag's Head yn chwarae dominos am geiniogau efo hen ddynion y gallai fod wedi eu pluo o'u pensiwn petai'n anonest gan nad oedden nhw'n gweld y dotiau ar y dominos. I'r Nag's Head y deuai estroniaid ar fin nosau, yn Wyddelod a Phacistaniaid a Sieineaid. A bob nos, cyn iddyn nhw i gyd fynd i'w ffyrdd eu hunain, byddai'n rhaid iddo ganu—' We'll keep a welcome.' Roedd o wedi dysgu'r gair ' hiraeth ' iddyn nhw a byddai pawb yn taro i mewn yn y fan honno a dagrau Lee Wong, oedd wedi gwneud ei beil wrth werthu cyri, yn disgyn i'w wisgi dwbwl wrth iddo feddwl am yr hen wraig ei fam oedd yn byw mewn hofel yn un o strydoedd cefn Hong Kong.

Y llwydni oedd yn ei ladd o. Nid fod y dref yma'n bictiwr o dlysni chwaith, ond o leiaf roedd yma rug a rhedyn a blewiach o wair yng ngheseiliau'r graig i dorri ar y llwydni. Byddai Margaret o'i cho'n lân pan ddeuai i'r tŷ wedi'i dal hi, ac roedd hynny'n amal ar y naw.

' Mae dy biwritaniaeth Gymreig di'n dangos, Magi,' meddai. Ni fyddai waeth iddo fod wedi dweud fod ei blwmars hi'n dangos ddim. Gwnâi ati i siarad Cymraeg efo Margaret, er mwyn ei chynhyrfu. Un noson, roedd hi wedi troi arno a'i siarsio i siarad Saesneg os oedd am aros yn ei thŷ hi. Mae'n debyg mai dyna oedd dechrau'r diwedd, er ei fod wedi dal ymlaen am rai dyddiau wedyn. Yna, echnos, roedden nhw wedi cael cythgam o ffrae. Roedd o wedi'i chyhuddo hi o fod yn fradwr ac yn snob ceiniog a dimai a hithau wedi ei gyhuddo fo o fod yn feddwyn a phenboethyn ac yn warth ar enw'r teulu. Gadawodd y tŷ a llwyddodd i gyrraedd y Nag's Head cyn i

45

Rosie orffen golchi'r byrddau. Ac yn ei gwely hi y treuliodd y noson. Doedd o mo'r tro cyntaf.

Roedd pentwr o lythyrau yn ei ddisgwyl gartref, y mwyafrif gan bobl yr oedd wedi addo gwneud gwaith iddyn nhw ; llyth-yrau ffurfiol, oeraidd yn dechrau, gydag eithriad, efo'r geiriau —'Y mae'n ddrwg gennyf, ond . . . ' I'r diawl â nhw, os mai fel'na roedden nhw'n teimlo. P'run bynnag, doedd o ddim ar frys i ailddechrau. Bwriadai gael rhai dyddiau o seibiant efo Gwyneth. Roedd 'na lond gwlad o bethau yr oedd am eu dangos iddi.

O'r lle yr eisteddai gallai Richard weld y Graig Lwyd a rhaeadrau o wyrdd yn tywallt drosti yma ac acw. Gwthiodd y llythyrau o'r neilltu. Roedd o'n ôl, ac ar hyn o bryd roedd hynny'n ddigon.

PRYNHAWN GWENER, MEHEFIN YR 2IL

— I —

Pan oedd Gwen Ellis yn cau giât Katie Lloyd yn glep ar ei hôl roedd Emma Harris, rhif tri, yn cymryd y tro am Finafon. Byddai wedi arafu ei chamau petai'n gwybod fod Gwen Ellis o gwmpas ond ni allai weld rownd y tro, er mor glyfar oedd hi. Erbyn iddi gyrraedd ei thŷ, roedd Gwen Ellis yno, yn pwyso ar y giât ac yn syllu i'r ardd.

' Dim cystal graen arni 'leni, Emma,' meddai.

' Nagoes.'

' Rhy brysur, mae'n debyg.'

' Ia. Os gnewch chi f'esgusodi i, mi 'dw i'n gorfod bod yn ôl yn y Swyddfa mewn hannar awr.'

' Y bos newydd yn taflu'i bwysa o gwmpas, ia ? Sut mae o'n cymryd ?'

' Mae o'n gydwybodol iawn.'

' Wythnos gwas newydd. Wnaiff o ddim byd ohoni. Dydi o ddim chwartar gystal dyn â'i dad. Ar i waerad yr aiff petha rŵan, cymrwch chi o gen i. Wn i ddim be ddaw o'r byd 'ma, wir. Mi ' dach chi a finna wedi nabod i well, os oedd o'n dlotach.'

Be oedd tu cefn i'r ' chi a finna ' 'na tybed, meddyliodd Emma. Mae'n wir nad oedd ond prin bymtheng mlynedd rhyngddyn nhw ond roedden nhw'n perthyn i ddwy genhed-laeth wahanol. P'run bynnag, doedd ganddyn nhw ddim yn gyffredin ond eu bod nhw'n digwydd byw yn yr un stryd.

Roedd Gwen Ellis wedi closio ati ac wedi rhoi ei llaw ar ei braich. Symudodd Emma gam yn ôl er mwyn ceisio'i hysgwyd i ffwrdd.

' Glywsoch chi'r newydd, Emma ?'

' Naddo.'

' Mae Richard Pŵal yn i ôl.'

' Wyddwn i ddim i fod o wedi bod i ffwrdd.'

Tynnodd Gwen Ellis ei llaw yn ôl fel petai colsyn poeth wedi syrthio arni. Doedd Emma Harris rioed wedi gallu byw wythnosau ym Minafon heb wybod fod y Dic Pŵal 'na wedi'i heglu hi efo'r ffifflan fach honno fyddai'n llygadu pob dyn ddeuai i mewn i siop y Becws ac yn gwisgo pethau gyddfau isel fel bod ei bronnau'n bygwth syrthio allan wrth iddi blygu dros y cacennau ? Dim posib nad oedd hi'n gwybod. Dim ond eisiau bod yn filain yr oedd hi. O, wel, fe allai dwy chwarae'r gêm yna. Ond cyn i Gwen allu penderfynu ar y cam nesaf roedd Emma wedi ei g'leuo hi am y drws ffrynt a thrwyddo. Ac roedd y glep roddodd hi i'r drws yn ail teilwng i'r un a roesai Gwen Ellis ar giât Katie Lloyd.

— 2 —

Roedd Emma wedi gwastraffu deng munud o'i hawr ginio mewn ciw yn y siop sglodion. Doedd o ddim yn wastraff ar y pryd. Roedd hi ar ei chythlwng er pan adawodd y swyddfa ac yn ei weld o'n werth aros yng nghanol bagad o blant ysgol swniog er mwyn cael y 'sgodyn y bu'n ei flysio drwy'r bore. Ond rŵan, nid oedd ganddi stumog iddo. Roedd y cytew yn glynu wrth y papur saim. Lapiodd y cyfan mewn trwch o bapur newydd rhag i'r cathod gael ato a'i daflu i'r bin sbwriel yn y cefn.

Pan oedd hi'n y fan honno clywodd ganu'n dod o iard y drws nesaf. Roedd Gwen Ellis yn iawn, felly—roedd Richard Powell yn ôl. Wrth gwrs ei bod hi'n iawn ; dyna'r felltith, ni fyddai byth yn methu. Mae'n rhaid fod pethau'n o dda rhwng Richard a Lena, felly, iddo allu canu. Ond doedd hynny'n profi dim, erbyn meddwl. Petai rhybudd yn cyrraedd Minafon fod diwedd y byd gerllaw byddai Richard Powell yn canu tra byddai'r gweddill ohonyn nhw un ai'n crynu yn eu 'sgidiau neu'n gweddio am gael eu harbed ar yr unfed awr ar ddeg. Roedd hi'n braf arno fo. Biti na allai hi ganu. Ond ar wahân i'r ffaith nad oedd ganddi'r llais, nid oedd ganddi'r argyhoeddiad y byddai hynny'n ddigon i'w chario hi drwodd chwaith.

Roedd hi wedi codi gwrychyn Gwen Ellis. Byddai am ei gwaed hi rŵan. Wrth gwrs ei bod hi wedi colli Richard Powell ac wedi clywed digon i wybod nad mynd i ffwrdd ei hun ddaru o. Ond nid oedd ganddi ddigon o ddiddordeb i holi efo pwy

nag i b'le. Ac roedd hi'n eitha sicr y gallai Lena Powell setlo
pa broblemau bynnag oedd ganddi heb ei help hi na neb arall.

Hi aeth â Lena i'r ysgol am y tro cyntaf ; ei llusgo i'w chanlyn,
yn boeth o gywilydd, i lawr am y stryd fawr a honno'n gweiddi
mwrdwr. Roedd hi wedi ei thynnu i'r llwybr corn simdda y
tu ôl i Stryd Capal Wesla ac wedi bygwth, os nad oedd hi am
gau'i cheg, y byddai'n tynnu ei throwsus ac yn chwipio'i thin
noeth efo danadl poethion. Efallai mai dyna ddylai hi fod
wedi ei wneud. Wrth iddyn nhw groesi'r bont rêl am yr ysgol
roedd Lena wedi estyn cic slei iddi ar ei ffêr ond gan eu bod
nhw erbyn hynny yng nghlyw ac yng ngolwg pobl bu'n rhaid
iddi ddioddef yn ddistaw.

Gan ei bod hi bedair blynedd yn hŷn na Lena roedd ganddi
ddigon o esgus dros ei hosgoi er na allai Madge Parry a hithau
anwybyddu'r pram doli a'r beic a'r toreth o ddilladau newydd.
Un beic oedd gan Madge a hithau rhyngddyn nhw a hwnnw'n
feic dyn y gallai'r ddwy ei reidio ar unwaith. Roedden nhw
wedi grinjian rhoi coron am y beic ond roedd wedi talu am-
dano'i hun ganwaith yn yr hwyl gawson nhw efo fo. Ni châi ei
ganiatáu ar y ffordd fawr heddiw ond doedd 'na neb yn cymryd
sylw o bethau fel'na chwarter canrif yn ôl. Byddai'n rhaid
iddi ddweud pum mlynedd ar hugain. Roedd hynny'n swnio'n
llai. Ond be oedd ots ran'ny ? Pum mlynedd ar hugain, neu
chwarter canrif—dyna faint oedd 'na er pan fyddai Madge a
hithau'n melltennu i lawr rhiw Ceunant ar y beic gan ddibynnu
ar eu lleisiau yn lle cloch a'u traed yn lle brêc. Doedden nhw
ddim yn gwybod ystyr y gair ' ofn.' Petai plant heddiw'n
gwneud pethau tebyg fe fydden nhw ar eu pennau yn y llys
plant wedi eu lablo'n hwliganiaid a fandaliaid. Roedden nhw
unwaith wedi ymladd yn erbyn giang o hogiau Penmeini efo
pastynnau a cherrig a chaeadau biniau lludw i'w hamddiffyn
eu hunain. Ac er bod golwg y fall ar y ddwy roedd gwaeth
golwg ar yr hogiau.

Tybed oedd Madge yn cofio ? Byddai'n ysu weithiau am
gael gofyn iddi ond roedd hi wedi dysgu ystyr y gair ' ofn ' dros
y blynyddoedd a byddai hynny'n drech na'r ysfa. Ac ni châi
gofio yma, ar ei phen ei hun chwaith, heb i'r hen gaddug mawr
syrthio dros y cyfan. Un munud byddai Madge yn sefyll o'i

blaen, yn ddel ddigon o ryfeddod ac yn wên i gyd ; y munud nesaf byddai ei hwyneb wedi'i ystumio a'i hagru wrth iddi boeri ei melltith arni.

Erbyn iddi wneud paned a'i hyfed nid oedd ganddi ond pum munud wrth gefn i gyrraedd y swyddfa. Ni allai fforddio bod eiliad yn hwyr rŵan. Roedd Gladys Owen wedi cymryd yn ei phen wneud brechdanau iddi ei hun i'w bwyta yn y swyddfa ac yn ceisio rhoi allan ei bod yn aberthu ei hawr ginio er mwyn y busnes. Ddylai rhywun ddim bwyta lle roedd o'n gweithio. Peth afiach oedd cael basged sbwriel yn llawn o fagiau te a briwsion i ddenu llygod.

Mae'n rhaid fod Gladys yn ddwl fel penbwl i feddwl nad oedden nhw'n gweld drwyddi. Ond doedd O wedi twigio dim, yn ôl pob golwg. Ddoe ddiwethaf fe'i clywsai'n dweud wrth Gladys ei fod o'n gwerthfawrogi'r hyn oedd hi'n ei wneud. Roedd Gwen Ellis yn iawn eto ; nid oedd y Jones Davies ieuengaf i'w gymharu â'i dad. Ni fyddai'r hen Jones Davies byth wedi dweud mewn ffordd mor ddihidans y byddai'n rhaid iddo feddwl am dorri i lawr ar y staff. Roedd y fwyell yn bownd o ddisgyn un ai arni hi neu Gladys Owen yn hytrach nag ar y ddau ddyn—un yn benteulu a'r llall yn brentis cyfreithiwr. O'r ddwy, Gladys oedd wedi bod yno hiraf er mai amdani hi y byddai'r hen Jones Davies yn galw pan oedd ei lanast ei hun yn mynd yn drech na fo. ' On'd ydi'r Gladys 'na mor ddi-drefn â fi,' meddai. Ond roedd yr hen greadur yn ei elfen bellach, yn chwarae golff o fore gwyn tan nos, ac er iddo addo iddi cyn madael y byddai ei swydd hi'n ddiogel doedd wybod be wnâi'r mistar newydd, yn arbennig rŵan a'r awdurdod wedi codi i'w ben. Wel, roedd yn well iddi ei pharatoi ei hun ar gyfer y gwaethaf. Ond sut gebyst oedd gwneud hynny ? Bu'r swyddfa'n ail gartref iddi ac yn noddfa pan nad oedd ei chartref ei hun ond yn dwysáu'r boen. Roedd hi'n rhy hen i ddechrau mewn lle estron ac wedi cael ei ffordd ei hun yn rhy hir i allu derbyn trefn newydd. Ond byddai'n rhaid iddi ddygymod. Ni allai byth oddef bod rhwng pedair wal ym Minafon y naill ddiwrnod ar ôl y llall yn gwrando ar Richard Powell yn canu un ochr iddi a babi'r cwpl ifanc yn crio ar yr ochr arall.

3

Poenau felly oedd yn ddraen ym meddwl Emma Harris wrth iddi adael ei thŷ y prynhawn hwnnw o Fehefin a cherdded yn syth i lwybr pram.

' Pam na edrychwch chi lle rydach chi'n mynd ?' arthiodd wrth yr eneth oedd yn ei yrru.

' Mae'n ddrwg gen i,' meddai honno, er nad oedd ganddi obaith osgoi Emma Harris.

Roedd Pat wedi treulio rhan helaethaf ei hoes yn ymddiheuro i bobl, gan amlaf yn hollol ddiangen. Ond gan ei bod hi wedi ei magu efo'r syniad ei bod hi nid yn unig yn drwsgl, ond yn ddwl i'w ganlyn, roedd yn naturiol iddi dderbyn mai arni hi roedd y bai. Mae'n debyg y gallai fod wedi tynnu i fyny'n ddigon sydyn i allu osgoi'r ddynes drws nesaf, petai hi o gwmpas ei phethau. Byddai Les yn dweud yn aml nad oedd hi'n ffit i yrru pram, heb sôn am gar. Nid fod ganddyn nhw gar na golwg am un chwaith, rŵan fod y babi wedi dwad. Clywsai bobl yn dweud nad oedd 'na fawr o drafferth efo babi ifanc, cyn belled ag y câi ddigon yn ei fol. Ond nid oedd digon i hwn i'w gael.

Roedd Les wedi mynnu ei bod yn ei fwydo ei hun ; y ffordd naturiol a'r un rataf, meddai. Roedd hi wedi trïo'n galed er bod y doctor wedi dweud o'r dechrau na fyddai ganddi ddigon o laeth i'w gynnal. Ond nid oedd am i Les feddwl ei bod hi'n fethiant yn hynny, hefyd. Ac roedd hi wedi dal ati nes bod ei bronnau'n llidus. Pan aeth i'r clinig ôl-ofal i gael archwiliad rhybuddiodd y doctor hi i roi'r babi ar y botel heb ymdroi er bod rhyw hen nyrs oedd yno yn ei beio hi am ei hesgeuluso ei hun pan oedd hi'n ei gario. Ond roedd ganddi lond ei dwylo rhwng ei gwaith yn y ffatri ddillad a'r tŷ a Les ac erbyn nos prin y gallai ddringo'r grisiau heb sôn am fynd drwy ribidires o ymarferion. Ond pa esgus oedd hynny ? Dylai fod wedi gwneud ymdrech, er mwyn y babi. Roedd o wedi colli pwysau am nad oedd ganddi ddigon o faeth iddo. Ond gwantan neu beidio roedd ganddo'r nerth i ddal ati i grio am oriau. Petai Les ond yn codi ato yn y nos weithiau er mwyn ei harbed hi byddai'n haws iddi ddygymod yn ystod y dydd. Ond doedd o ddim yn deg iddi ddisgwyl i Les godi ac yntau wedi bod uwchben ei draed yn y banc drwy'r dydd. A ph'run bynnag, ei lle hi oedd codi.

Roedd y babi wedi ei eni â golwg flin arno. Y peth cyntaf ddywedodd y fydwraig oedd—' Mae gan hwn asgwrn i'w grafu efo rywun.' Byddai pobl ar y stryd, wrth ei weld yn cuchio arnyn nhw, yn dweud reit bigog—' Dydi o ddim yn licio fy wynab i, mae'n rhaid.' Fel ' y babi ' y meddyliai amdano er mai Robert oedd ei enw. Roedd hi wedi bod mor sicr mai geneth oedd hi'n ei chario. Ddeuddydd wedi geni'r babi daethai'r sister at ei gwely a gofyn—' A sut mae Robert heddiw ? ' Roedd hi wedi gweld yr enw yn rhestr genedigaethau'r *Daily Post*. ' Run enw â'i daid,' meddai. Gwelsai enwau mam a thad Les yno hefyd. Hwn oedd eu hŵyr cyntaf nhw. Roedd Les wedi ei siarsio nad oedd i alw'r babi yn Bob ond ni allai yn ei byw gael gwared â'r syniad mai enw hen ŵr oedd Robert ac nad oedd yn gweddu i fabi o gwbl. Ond be wyddai hi ? Be wyddai hi am ddim ? Roedd o'n naturiol i Les, fel yr unig un, fod eisiau rhoi enw ei dad ar ei blentyn ac fe ddylai hi fod yn falch ei fod mor barchus o'i rieni. Ac roedd hi'n lwcus eu bod nhw mor hoff o'r babi ac mor bryderus yn ei gylch.

Byddai'n rhaid iddi hithau wneud ymdrech i fod yn glên efo nhw ac i alw mam Les yn nain, fel roedd hi'n mynnu. A'i gorfodi ei hun i wneud teisennau, a threiffl efallai, at y Sul nesaf, yn lle dibynnu ar duniau. Ac os byddai'n rhaid iddi gael tun neu ddau i lenwi bwlch, gofalu tynnu'r prisiau oddi arnyn nhw. Roedd Les wedi ei chyhuddo o fod wedi gadael y prisiau'n fwriadol. Er nad oedd hynny'n wir, doedd o mo'r peth iawn i'w wneud. Ac roedd hi mor awyddus i wneud y peth iawn. Siawns na châi hi gyfle rhwng hyn a'r Sul i lanhau dipyn ar y tŷ. ' Does gen ti ddim trefn,' cwynai Les. ' Be wnei di pan fydd gen ti lond tŷ o blant ?' Roedd hyd yn oed meddwl am hynny yn peri iddi deimlo'n swp sâl. Cawsai'r fath boen wrth eni hwn—ei bai hi, eto, am fethu'r dosbarthiadau paratoi. Bu'n rhaid iddi gael pwythau 'dani. Clywsai un o'r doctoriaid yn dweud y dylai fod wedi cael *Caesarian*. Pan soniodd am y peth wrth Les dywedodd mai'r ffordd hawdd allan oedd hynny a bod geni plentyn yn naturiol yn rhoi llawer mwy o foddhad i ferch. Ond ni chawsai hi eiliad o foddhad.

Rhybuddiodd y doctor hi cyn iddi adael yr ysbyty i beidio rhuthro i gael rhagor ond ni feiddiai ailadrodd hynny wrth Les.

Roedd y babi'n cysgu. Siawns na châi hi lonydd i fwyta'i chinio. Ond wrth iddi lusgo'r pram i mewn i'r gegin trawodd hwnnw'n erbyn yr hors ddillad yr oedd hi wedi'i adael y tu ôl i'r drws. Bu'r sŵn yn ddigon i ddeffro'r babi a dechreuodd weiddi crio. Nid oedd dim o'i le ar ei ysgyfaint, beth bynnag. Câi ei themtio i'w adael yno tra roedd hi'n bwyta. Roedd o mor ara deg yn torri gwynt fel y gallai fod yn ganol y prynhawn arni'n cael ei bwyd. Ond pa fam allai hel yn ei bol tra roedd ei phlentyn yn torri'i galon ? Gallai wneud drwg iddo'i hun wrth grïo fel'na, meddai mam Les—' torri'i lengig,' beth bynnag oedd hynny'n ei feddwl. Roedd o'n swnio'n beth dychrynllyd.

Er ei bod hi ar ddisgyn ei hun aeth Pat ati i baratoi potel i'r babi. Ei angen o oedd yn dod gyntaf rŵan a byddai'n rhaid iddi gofio hynny os oedd hi am fod yn fam y byddai Les, oedd â safonau mor uchel, yn falch ohoni.

— 4 —

Daethai Lena a thorth ei mam iddi ar ei ffordd yn ôl o'r siop ac nid oedd ganddi rŵan esgus yn y byd dros fynd allan. Gorau oll, efallai. Ond ni allai dreulio gweddill ei hoes yn llechu rhag Gwen Ellis. Byddai'n rhaid iddi ymroli. Roedd hi wedi meddwl, y diwrnod hwnnw y bu'n gorwedd yn yr iard gefn, ei bod wedi marw i boen. Ond daethai amser, yn groes i'r gred arferol, a'r boen yn ôl ac wrth orfod ailddysgu byw efo hi wedi wythnosau o ddiffrwythdra cawsai Mati hynny'n hunllef. Roedd o'n para'n hunllef, er bod Arthur wedi ei gladdu ers pedair blynedd. Rŵan, byddai ei chnawd yn briwio ac yn cleisio'n haws a phethau bychain fel baglu neu droi ei throed yn amharu arni am ddyddiau.

Byddai'n rhaid iddi symud allan—i gerdded yn ystod y dydd (arferai Arthur a hithau gerdded milltiroedd ar Sadyrnau braf) ac i'r capel a Merched y Wawr ar gyda'r nosau. Nid oedd erioed wedi bod yn frwd dros y naill na'r llall ond siawns na châi hi rywfaint o gysur ohonyn nhw.

Yn ystod y gwasanaeth coffa soniodd y gweinidog am Arthur fel un o'r ffyddloniaid. Gwrandawr oedd o, meddai, nid siaradwr, ond bu ei bresenoldeb tawel o gysur a chymorth iddo ef sawl tro pan fyddai amheuon yn ei flingo. Roedd hynny wedi siomi Mati. Er ei bod hi'n falch o ddeall fod Arthur wedi bod o gysur i eraill heblaw hi roedd 'na rywbeth croes i'r graen mewn clywed dyn oedd wedi ei alw i'w waith yn arddel amheuon. Onid oedd gan bobl hawl disgwyl i weinidog fod yn iach ei feddwl a'i ysbryd ? Ni fyddai neb yn ddigon o ffŵl i 'molchi mewn dŵr budr. Ond dyna Doctor Rees wedyn, yn cwyno rownd y rîl ac wedi dioddef pob afiechyd posibl a hynny'n seithgwaith gwaeth na'r un o'i gleifion. ' Mae o wedi cael bob dim ond babi,' meddai Gwen Ellis.

Byddai rhai'n barod i ddadlau fod dyn oedd wedi mynd drwy'r felin ei hun yn fwy tebygol o allu deall a thosturio. Nid tosturi oedd angen y mwyafrif ond sicrwydd a thawelwch meddwl. Pa well fyddai ei thad o fod wedi dal llaw oedd yn crynu ? Roedd llaw Doctor Puw fel y graig ac ni allai ei gofio'n cwyno iddo'i hun erioed. Roedd rhywun yn gwella dim ond wrth edrych a gwrando arno. Byddai doctoriaid heddiw wedi llenwi'r darnodau cyn i chi allu dweud be oedd yn eich poeni chi. Dim rhyfedd fod 'na'r fath gerdded atyn nhw ; yr un rhai efo'r un hen gwynion. Byddai'n fyd haws arnyn nhw pe baen nhw ond yn rhoi'r papur o'r neilltu ac yn eistedd yn ôl i wrando, fel y byddai Doctor Puw ; gwneud i chi deimlo eich bod chi'n rhywbeth amgenach na rhif oedd yn chwyddo'r gofrestr.

Ond yr oedd Arthur yn ffyddlon i'r capel. Roedd hi wedi meddwl mai mynd yno o ran arferiad yr oedd o, gan ei fod wedi ei fagu i fynd, ond yn ôl y gweinidog roedd yn ddyn o argyhoeddiad dwfn. Ddwedodd o ddim argyhoeddiad o be, chwaith. Fe wyddai Mati fod Arthur yn credu mewn Duw. Roedd hithau wedi ei gorfodi ei hun i gredu er nad oedd erioed wedi teimlo fymryn yn nes at ei Duw yng Nghalfaria. Yn ystod y misoedd olaf, pan oedd Arthur yn gaeth i'w wely, byddai'r gweinidog yn galw'n aml. Ond pan ofynnai hi i Arthur am be fydden nhw'n siarad y cyfan a gâi oedd— ' dipyn o bob dim.' Wrth iddi wrando'r gweinidog yn canmol Arthur yng Nghalfaria'r nos Sul honno cawsai hen deimlad annifyr ei fod wedi nabod ei gŵr yn well na hi.

Roedd o wedi galw yma sawl tro wedyn er na chawsai fawr o groeso ganddi. 'Os medra i fod o unrhyw help,' meddai. Roedd hi wedi teimlo fel dweud wrtho—'Y meddyg, iachâ dy hun.' Sut y gallai hi dynnu ar ei nerth a'i stoc yntau mor isel? Byddai ei gweld hi'n ôl yng Nghalfaria yn rhyddhad iddo mae'n debyg, er mai yno i chwilio am gysur y byddai hi ac nid i'w gynnig, fel Arthur. Tybed fydden nhw'n bodloni ar ei chael hi yno ar y cyrion? Roedd 'na cyn lleied ohonyn nhw'n weddill fel bod gofyn i bawb dynnu'i bwysau.

Na, aros adra fyddai orau iddi am sbel eto nes ei bod wedi cryfhau dipyn mwy. Ond efallai mai gwannach yr âi hi, ran'ny, ac y byddai ganddi, toc, ofn dangos ei hwyneb, yr un fath â Madge Parry. Ond nid oedd ganddi hi reswm dros guddio, fel Madge. Cywilyddiodd Mati, o'i chael ei hun mor hunan-dybus. Roedd ganddi biti calon dros Madge Parry. Pwy fyddai'n meddwl, o'i gweld hi'n rhampio hyd y lle 'ma efo Emma Harris, y byddai'n gwneud y fath stomp o'i bywyd? Roedd eisiau llindagu'r cythral a'i gwnaeth hi'n feichiog. Beth oedd wedi cadw Madge rhag ei enwi, tybed? Peth annheg oedd ei bod wedi gorfod dwyn baich y gwarth i gyd ei hun. Byddai'n well iddi fod wedi gollwng ei gafael ar Os pan gafodd sicrwydd na fyddai byth fel plant eraill. Taerai Gwen Ellis mai gwendid o ochr ei dad oedd yn Os ond roedd Mati'n argyhoeddedig mai rhyw flerwch oedd wedi digwydd adeg ei eni a'u bod nhw wedi llwyddo i gadw'r peth yn ddistaw. Petai gan Madge rywun o'r tu cefn iddi gallai fod wedi eu herio. Er, pa well fyddai hi o fod wedi codi twrw? Nid oedd profi ar bwy roedd y bai yn mynd i wneud plentyn normal o Os. Ond o leiaf byddai hynny wedi rhoi taw ar Gwen Ellis ac wedi sodro'r rhai oedd yn sôn, mor hunan-gyfiawn, am bechod yn dwyn ei gosb. Sut y gallen nhw ddysgu 'Duw cariad yw' i'w plant ar un gwynt a haeru ar y llall mai cosb gyfiawn oedd dedfrydu Madge Parry i oes o ofal am un na fyddai byth yn ddim ond plentyn? A hynny am 'bechod' yr oedd dwsinau ohonyn nhw'n euog ohono ond eu bod wedi llwyddo i'w gadw o dan gaead.

Ond roedd hi'n anodd credu i'r un dyn gymryd mantais ar

Madge. Wedi'r cyfan, nid llafnes oedd hi pan gafodd hi Os. Ac roedd 'na ddigon o gythral ynddi hi'r adeg honno. Gallai Mati gofio'r hen wraig, nain Madge, oedd wedi'i magu hi, yn dweud mai hogyn ddylai hi fod. Sawl gwaith y rhedodd Lena i'r tŷ dan sgrechian i ddweud fod Emma a Madge yn taflu topins neu foch coed ati ? Ac er ei bod hi'r ddelaf o ferched Minafon nid oedd gan Madge unrhyw ddiddordeb mewn bech-gyn, dim ond i gadw reiat a phaffio efo nhw. Ond fe ddaethai newid sydyn drosti. Un munud roedd Emma Harris a hithau mor glos fel mai prin y gallech chi wthio pin rhyngddyn nhw ; y munud nesaf roedden nhw'n pasio'i gilydd ar y ffordd heb gymaint â helô. Tybed oedd a wnelo Idris Preis rywbeth â'r peth ? Tua'r adeg honno y dechreuodd Emma ac yntau ganlyn yn selog. Yr holl gerddodd o i Finafon, a chael traed oerion pan oedd hi'n ben set.

Daethai'r hen wraig, nain Madge, yma un diwrnod a'i hwy-neb yn waed diferol. Madge oedd wedi taflu procer ati. ' Mi 'dw i wedi rhoi 'mywyd iddi hi,' cwynodd yr hen wraig. ' A dyma ydw i'n i gael yn y diwadd. I Fryn Aeron y bydda hi wedi mynd, pan gymrodd yr hen sgerbwd dyn 'na'r goes, oni bai amdana i.' Roedd hithau, Mati, wedi ceisio ei dar-bwyllo mai gwendid sydyn a ddaethai dros Madge ac y byddai'n difaru'r ddaear.

Ond nid oedd arwydd edifeirwch ar wyneb Madge yn ang-ladd yr hen wraig er ei bod hi, yn ôl Gwen Ellis, wedi gwneud bywyd ei nain yn uffern yn ystod ei misoedd olaf. ' Ond cofiwch,' ychwanegodd Gwen Ellis, ' doedd yr hen Jane ddim yn santas chwaith. Faddeuodd hi rioed i'r hogan am fynd â'i merch oddi arni ac mi oedd hi'n i helfan yn pardduo'i thad hi, er i fod o'n ddigon du yn barod.'

Roedd Madge wedi ysgyrnygu arnyn nhw i gyd ddiwrnod yr angladd ac wedi gwrthod pob cynnig a gair caredig, yn hollol anfoesgar. Y nesa peth wydden nhw oedd ei bod hi'n disgwyl babi. Byddai'n fwy tebygol o fod wedi cael cefnogaeth petai wedi dangos mymryn o euogrwydd. Roedd pobl yn dynerach tuag at un oedd yn fodlon syrthio ar ei fai. Ond roedd Madge wedi cario'r babi yn bowld ac wynebgaled. O, oedd, roedd Madge Parry'n gwybod be oedd hi'n ei wneud reit siŵr ac roedd ganddi ei rhesymau dros ymddwyn fel y gwnaeth. Ond go brin y câi neb wybod be oedden nhw bellach. Be fyddai hi'n ei wneud drwy'r dydd yn y tŷ 'na ? Roedd 'na rai wedi ei gweld hi allan ambell fin nos yn cerdded, medden nhw, â'i phen i lawr. Sut raen oedd ar yr wyneb del hwnnw erbyn hyn, tybed ?

Roedd un peth yn sicr. Ni allai hi ei chau ei hun i mewn fel y gwnaethai Madge. A pham y dylai hi ? Mae'n debyg fod Gwen Ellis wedi dod i wybod bellach fod Glyn wedi gwneud stomp o bethau ac fe wyddai'r dref i gyd am Lena a Richard. Ond nid ei chyfrifoldeb hi oedd hynny. Roedd Arthur a hithau wedi gwneud eu gorau i'r ddau. Ac nid oedd am i bobl feddwl fod ganddi ofn dangos ei hwyneb.

Fe âi allan, i lawr am y parc i ddechrau ac yna i'r caffi newydd dros y ffordd i Woolworths am goffi a theisen hufen. Ac os digwyddai weld Gwen Ellis ar y ffordd âi heibio iddi heb ddim ond nod bach cwrtais fyddai'n ddigon i rybuddio'r mwyaf croendew mai cadw pellter oedd orau.

Pan oedd Mati wrthi'n pincio yn y llofft clywodd gloch y drws ffrynt yn canu. Wedi iddi ei gwneud ei hun yn ddesant aeth i'w hateb. Ond ni fyddai'n rhaid iddi fod wedi trafferthu. Gwyneth oedd yno, ac nid oedd Gwyneth erioed wedi poeni ynglŷn â'i golwg ei hun na neb arall.

' Hai,' meddai, ond yn fwy sobr nag arfer.

Roedd ei gwallt dros ei llygaid. Llygaid ei thad oedd ganddi ac roedd hi'n drueni eu cuddio.

Aeth y ddwy drwodd i'r gegin. Byddai Gwyneth yn siŵr o fod ar ei chythlwng, fel arfer.

' Sut doist it ?' holodd Mati.

' Moto beic.'

' Dwyt ti rioed wedi prynu un o'r rheini.'

' Un o'r hogia oedd yn digwydd pasio drwodd.'

' Oes 'na neb yn y tŷ ?'

' Dydw i ddim wedi bod yno eto.'

' Be gymri di ?'

' Dim ond diod o ddŵr.'

' Bobol annwyl, mi wyt ti'n un rad dy gadw. Helpa dy hun.'

Bu Gwyneth yn stwna'n hir o gwmpas y sinc. Roedd hi'n dal â'i chefn at Mati pan ddywedodd, ar ruthr—

'Mi 'dw i mewn trwbwl, nain.'

Teimlodd Mati law oer yn gwasgu am ei chalon. Y nefoedd fawr, oedd hon, eto, am ei siomi hi ? Prin y clywai ei llais ei hun yn gofyn—

'Pa fath o drwbwl ?'

'Mi fedra i gael 'y ngyrru o'r coleg.'

'Ond be wyt ti wedi'i 'neud ?'

'Nid fi ydi'r unig un.'

'Be, Gwyneth ?'

'Criw ohonon ni sydd wedi bod yn malu posteri a hysbyseb-ion ac yn llosgi llyfra a ffurflenni yn y coleg 'cw.'

'I be ?'

'Am eu bod nhw'n Saesneg, siŵr.' Yn herfeiddiol.

Nid Richard oedd hon i gyd, meddyliodd Mati. Roedd ynddi ddogn go helaeth o feiddgarwch ei mam hefyd.

'Be am hynny ?'

Roedd Gwyneth wedi troi i'w hwynebu. Gwthiodd ei gwallt yn ôl dros ei chlustiau a gwelodd Mati'r llygaid gleision yn fflachio tân arni.

'Sut y gallwch chi ofyn y fath beth ?'

'Am 'y mod i'n ddwl mae'n debyg.'

'Na, dydach chi ddim yn ddwl.'

'Diolch am hynny.'

'Ond mi rydach chi'n gibddall.'

'Ydi hynny ddim 'r un peth ?'

'Nag ydi. Mae pobol ddwl felly o orfod ond mae pobol gibddall yn ddwl o ddewis. Hynny ydi, mae hi'n talu'n well iddyn nhw fod yn ddwl.'

'Cibddall.'

'Cibddall 'ta.'

Gadawodd Gwyneth y sinc a daeth i eistedd gyferbyn â Mati. Ciciodd ei sandalau i ffwrdd a phlygu ei choesau 'dani, ar groes ymgroes.

'Dydw i ddim yn tynnu 'ngeiria'n ôl.'

'Welais i rioed monot ti'n gneud hynny. Wyt ti am ddeud rhagor ?'

'Does 'na ddim rhagor i'w ddeud.'

'Pam malu a llosgi ?'

'Be arall fedran ni i 'neud ?'

58

' Mae'n siŵr fod 'na ryw ffordd fwy rhesymol o gael sylw.'

' Mi 'dan ni wedi trio pob ffordd arall, drwy deg. Doeddan nhw'n gneud dim ond gohirio petha.'

' Pwy nhw ?'

' Yr awdurdoda.'

' Pwy ydyn nhw ?'

' Be wn i ? Rydan ni i fynd o flaen rhyw Senadd ddydd Llun.'

' Ac mi fedar rheini dy yrru di o'r Coleg ?'

' Mi fedran.'

' Ydyn nhw'n debygol o 'neud ?'

' Mae Rhys yn deud mai gofyn am ymddiheuriad wnan nhw gynta.'

' Rhys ?'

' Fo ydi llywydd y Gymdeithas Gymraeg. Mi fydd o allan i sicrwydd.'

' Wyt ti'n bwriadu ymddiheuro ?'

' Am be ?'

' Am 'neud difrod, mae'n debyg.'

' Syrthio ar 'y mai 'dach chi'n i feddwl ?'

' Mi wyt ti wedi gneud dy bwynt, beth bynnag oedd o.'

' A rŵan, rydw i fod i ymgreinio—deud fod yn ddrwg gen i a wna i byth eto.'

' Does dim angan codi llais. Nid o flaen y Senadd 'na wyt ti rŵan.'

' Mae'n ddrwg gen i.'

' Rwyt ti yn gallu ymddiheuro, felly ?'

' Ydw, pan fydda i'n meddwl 'y mod i ar fai.'

' Ond dwyt ti ddim yn gweld bai arnat dy hun am ddinistrio petha nad oedd gen ti hawl arnyn nhw ?'

' Mae gen i'r hawl fel Cymraes i fynnu fod fy iaith i'n cael chwarae teg.'

' Wela i.'

' Be 'dach chi'n i weld ?'

' Mi wyt ti'n un ohonyn *nhw*, wyt ti ?'

' Peidiwch â bod ofn i ddeud o. Dydi'r clefyd ddim yn un heintus, gwaetha'r modd. Ydw, mi 'dw i'n aelod o bob mudiad sy'n brwydro dros hawlia'r iaith Gymraeg.

' Fe ddyla hynny fod wrth dy fodd di.'

59

' Be ?'

' Brwydro.'

' Mi fydda'n well gen i ofyn yn dawal. Dydw i ddim yn un dda am ddiodda poen.'

' Pam ? Gest ti dy frifo ?'

' Dim byd o werth.'

' Dangos.'

Torchodd Gwyneth lawes ei siwmper, prin ddigon i ddangos y clais ar ei braich.

' Yn uwch.'

Roedd y fraich, o'r penelin i fyny, yn ddu las. Sylwodd Mati fod yr eneth yn brathu ei gwefus wrth i lawes y siwmper wasgu ar ran ucha'i braich.

' Wyt ti wedi torri rwbath ?'

' Naddo. Dim ond sigo.'

' Sut ?'

' Disgyn arni hi wnes i.'

' Rwyt ti newydd ddeud nad ydw i ddim yn ddwl.'

' Olreit 'ta—rhywun ddaru i phlygu hi y tu ôl i 'nghefn i Bodlon ?'

' Nag ydw i, wir. Pwy ?'

' Fyddach chi ddim callach. Rhyw foi sy'n edrych ar ôl y lle 'cw.'

' Sais ?'

' Nace, Cymro.'

' Rhag i gwilydd o. Un o'i bobol i hun.'

' Mi 'dach chi efo ni, felly ?' Yn eiddgar.

' Fedra i ddim deud, eto.'

' Mi 'dach chi un ai efo ni neu yn ein herbyn ni.'

' Dydi o ddim mor hawdd â hynna.'

' Na, dydi o ddim yn hawdd.'

Teimlai Mati wedi ymlâdd. Roedd 'na flynyddoedd lawer er pan fu'n holi mor galed a llym. Roedd golwg wedi ffagio ar Gwyneth hefyd ; y brwydro wedi gadael ei ôl. Ond pa well oedden nhw o falu a llosgi ? Onid gweiddi am gadw yr oedden nhw ?

' Dydw i ddim yn dallt pa well oeddach chi o ddinistrio,' meddai'n dawel.

' Be fyddach chi wedi'i neud ?'

' Apelio at natur dda pobol ?'

' Oes ganddyn nhw'r fath beth ? Ydach chi'n dallt pam 'ta ?'

' Wn i ddim.'

' Mi wyddoch be ydi teimlo'n gry dros rwbath neu rywun ; bod eisiau i warchod a'i ddiogelu o ?'

Y tŷ yma—creadigaeth Arthur a hithau—roedd hi wedi bod yn ddigon parod i laenio unrhyw un fyddai wedi meiddio ei sarhau. Fe wyddai eu bod yn rhedeg arni yn ei chefn ond ar y pryd roedd hynny'n gwbwl ddibwys gan ei bod hi'n credu yn yr hyn yr oedd hi'n ei wneud. Ac Arthur ei hun—byddai wedi mynd i ryfel drosto fo. Wnâi hi byth ddannod yr oriau yr oedden nhw wedi eu treulio'n gweithio, ochr yn ochr, na byth anghofio wyneb Arthur wrth iddo drin a dethol ei gerrig.

' Ydw, mi 'dw i'n dallt hynny.'

' Diolch byth.'

' Mi fydda eisiau bod yn . . . gibddall iawn i fethu dallt.'

Daeth yr hwyl yn ôl i'r llygaid gleision. Ei thad oedd hi rŵan, yn gallu chwerthin yn wyneb gofid. Diolch i'r drefn am hynny.

' Wyt ti'n barod am rwbath mwy sylweddol na dŵr ?'

' Faswn i'n meddwl wir.'

' Cig moch ac ŵy ?'

' Grêt. Mi helpa i chi.'

' Mi fydda'n well iti i droi hi am adra rŵan,' meddai Mati, wedi i Gwyneth glirio'i phlât.

' Am gael 'y ngwarad i, ia, cyn i'r plismyn ddwad i chwilio amdana i ?'

' Ydyn nhw'n debygol o ddwad ?'

' Go brin. Herian ro'n i.'

' Wyt ti am ddeud wrthyn nhw adra ?'

' Mi fydd raid. Fydd dad ddim i mewn, mae'n debyg ?'

' Mi ddyla fod o gwmpas. Gwylia.'

' O. Doedd mam ddim yn edrych yn rhy dda pan welais i hi ddwytha.'

' Roedd hi i weld yn iawn bora 'ma.' Yna, wrth weld Gwyneth yn estyn am ragor o fara menyn—' Byta fel tasat ti adra.'

' Mi 'dw i adra.'

Biti na fyddai hynny'n wir, meddyliodd Mati. Biti na allai ei chadw yma efo hi. Ond nid oedd ganddi hawl arni. Gwnaethai Lena hynny'n ddigon clir o'r dechrau. ' Mi faga i 'mhlentyn yn fy ffordd fy hun,' meddai, pan gynigiodd Mati gyngor, digon diniwed. Ond go brin fod gan Lena, na Richard chwaith, fawr o hawl ar hon bellach. Roedd pobl yn credu mai tuedd yr oes oedd annibyniaeth barn ac amharodrwydd y rhai ifanc i blygu i'r drefn. Ond b'le byddai hi heddiw petai wedi derbyn mai ei thynged hi oedd byw ei hoes ar batrwm ei phlentyndod ? Be fyddai wedi dod ohoni oni bai am ei phenderfyniad a'i hymroddiad ? Mae'n wir nad oedd wedi cerdded ymhell, ond roedd y tŷ yma ym Minafon yn blasty bach o'i gymharu â'r cwt sinc.

Dwy ar bymtheg oed oedd Lena pan fynnodd adael yr ysgol, er ei bod wedi llwyddo'n dda yn yr arholiadau, a mynd i chwilio'i siawns i Lerpwl. Cytunodd hithau, ar yr amod fod Lena yn mynd i aros efo Elsi, ei chwaer. Mewn llai na phythefnos, cawsai lythyr gan Elsi yn dweud fod Lena wedi ei fflamio hi i'r cymylau ac wedi gadael y tŷ ar ei hyll. ' Wyt ti'n meddwl 'y mod i'n afresymol ?' holodd Elsi, yn ei llythyr, ' yn disgwyl iddi fod i mewn erbyn deg ? Mae'r lle 'ma'n ferw o'r hen hogia Tedi 'na a dawnsio ydi bob dim—os medri di alw'r roc a rôl 'ma'n ddawnsio. Roedd hi wedi un ar ddeg arni'n dwad i'r tŷ bob nos a doedd 'na ddim dichon i chodi hi i fynd i'w gwaith bora wedyn. Wnes i ddim ond deud, yn reit glên. Wedi'r cwbwl, arna i roedd i chyfrifoldeb hi tra roedd hi yma. Mi 'dw i'n dallt i bod hi wedi symud i mewn efo ryw Doris sy'n gweithio efo hi—slwt fach gomon a'i gŵr wedi'i gadael hi. Dydw i ddim am dy darfu di, ond mi wyddost amdana i— plaendra pia hi—a mi 'dw i'n deud wrthat ti rŵan, mi fydd raid i ti ac Arthur roi'ch troed i lawr a mynnu i bod hi'n dwad adra, neu trwbwl gewch chi.'

Aethai Arthur yr holl ffordd i Lerpwl ar y trên i geisio ei chymell hi i ddod adref er bod Glyn wedi eu rhybuddio i adael llonydd iddi stiwio yn ei photes ei hun. Yn fuan wedyn roedd Glyn yn gadael. Ni fyddai byth uwch bawd sawdl ym Minafon, meddai. Roedd o'n waeth allan rŵan. Ond o leiaf ni allai ei beio hi am hynny. Cawsai Lena ac yntau dorri eu cwysi eu hunain. Ond roedd gan Gwyneth un fantais arnyn nhw i gyd.

Cymhelliad cwbwl hunanol oedd wedi gyrru arni hi a'i phlant ond roedd gan Gwyneth rywbeth o'r tu allan iddi ei hun. Ac er nad oedd Mati eto wedi deall pwrpas y dinistrio a'r llosgi nid oedd ronyn o amheuaeth yn ei llais pan ddywedodd wrth Gwyneth—

' Mi 'dw i efo chdi.'

' Go dda chi.'

' Wn i ddim be fedra i i 'neud chwaith.'

' Dim ond dal i gredu. Mi fedrwch adael y gneud i mi.'

Roedd Gwyneth newydd adael pan glywodd Mati guro ysgafn ar ffenestr y gegin gefn. Gwyneth oedd yn ei hôl ac yn amneidio arni i agor y ffenestr. Gwnaeth hithau hynny.

' Dim ond eisiau deud mor falch ydw i mai yma y dois i gynta,' meddai.

Yna, roedd hi'n diflannu'r eildro.

— I —

Bu Gwyneth yn aros drwy'r min nos am y cyfle i ddweud
wrth ei rhieni. Gwyddai yr âi'r dweud yn galetach wrth ohirio.
Ond ni allai yn ei byw eu cael efo'i gilyddd ac nid oedd am
orfod ailadrodd. Roedden nhw fel pe'n gwneud ati i gadw ar
wahân ; ei thad yn yr ystafell eistedd yn gwylio'r teledu a'i
mam yn y gegin, yn cymryd arni fod yn brysur bob tro y
rhoddai hi ei phen i mewn. Wedi cael ffrae yr oedden nhw,
efallai, er nad oedd dim yng ngolwg ei thad, o leiaf, i awgrymu
hynny. Ni allai Gwyneth byth ymroi i ddim wedi ffrae ac yn
sicr ni allai chwerthin fel y gwnâi ei thad rŵan.

'Glywist ti hynna ?' holodd, rhwng dau bwff o chwerthin.

'Naddo.'

'Lle mae dy feddwl di, hogan ?'

Nid oedd yn disgwyl ateb ac ni fyddai ganddi hithau ateb
i'w gynnig. Byddai'n ormod o dreth ceisio dirwyn y cawdel
meddyliau oedd yn troelli'n ei phen. I'w gwely y byddai hi
wedi mynd ar ei hunion, ond byddai hynny'n taro'n od.
Roedd hi wedi ceisio awgrymu'n gynnil ei bod hi wedi blino
a'i thad wedi dweud—

'Does gen ti ddim busnas blino yn d'oed di.'

Aeth drwodd i'r gegin at ei mam a'i dal yn eistedd.

'Mynd i wneud panad ro'n i,' meddai honno'n ffrwcslyd.

'Mi wna i un rŵan.'

Peth newydd oedd clywed ei mam yn ei hesgusodi ei hun
fel'na. 'Wedi blino rydach chi ?'

'Dipyn o gur pen.'

'Wrthi ormod.'

'Nag ydw wir. Mi 'dw i wedi bod yn ddiog iawn ers wyth-
nosa. Mae 'na deisan yn y cwpwrdd.'

'Mi ca i hi rŵan.'

Ond roedd ei mam wedi codi. Gwelodd Gwyneth hi'n gweg-
ian ac yn rhoi ei llaw ar y bwrdd i'w sadio ei hun. Pan gyrhae-
ddodd at Gwyneth roedd hi'n fyr o wynt er nad oedd y gegin
ond lled pedwar cam.

' Baglu ddaru chi ?'

' Penstandod.'

' Fuoch chi'n gweld Doctor Rees ?'

' Naddo.'

' Fe ddaru chi addo.'

' Fedra i mo'i boeni o efo mymryn o gur pen. P'run bynnag, mae aspirins yn i dorri o.'

' Ddylach chi ddim cymryd gormod o rheini.'

' Mi 'dw i *yn* gallu darllan y cyfarwyddiada ' sti.'

' Olreit. Ond dydi o ddim yn lles llyncu gormod. Mi fedran andwyo'ch stumog chi.'

Roedd hi wedi mentro cyn belled ag y meiddiai. Nid oedd ei mam erioed wedi cymryd yn garedig at ymyrraeth o fath yn y byd. A byddai'n fwy tebygol o ystyfnigo petai hi'n dal arni.

' Ydach chi'n meddwl y bydd dad eisia panad ?'

' Welaist ti o'n gwrthod rywdro ?'

' Naddo, ran'ny.'

Byddai ei thad bob amser yn barod am baned a sgwrs. Ac felly rŵan, pan aeth â'r te drwodd iddo.

' Rho'r teledu i ffwrdd,' meddai. ' Mi 'dw i eisiau gair efo ti.'

' Wel ?' holodd Gwyneth yn ddiamynedd, wrth ei weld yn loetran efo'i de.

' Dal dy wynt am funud. A stedda i lawr. Mi wyt ti fel gafr ar d'ranna. Be wyt ti'n i 'neud fory ?'

' Dydw i ddim yn siŵr eto.' Yn ochelgar.

' Ddoi di am dro efo fi, yn y fan ? Hynny ydi, os nad oes gen ti gwilydd cael dy weld ynddi hi.'

' Na, dim cwilydd. Be oedd ganddoch chi mewn golwg ?'

' Awydd mynd draw i'r Waunfach sydd gen i. Mae 'na flynyddoedd er pan fuas i yno. Ddoi di ?'

' Fedra i ddim mae arna i ofn.'

' Pam ?'

' Newydd gofio—mae 'na rai o'r criw yn dod draw yma fory. Mae ganddon ni betha i'w trafod.'

' Dydd Sul 'ta. Wnaiff o ddim gwahaniaeth i mi.'

' Mi 'dw i'n mynd yn ôl ddydd Sul.'

' Yn ôl ? Ond mae hi'n wylia arnat ti rŵan.'

' Mae gen i waith eisio'i orffan.'

Doedd o ddim callach. Dyma'i chyfle hi, mae'n debyg, i egluro natur y gwaith. Ond roedd o mor llawn o'i bethau ei hun ; yn amlwg wedi bod ar dân eisiau sôn am y bererindod y bwriadai fynd arni. Dyn a ŵyr i be oedd eisiau mynd i'r Waunfach. Nid oedd ei thad hi'n un i ryw hen hiraethu gwirion am y gorffennol. P'run bynnag, yn Lerpwl ac nid yn y Waunfach yr oedd ei wreiddiau.

'Pam nad ewch chi â mam efo chi ?'

'Ddoi hi ddim.'

'Ydach chi wedi gofyn iddi hi ?'

'Wedi meddwl mynd a chdi ro'n i. Mae 'na gymaint o betha y liciwn i 'u dangos iti. Dwyt ti rioed wedi gweld yr ogofeydd gwaith haearn ar y Foel, yn naddo ?'

O'r nefoedd, doedd o rioed yn mynd i ddechrau ar hynny. Clywsai amryw o'i ffrindiau yn cwyno fel y byddai eu rhieni'n mynnu sôn amdanynt eu hunain yn blant ac yn gorchestu mewn campau diniwed nes eu bod yn chwysu o gwilydd drostyn nhw. Ond anamal iawn y clywid y geiriau 'mi 'dw i'n cofio' yn ei chartref hi. Be aflwydd oedd wedi dod drosto fo ? Mae'n rhaid ei fod yn dechrau teimlo'i oed. Ond doedd o ddim yn ei fradychu beth bynnag. Wyneb hogyn ysgol direidus oedd ganddo, yn ffefryn pawb efo'r llygaid gleision 'na. Mae'n siŵr iddo wneud yn fawr o'r rheina ganwaith i gael allan o drybini. Roedd hi'n anodd ei wrthod.

'Rywdro eto, ia ?' meddai, er nad oedd dim ymhellach o'i feddwl ar y pryd. 'Mi â i i ofyn i mam, os liciwch chi.'

'Na, gad hi. Falla nad â i ddim.'

Ond roedd o am fynd. 'Rarswyd, roedd pobl ifanc wedi mynd yn betha rhyfadd. I be oedd hi eisiau cael ei ffrindiau yma fory a hithau ond newydd eu gadael ? Rhyw fachgen oedd ganddi, debyg. Roedden nhw'n ymfalchïo yn eu onestrwydd ac eto'n cau fel malwod. Ofnai yn ei galon y byddai Gwyneth yn mynnu mynd i ofyn i'w mam. 'Ddringai Lena byth mo'r Foel heb sôn am fentro i mewn i'r ogofeydd. Nid fod arni ofn—doedd ar Lena ofn 'r un diawl—na, dweud y byddai hi na allai weld unrhyw bwrpas mewn bustachu i fyny ochor mynydd, fel plant. A sut y gallai wneud y pethau roedd o wedi'u bwriadu efo hi'n syllu'n ddirmygus arno ac yn dweud, yn ei ffordd ddeifiol ei hun, fod yr ail blentyndod yn llawer hurtach peth na'r un cyntaf ?

Ond fe âi i'r Waunfach. Byddai'n rhydd i'w blesio ei hun, o leiaf. Ond roedd o wedi meddwl cael mynd â Gwyneth i'w ganlyn. Byddai cael sôn am bethau oedd wedi bod yn help i'w hail-fyw. Ond waeth iddo heb, os oedd hi wedi penderfynu. Newydd gyrraedd adra, myn coblyn i, ac eisoes yn sôn am fynd yn ôl. Ni fyddai waeth iddo fod wedi aros yn Lerpwl ddim, a rhoi i fyny efo Margaret nes y câi amgenach cwmni. Byddai Rosie wedi neidio at y cyfle o gael twmbliad yn y rhedyn. Chwarddodd yn uchel wrth feddwl am Rosie ar ei chefn ar y Foel, ei mascara'n rhedeg yn y gwres a phelydrau'r haul yn tonni dros ei bronnau helaeth.

O'r gegin, clywodd Lena'r chwerthin. Sut y gallai fod mor ddibris ohoni ? Dylai fod wedi cadw'r drws ar glo a gwrthod mynediad iddo, neu o leiaf wneud iddo chwysu mymryn. Esgus oedd ei bod yn cadw'r drws heb ei gloi rhag ofn i Gwyneth gyrraedd yn ddirybudd, ac fe wyddai Richard hynny'n dda. Ond fe ddylai hi, petai ond o hunan-barch, fod wedi mynnu eglurhad ac ymddiheuriad. Nid celu'r gwir i'w harbed yr oedd o reit siŵr. Bu'n ddigon parod i ddweud, heb flewyn ar ei dafod, ei fod yn ei gadael hi am yr eneth 'na. ' Mi ro i wybod iti sut bydd petha'n mynd,' meddai. Ond ni chlywsai air. Nid oedd arian yn boen o gwbl. Cyfri ar y cyd oedd ganddyn nhw a gallai ei helpu ei hun pryd y mynnai. Ond yr oedd poen. Nid y boen gorfforol yr oedd hi mor gyfarwydd â hi erbyn hyn. Rhywbeth pendant oedd honno, ac un y gellid ei leddfu dros dro, efo'r tabledi. Poen negyddol oedd y llall a'i hanallu hi i leddfu'r boen oedd wedi ei gorfodi i dderbyn Richard yn ôl heb gymaint â gair o gerydd. Neithiwr, bu mor barod ag erioed i ildio iddo ond roedd hi wedi deffro bore heddiw yn ei ffieiddio ei hun.

Roedd Doris Lerpwl wedi ei rhybuddio i beidio rhoi i mewn iddo. ' Un dda wyt ti i siarad,' meddai hithau. Ond fe wyddai Doris. Cawsai hithau ei swyno gan bâr o lygaid tebyg iawn i rai Richard. Pan symudodd Lena i mewn ati i Albert Road wedi'r ffrae efo'i modryb nid oedd yn aros o'r gŵr llygaid gleision ond llun fyddai weithiau ar ben y cwpwrdd, weithiau yn y drôr. Yn ugain oed, gwyddai Doris beth oedd cael ei siomi a'i dadrithio ac roedd gwerth i'w chyngor. Ond nid i Lena, na allai ei dychmygu ei hun yn cael camau gweigion.

Bu Richard a hithau'n lwcus, os lwcus hefyd. Byddai Doris yn gweithio'n hwyr wrth y ddesg yn y *Palais* deirgwaith yr wythnos ac roedd rhyddid y tŷ ganddyn nhw. Efallai y byddai'n well iddyn nhw fod wedi cymryd eu siawns ar y tir wâst yng nghefn y *Palais* neu yn yr esgus o barc oedd fel gwely mawr cymunol ar nosweithiau Sadwrn. O leiaf, fe allai'r rhewynt a'r tarth fod wedi oeri dipyn ar eu nwydau. Ond roedd yno wely cynnes, cyfleus, a'r peth mwyaf naturiol yn y byd oedd neidio iddo bob cyfle gaen nhw, y rhan amlaf heb unrhyw fath o baratoad.

Fe gawson nhw fisoedd o ryddid felly cyn iddi sylweddoli ei bod hi bythefnos yn hwyr ac y byddai'n rhaid i Richard ei phriodi. 'Ac rwyt ti wedi llwyddo i'w fachu o,' meddai Doris. Hithau'n taeru mai damwain oedd hi er ei bod yn gwastraffu'i hanadl ar Doris. Ond gallai fforddio bod yn onest efo hi ei hun bellach. Rhyddhad oedd deall ei bod hi'n y clwb gan fod Richard yn anniddigo ers tro ac wedi dechrau llygadu merched eraill, hyd yn oed yn ei gŵydd hi. Byddai mam Richard, a Margaret ei chwaer, wedi hoffi rhoi twca drwyddi. Roedd yr hen wraig wedi ei chyhuddo, mwya powld, o gymryd mantais ar ei mab. Bu'n rhaid iddi hithau gael rhoi ei phig i mewn i ddweud fod angen dau i wneud babi. Am iddi gael gwared â'r babi yr oedden nhw ac yn barod i dalu i 'rywun iawn,' chwedl Margaret. Roedd hithau wedi holi pa 'rywun iawn' fyddai'n fodlon bwtsiera corff merch a lladd y bywyd newydd o'i mewn ac wedi ychwanegu, yn bropor iawn, ei bod hi'n gwilydd eu bod nhw, oedd wedi eu magu ar fronnau'r Ysgol Sul, yn barod i gyflogi llofrudd. Roedd y bregeth, er nad oedd ronyn o argyhoeddiad y tu cefn iddi, wedi cyrraedd adra.

Ond roedd Lerpwl y pumdegau efo'i gyflawnder o ferched yn lle rhy beryglus i Richard, hyd yn oed ar dennyn. Ei syniad hi oedd dod yn ôl i Finafon lle byddai'r gymdeithas glos yn gwasgu arno a lle y câi hithau dir cyfarwydd a chadarn o dan ei thraed. A syniad da oedd o. Roedd hi'n sicr i Richard fod yn ffyddlon iddi am ddeunaw mlynedd—yn ddigon hir iddi gymryd yn ganiataol ei bod hi'n ddiogel. Erbyn meddwl rŵan, fe fu Gwen Ellis wrthi'n gollwng caglau defaid o ensyn-iadau er nad oedd wedi rhoi clust iddi o gwbl. Câi Lena dra-fferth ers tro i ddilyn sgwrs. Rhedai'r geiriau i'w gilydd i greu sŵn hollol ddiystyr fyddai'n rhuo drwy'i phen. Dim rhyfedd felly nad oedd wedi gallu manteisio ar wybodaeth Gwen Ellis i weld y golau coch.

Neithiwr, roedd yn ddigon ganddi wybod ei fod yn ôl. Ond erbyn hyn teimlai fod ganddi hawl gwybod rhagor. Beth barodd iddo godi ei bac wedi deunaw mlynedd ? Beth ddigwy-ddodd rhyngddo a'r eneth 'na ? A beth a'i gyrrodd o'n ôl ? Ai dod yma yn niffyg unman arall i fynd ddaru o ? Neu dod yma i weld Gwyneth, efallai—roedd ganddo fyd efo hi rioed. Ynteu a oedd yna, rywle yng ngwaelod ei fod, ddyhead am gael bod yma efo hi, petai ond o rym arferiad ? Ond ni allai byth ofyn iddo.

Rhoesai Richard y teledu ymlaen eto, ar ei uchaf. Estyn-nodd Lena botel dabledi o'r drôr a llyncodd bedair efo'r te oedd bellach fel dŵr pwll. Dim ond iddi aros yn llonydd a byddai'r boen yn cilio'n raddol er na fyddai byth rŵan yn ei gadael yn llwyr.

Gwthiodd Gwyneth ei phen heibio i'r drws a gofyn—

' Ydach chi'n teimlo'n well rŵan ?'

' Ydw. Lawar gwell, diolch.'

Cil-edrychodd Gwyneth yn awgrymog ar y botel dabledi.

' Faint ?'

' Dim ond dwy.'

' Mae hynny'n iawn. Mi 'dw i am i throi hi.'

Wedi i'r boen liniaru aeth Lena drwodd i'r ystafell eistedd. Er bod y teledu'n para i rygnu ymlaen roedd cadair Richard yn wag. Cipiodd Lena drwy'r ffenestr a'i weld yn sefyll wrth y giât ffrynt. Byddai wedi rhoi'r byd am gael mynd ato a sefyll efo fo ; yntau'n rhoi ei fraich amdani ac yn ei thynnu'n glos, nes bod y ddau'n adnabod angen ei gilydd. Ond ni fynnai gael ei gwrthod.

Symudodd at y tân ac eistedd yng nghadair Richard. Glynai ei wres wrthi. Mor wahanol i'r adegau pan eisteddai ynddi yn ei ddisgwyl adref. Edrychodd eto drwy'r ffenestr, er mwyn gwneud yn siŵr ei fod yn dal i sefyll yno. Er bod y tân yn fflamio roedd hi'n ymwybodol o'r ias a redai i lawr ei gwar fel dŵr rhew. Ond ni allai adnabod y teimlad. Nid oedd hynny'n syndod, oherwydd yr oedd ofn, o unrhyw fath, yn brofiad dieithr i Lena Powell.

— 2 —

Er bod ei gefn at y tŷ gwyddai Richard fod rhywun yn ei wylio. Roedd wedi bod yn effro i beth felly erioed—cydwybod euog mae'n debyg. Lena oedd yno wrth gwrs. Fe ddylai fod wedi dygymod bellach a hithau wedi cadw llygad barcud arno ar hyd y blynyddoedd. Ond bu'n esgeulus yn ddiweddar. Cymerodd yntau fantais ar hynny. Nid oedd wedi bwriadu i bethau fynd cyn belled efo Lis, dim ond cael dipyn o hwyl diniwed. Roedd eisiau pobi ei ben am gysylltu Lis â diniweidrwydd. Roedd pethau wedi symud yn rhy gyflym o beth gythral ac yntau, wedi blynyddoedd o gerdded y llinell, wedi colli ei ben fel hogyn ysgol ar ei gwrw cyntaf. Y peth olaf oedd o eisiau'i wneud oedd peri briw i neb ond nid oedd gan Lena deimladau i'w brifo, dim ond ei balchder, ac nid oedd hwnnw'n werth ystyriaeth. Be oedd ots rŵan, ran'ny ; roedd o *yn* hwyl, er nad mor ddiniwed, tra parodd o.

Ni allai feio Lena am fod ar ei gwyliadwriaeth. Ac roedd hi'n haeddu rhyw gonsesiwn am ei dderbyn yn ôl mor ddi-lol. Gallai fod wedi rhoi lle poeth ar y naw iddo. A sôn am boeth —roedd 'na wres uffern ynddi hi neithiwr. Pelen dân yn ei gwely a mynydd iâ allan ohono. 'Rarswyd, roedd o wedi bod yn anlwcus efo'i ferched. Nid nad oedden nhw'n barod amdano fo, yn rhy barod weithiau, ond nid oedd gwres teimlad yn yr un ohonyn nhw. Rosie oedd yr orau er bod ei harwyddair hi yr un â'r *Windmill* ers talwm. Ond os oedd hi'n hael ei chorff roedd ganddi glamp o galon hefyd a chariad yn byrlymu ohoni fel o gawg diwaelod.

Am ba hyd y bwriadai Lena loetran yn y ffenestr tybed ? Nid oedd ar frys i fynd yn ei ôl i'r tŷ. Croesodd y ffordd at y wal gyferbyn. Yr ochr arall i honno yr oedd yr afon. Hyfdra, ran'ny, oedd galw'r rhediad dŵr budr yma'n afon. Ond be oedd i'w ddisgwyl a hithau'n gorfod brwydro'i ffordd drwy domennydd rwbel a chenedlaethau o deuluoedd y topiau wedi gwneud eu rhaid iddi o'u tai bach sychion yng ngwaelod yr ardd ? Ta waeth, yfory câi weld afon oedd yn haeddu'r enw.

Roedd y tywydd wedi bywiogi ar ôl y glaw gynnau a'r awyr yn drwm o wres diog oedd yn addo'n dda at drannoeth. Heidiai gwybed bach o'i gwmpas. Taniodd sigaret gan obeithio y byddai'r mwg yn ei warchod ond roedden nhw mor daer ag erioed. Yn filain o gael ei drechu gan wybed, brasgamodd Richard yn ôl am y tŷ. Wrth y giât yr oedd o pan welodd ddrws y tŷ nesa'n agor a Katie Lloyd yn dod allan. Galwodd arni—

' Noson braf, Mrs. Lloyd.'

Gollyngodd Katie'r botel lefrith wag yr oedd hi'n ei chario yn glats ar y cerrig gleision.

' Peidiwch â chyffwrdd y gwydra rhag ofn i chi dorri'ch bysadd. Mi ddo i yna rŵan.'

' Does dim angan.' Yn wannaidd.

' Arna i roedd y bai yn eich dychryn chi.'

Roedd o wrth ei hochr, yn codi'r darnau mwyaf ar ei gledr. Safodd hithau yn ei hunfan a cheg y botel lefrith yn hongian rhwng ei bys a'i bawd.

' Oes ganddoch chi frws a rhaw yn handi ?'

' Mi ca i nhw i chi rŵan.'

Brysiodd Katie i'r tŷ a'i hwyneb yn fflamio. Be oedd o'n ei feddwl ohoni mewn difri ? Ei gweld hi'n hen wraig ddotus mae'n debyg, ei nerfau'n rhacs, a thorri potel lefrith yn un o drasiedïau mawr ei bywyd. Ychydig a wyddai iddi fod yn gwylio pob symudiad o'i eiddo yn ystod y chwarter awr ac nad damwain oedd iddi ollwng y botel lefrith. Mae'n rhaid ei bod hi'n ddotus i chwarae'r fath dric yn ei hoed hi. Ond roedd hi ym mhen ei thennyn, wedi bod yn y tŷ drwy'r dydd heb weld yr un adyn er pan adawodd Gwen Ellis yn ei chythral, a'r dyn yn y llun yn mynd yn debycach i Harri bob munud. Be fyddai Harri'n ei feddwl o hen lol hogennaidd fel 'ma oedd yn dadwneud popeth ddysgodd o iddi ? Ond pa ddrwg oedd 'na mewn ceisio ei helpu ei hun i wynebu noson ddiderfyn arall ? Y gamp rŵan fyddai ei gadw efo hi cyhyd ag y gallai.

Ond pan ddychwelodd at Richard efo'r brws a'r rhaw ni allai feddwl am un dim i'w ddweud. Roedd ei thafod fel petai wedi glynu wrth daflod ei cheg. Dyna oedd i'w gael o

71

fynd yn groes i Harri. Eiliad arall, a byddai'r cyfan wedi ei glirio a Richard yn ei gadael. Câi hithau noson fwy hunllefus nag arfer a'i heuogrwydd yn llosgi'n ffyrnicach nag unrhyw gamdreuliad. Ond roedd Richard eisoes ar ei ffordd i'r tŷ ac yn holi b'le roedd y bin lludw.

Tra roedd Richard yn y cefn llwyddodd Katie i'w sadio ei hun ryw gymaint. Gwyddai na faddeuai byth iddi ei hun petai'n ei ollwng rŵan. Paned—byddai honno gystal â dim. Ond beth petai'n gwrthod ? Byddai ar ben arni wedyn.

Derbyniodd Richard y cynnig yn eiddgar. Yn wir, aeth gam ymhellach. Sylwodd fod y mwg yn taro'n ôl ac aeth i gau'r drws ffrynt. Pan ddaeth Katie â'r te i mewn roedd golwg gyfforddus arno er nad oedd y gadair—cadair Harri—wedi ei gwneud i ymlacio ynddi.

' Mae ganddoch chi le clyd yma,' meddai.

' Digon shabi ydi o mae arna i ofn.'

' Ond cartrefol. Ac mae 'ma dawelwch.'

' O, oes, mae 'ma ddigon o hwnnw. Cry ynta gwan ?'

' Cry. Daliwch eich llaw allan am funud.'

Gobeithio'r annwyl nad oedd wedi sylwi fod ei llaw'n crynu a hithau'n ymdrechu mor galed i'w argyhoeddi ei bod hi'n iach ac yn abl.

' Gwaed ydi hwnna ?'

' B'le ?'

' Rhwng eich bys a'ch bawd chi.'

Ie, gwaed oedd o. Mae'n rhaid ei bod hi'n ffrwcslyd ar y naw i'w fethu. Ni allai fforddio colli gafael arni ei hun—gweddw Harri Lloyd, pen blaenor yng Nghalfaria, un o bileri'r achos a phatrwm perffeithrwydd.

' Ydach chi ddim am i drin o ?'

' Dydi o ddim byd.'

' Mae'n well bod yn saff. Rhaid i chi i olchi o. Oes ganddoch chi *Dettol* yn y tŷ ?'

' Oes, am wn i.'

' Dafn neu ddau o hwnnw yn y dŵr, i'w buro fo. Ga i helpu ?'

' Na, mi wna i'n iawn.'

Nid oedd yn ddigon siŵr ohoni ei hun i fentro ei gael yn rhy agos. Cawsai gip ar ei lygaid gynnau wrth iddo wyro tuag ati ac adnabu'r tynerwch ynddyn nhw. Rhedodd ddŵr oer dros ei llaw ond nid oedd am wastraffu amser yn chwilio am y *Dettol*.

Roedd Richard wedi codi ac yn sefyll wrth y ddresal pan ddychwelodd i'r gegin.

' Nid dresal ceiniog a dima ydi hon,' meddai.

Gallai Katie gofio Harri'n dweud peth tebyg. Clywsai hithau'r sŵn clician y tu cefn i'w lygaid wrth iddo ei phrisio. Ond nid oedd ond edmygedd yn llais Richard.

' Dresal nain ydi hi, a'i mam hitha o'i blaen hi. O'r hen gartra.'

Ni fu gan Harri unrhyw wrthwynebiad iddi bicio adra i drefnu ynglŷn â'r dodrefn er na chawsai fynd led ei throed yno cynt. ' Cymrwch y cwbwl,' meddai, ' fe wyddoch chi 'u gwerth nhw.' Roedd hi wedi meddwl ar y pryd mai cyfeirio at eu gwerth teimladol yr oedd o. Ond pan gyrhaeddodd y dodrefn a'u cynnwys—digon i lenwi'r tŷ yma i'w ymylon—meddai Harri, ' Fydd dim rhaid inni boeni am y dyfodol rŵan.'

' Rydach chi wedi cymryd gofal ohoni.'

' Dyna'r peth lleia fedrwn i i 'neud. Ches i ddim cyfla i gymryd gofal o mam.'

'Roedd gen nain, mam 'y nhad, ddresal. Ond doedd 'na mo'r un graen arni â hon. Roedd gen nain fwy o dynfa at y mynydd nag at y tŷ.'

' Un o b'le oedd hi, felly ?'

' O Sir Fôn. Mi 'dw i'n ama mai gwanc am y mynyddoedd ddaeth â hi i'r Waunfach, ac nid taid.'

' Y Waunfach ?'

' Ia. Wyddoch chi am y lle ?'

' Faswn i'n meddwl wir. Un o Lanelan ydw i—dim ond dros y mynydd.'

' Mi fedrwch weld Llanelan o ben y Foel.'

' Neu'r Waunfach.'

' Wyddoch chi am yr ogofeydd ar ochor y Foel ?'

' Yr hen waith haearn ? Mi 'dw i wedi bod ynddyn nhw ddega o weithia er bod nain wedi fy siarsio i i beidio. Mi fyddwn i'n dotio at y llynnoedd bach oedd ynddyn nhw—y llanast o liwia oedd ar wynab y dŵr.'

' Yr haearn ynddo fo.'

73

' Ro'n i am eglurhad mwy rhamantus na hynny.'

' Finna hefyd. Falla inni fod yno ar unwaith.'

' Go brin.'

Roedd hi ar fin dweud ei bod hi wedi gadael Llanelan cyn iddo gael ei eni ond ni fyddai hynny ond yn pwysleisio'r gwahaniaeth oed.

' Ia ran'ny. Allwn i ddim fod wedi'ch methu chi'n hawdd. Mi 'dw i awydd mynd draw yno fory.'

' I'r Waunfach ?'

' Ia. Mi dreuliais i beth wmbradd o wylia ha yno. Ddowch chi efo fi ?'

' Fi ?'

' Ia, chi.'

' Na, fedra i ddim.'

' Pam ? Be sy'n galw ?'

' Dim byd yn galw.'

' Mi fyddwch yn gneud cymwynas â fi. Dydw i'n dda i ddim ar fy mhen fy hun. Sut un ydach chi am godi'n y bora ?'

' Dim traffarth.'

' Mi gychwynnwn ni ben bora 'ta, inni gael diwrnod iawn. A dyna hynna wedi'i setlo.'

' Ond . . .'

' Dim un ond.'

O'r gorau, meddyliodd Katie—dim un ond. Roedd hi eisiau mynd. Ac am unwaith roedd hi am wneud yr hyn yr oedd hi eisiau'i wneud. Un waith—cyn ei bod hi'n rhy hwyr.

' Mi ofala i am ginio inni,' meddai.

' Picynic ar ben Foel.'

' Os cyrhaedda i cyn bellad.'

' Mi fyddwch yn dringo'r llethra fel ewig, gewch chi weld.'

Roedd o'n symud am y drws. Ond gallai fentro ei ollwng, rŵan fod ganddi'r sicrwydd o ddiwrnod cyfan yn ei gwmni. Roedd y tric bach diniwed wedi talu ar ei ganfed. Ni chawsai'r un botel lefrith erioed ei defnyddio i amgenach pwrpas.

Cafodd ei tharfu braidd pan ddywedodd Richard—

' Mi fydd y Rolls wrth y drws cefn am hannar awr wedi saith.'

Pam y drws cefn ? Oedd ganddo fo gwilydd cael ei weld efo hi ? Os felly, byddai'n well torri'r trip yn ei fôn. Nid oedd am fod yn faen tramgwydd iddo chwaith. Ond lwcus na ddywedodd hi ddim, oherwydd, pan feddyliodd dros y peth wedyn mewn gwaed oer, gallai weld synnwyr ynddo. Peth annoeth fyddai rhoi gwaith siarad i bobl, yn arbennig rŵan ac enw Richard yn y penawdau. Gofyn am drwbwl fyddai cychwyn o'r ffrynt, o fewn tafliad carreg i ffenestr Gwen Ellis. Er na fyddai honno'n debygol o fod wedi cychwyn ar ei gwyliadwriaeth ar awr mor gynnar o'r Sadwrn roedd hi'n well chwarae'n saff na mentro gwneud dim allai darfu ar ddiwrnod yr oedd hi'n mynd i orfod byw ar ei waddol, efallai am weddill ei hoes.

DYDD SADWRN, MEHEFIN Y 3YDD

— I —

Drwy drugaredd, cafodd Katie a Richard gychwyn i'w taith heb wybod dim am y ddau bâr o lygaid a'u gwyliai o ffenestri Minafon.

Yn y llofft gefn yr oedd Gwen Ellis pan glywodd sŵn o'r stryd. Gan anwybyddu'r brath yn ei chefn llwyddodd, drwy sefyll ar flaenau'i thraed, i weld, drwy un o gwareli ucha'r ffenestr, do fan Richard Powell. Gan na allai ddibynnu rhagor ar ei llygaid agorodd y ffenestr, mewn pryd i glywed drws y cefn yn cau a drws y fan yn agor. Gwyddai mai drws cefn rhif pump oedd o oherwydd y wich—Katie Lloyd yn rhy grintachlyd i brynu olew i'w golynion. Y munud nesaf roedd yr injian yn refio a'r beipen wacáu yn gollwng cymylau o fwg drewllyd i awyr lân y bore. Rhyfedd fod Lena Powell yn bodloni ar drol o fan fel'na a hithau'n ferch ei mam, mewn balchder o leiaf. Ond roedd hi wedi gorfod rhoi i fyny efo llawer mwy na rhecsyn o fan ran'ny. Ychydig wythnosau'n ôl roedd o'n hel ei draed efo ffifflan o hogan ; rŵan yn cychwyn yn dalog efo dynes oedd wedi cael ugain mlynedd o flaen arno. O'r crud i'r bedd ar un naid, myn coblyn i. Yr hen hulpyn iddo fo hefyd. Ond os oedd o'n hulpyn, beth amdani hi ? Beth bynnag oedd beiau Harri Lloyd, roedd ei foesoldeb fel y graig. Gallai Gwen gofio fel y byddai'n gostwng ei lygaid pan âi merched heibio yn y sgertiau rheini oedd yn ffasiwn y chwe-degau—sgertiau nad oedden nhw'n cuddio dim mwy ar ben ôl na chlwt babi.

Rhag cwilydd i Katie Lloyd yn ei amharchu o fel'na. A hithau'n cymryd arni fod mor sidêt ac yn mingamu cymaint pe digwyddai iddi hi, Gwen, ollwng rheg fach, hollol naturiol. Ond roedd hi wedi dangos ei pherfedd ddoe, ran'ny, wrth ymosod arni hi heb reswm yn y byd. Nid camdreuliad oedd wedi gwenwyno'i system hi ond ei diawledigrwydd ei hun. Roedd pobl wedi beio digon ar Harri Lloyd am ei chadw hi i swatio. Ond fo oedd yn ei nabod hi a doedd wybod faint o drafferth oedd o wedi'i gael efo hi. Ych a fi, dynes yn ei hoed hi

76

yn hel dynion. Lle caech chi beth hyllach ? O, roedden nhw wedi bod yn reit gyfrwys wrth ddewis lle ac amser. Ond nid yn ddigon cyfrwys iddi hi.

Gwnaeth Gwen Ellis ei hun mor gyfforddus ag oedd bosibl ar lawr wrth y ffenestr i feddwl pa ddefnydd allai hi ei wneud o'r datblygiad diweddaraf yn hanes Minafon.

Drwy bâr o lygaid penwaig y gwelodd Eunice Murphy ei chymdoges yn gadael ei thŷ, yn rhyfeddol o sionc o'i hoed. Pethau prin a gwerthfawr, wedi eu neilltuo i'r adegau pan fyddai Brian yn gweithio'r nos, oedd dagrau iddi rŵan. Edrychai ymlaen yn eiddgar at y nosweithiau rheini wedi'r straen o gadw wyneb. Roedd y clwt tamp yn yr ystafell eistedd yn tyfu'n raddol a'r papur y gwariodd hi ei harian a'i hegni arno yn rhydd o'r wal, fel chwydd mewn boch. Rhoesai'r gorau i agor y ffenestri a chynnau tân ac nid âi ar gyfyl yr ystafell eistedd ond cyn lleied ag oedd bosibl. Bob tro yr âi yno glynai'r tamprwydd wrthi fel y gwnaethai'r diwrnod hwnnw ym mharlwr y drws nesaf ac ni allai gnesu am oriau wedyn. Cawsai lyfr o'r llyfrgell oedd yn delio â diffygion mewn tŷ. Melltith o beth oedd tamprwydd, meddai hwnnw, yn lledaenu fel cancr a'r un mor anodd ei atal.

Bob dydd, byddai'n chwilio dau bared y llofft a'r gegin oedd rhyngddyn nhw a thŷ Madge Parry, am arwyddion ohono. Pan awgrymodd i Brian eu bod yn symud i gysgu i'r cefn meddai hwnnw—

' Waeth gen i lle rydw i ond i ti fod efo fi.'

Nid oedd hyd yn oed wedi holi pam nac wedi ceisio dyfalu be oedden nhw'n ei wneud yn y gegin ar fin nosau. Petai hi'n awgrymu eu bod nhw'n mudo i'r cwt glo mae'n debyg y byddai'n derbyn hynny hefyd. Ac efallai nad oedd hynny mor annhebygol chwaith. Doedd wybod pa mor gyflym y gallai'r tamprwydd yma gerdded, nid yn unig yn ystafelloedd blaen y tŷ, ond drwy'r parwydydd i'r cefn nes bod y lle i gyd yn drewi ohono. Ac ni fyddai gan Brian obaith yn ei erbyn. Cawsai bwl egar o annwyd ddechrau'r wythnos. Gallai hwnnw rygnu ymlaen am wythnosau rŵan a'r hen beswch sych 'na'n chwarae hafoc efo'i frest.

Biti iddyn nhw erioed glywed am y Minafon 'ma. Goruch-wyliwr ffatri Brian oedd wedi cynnig swydd ysgafnach iddo yn y ffatri newydd yr oedd y cwmni wedi ei hagor yn Nhrefeini. Gwelsai Brian a hithau'r cynnig fel ateb i weddi. Rhannu tŷ yr oedden nhw ar y pryd efo hen wraig gecrus oedd â'i llach arnyn nhw cyn eu 'nabod. Amgylchiadau oedd wedi ei gorfodi hi i osod yr ystafelloedd ac roedd hynny'n dân ar ei chroen. ' Mae hynny reit naturiol,' meddai Brian. Ond gallai hi fod wedi tagu'r hen gnawes gystal ag edrych arni. Y goruchwyliwr —Cristion o ddyn yn ôl Brian—oedd wedi cael hanes y tŷ iddyn nhw hefyd. Dyma'r tro cyntaf erioed iddi gael ei drws ffrynt a'i charreg aelwyd ei hun i wneud fel y mynnai â nhw. Ac roedd hi'n mynd i wneud gwyrthiau. Ond gallai fod wedi meddwl fod pethau'n rhy addawol. Nofio'n erbyn y llif fu hanes Brian a hithau o'r dechrau—y hi'n nofio, ran'ny, ac yn ei gario i'w chanlyn gan ofalu cadw'i ben uwchlaw'r dŵr. Ond roedd angen nerth i beth felly a byddai'r pyliau crio yn 'sbyddu hwnnw i gyd. Byddai'n well iddi fod wedi ildio'n raslon i'r hen wraig a throi'r foch arall fel y gwnâi Brian na pheryglu'i fywyd fel hyn. Ond sut yr oedd hi i wybod fod y tŷ y syrthiodd hi mewn cariad efo fo ar yr olwg gyntaf yn llochesu gelyn a fyddai'n fwy o sialens na dim a wynebodd erioed ? Roedd un peth yn sicr,—os câi Brian y clefyd a laddodd ei dad ni fyddai bywyd y Madge Parry yna yn werth ei fyw.

Dan amrannau chwyddedig gwyliodd Richard Powell yn agor drws y fan i Katie Lloyd. Safai mewn pwll o haul, ei ddillad tyn yn glynu wrth ei gorff. Go brin fod y corff hwnnw wedi 'nabod awr o afiechyd erioed. A Brian wedi dioddef cymaint. Ac yn dal i ddioddef, oherwydd rhyw hen slwt oedd wedi cael babi siawns ac yn dial ei llid ar bobl ddiniwed. O, roedd golwg bowld ar y dyn 'na. Yn ôl a glywsai hi nid oedd ganddo ddim i orchestu yn ei gylch. Ond roedd hi'n gyfarwydd â'i deip—dynion oedd yn meddwl y byddai merched yn fodlon aberthu'r cwbl am un noson efo nhw. Ond roedd ei Brian hi efo'i gorff eiddil a'i wyneb pantiog yn werth deg o hwn. Roedd o'n dweud rhywbeth wrth y ddynes 'na ac yn chwerthin. Ac i Eunice, na allai glywed y sŵn, ymddangosai'r chwerthiniad mor herfeiddiol â phetai wedi codi ei ddau fys arni hi'n bersonol.

Byddai Brian yn cyrraedd toc, wedi diffygio'n lân. Yn ei wely y byddai drwy'r dydd wedyn. Ceisiai hithau fynd ati i lanhau'r tŷ er bod hynny'n fwy o dreth bob dydd. Beth oedd diben gwneud lle del a'r cancr yn y waliau yn bownd o gael y gorau arni ? Ond byddai'n rhaid iddi forol ati er mwyn Brian, oedd wedi cael cyn lleied o gysur yn ei fywyd ac wedi haeddu cymaint. Damio Richard Powell, oedd yn cael heb ei haeddu ; damio Katie Lloyd, oedd yn cael mynd i jolihoetio yn ei hen-aint a damio'r Madge Parry 'na oedd wedi dymchwel ei holl gestyll breuddwydion hi.

Gadawodd Eunice y ffenestr ac aeth i'r ystafell ymolchi i geisio cael y cochni o'i llygaid. Ond pan gyrhaeddodd Brian roedd o'n rhy flinedig i sylwi pa mor aflwyddiannus fu hi. Rhwng hyrddiau o beswch ymddiheurodd am fethu bwyta'r brecwast yr oedd hi wedi'i baratoi iddo. Mynnodd hithau gael rhwbio'i frest efo *Vic* i lacio'r tyndra.

' Mi wyt ti'n dda wrtha i,' meddai.

Drwy lygaid ei chof gwelodd Eunice Richard Powell yn syllu'n herfeiddiol i wyneb yr haul ; yn herio'i gryfder. Pwy-sodd ei phen, yn ysgafn, ar ysgwydd esgyrniog ei gŵr. Ac wrth ei glywed yn ymladd am ei anadl rhoddodd ei melltith ar y ddau a welsai gynnau'n chwerthin wrth gychwyn i'w taith.

— 2 —

Ond ni fennodd melltith Eunice ddim ar fwynhad Katie a Richard. Roedd hi'n amser cinio arnyn nhw'n cyrraedd y Waunfach, wedi aros bob hyn a hyn ar fin y ffordd i chwilio ryw ryfeddod neu'i gilydd. Braidd yn dawedog fuon nhw am sbel cyn hynny, hi'n swil ac yntau'n orgwrtais. Yna'n sydyn, meddai Richard—

' Ylwch, fedra i mo'ch galw chi'n Mrs. Lloyd drwy'r dydd. Be galwa i chi ?'

' Katie ydi f'enw i.'

' Oes 'na rywun wedi'ch galw chi'n Cit rywdro ?'

' Ddim i mi gofio.'

' Cit fyddwch chi am heddiw 'ta.'

Roedd hi *yn* cofio. Cit fyddai ei mam yn ei galw. Ond roedd hi'n rhy gynnar i fentro ar gyfrinachau felly. Ni allai

Katie Lloyd byth fod wedi gwneud y pethau a wnâi Cit. Roedd cymalau honno wedi cyffio gormod iddi allu dringo cloddiau a neidio ffosydd. Roedd y Cit 'ma flynyddoedd yn iau, yn hogan o ran ei theimlad. Ac yn well na'r cyfan, nid oedd Cit yn atebol i Harri Lloyd.

Cawsant eu cinio ar lan yr afon gyferbyn â'r Waunfach a'r Foel. Ni allai Katie gofio bwyta mor harti erioed ac ofnai i Richard feddwl ei bod hi'n farus.

' Mae'n gwilydd imi,' meddai.

' Cwilydd be ?'

' Bwyta fel taswn i wedi bod yn ymprydio am wythnos.'

' Dda gen i ddim gweld pobol yn pigo. Mi allwch fentro 'u bod nhw 'r un fath efo'u byw—dim ond crafu'r wynab.'

Nid oedd yn ddigon hy arno i allu gofyn be fydda fo'n ei wneud. Nid oedd yn anodd dyfalu ran'ny. Go brin fod 'na 'r un ' na ' na ' paid ' na'r un arwydd perygl wedi ei luddias erioed. Ar be oedd o'n dibynnu tybed—ar ei reddf ynteu ar ryw angel gwarcheidiol oedd wedi cymryd ffansi ato ?

Edrychai'r Waunfach yn union yr un fath iddi hi na welsai mohono ond o ben y Foel neu ar ambell ddiwrnod gŵyl mewn ffair neu Gyfarfod Pregethu. Ond yr oedd y tŷ lle treuliai Richard ei wyliau haf wedi ei ddymchwel i wneud lle i siop grefftau. Roedd enw'r perchennog uwchben y drws. Gallai Richard ei gofio'n hogyn. ' Diawl bach dinistriol oedd o 'r adag honno, hefyd,' meddai. Methai'n lân â dod o hyd i'r llwybr a âi â nhw i ben y Foel. Bu'n tindroi am hydoedd nes dod o hyd i fwlch yn y clawdd, wedi ei gau efo netin. Dechreuodd ddringo drosto. ' Dydw i ddim yn meddwl y dylach chi, Richard,' meddai hi. Mynnodd yntau y byddai'r llwybr yn arbed o leiaf chwarter awr o waith cerdded iddyn nhw. Estynnodd ei law iddi.

' Fedra i byth ddringo dros hwn.'

' Dowch 'dano fo 'ta.'

Cododd Richard y netin o'i waelod a llwyddodd hithau i wthio oddi tano ar ei phengliniau. Roedden nhw hanner y ffordd ar draws y cae pan glywsant lais yn eu herio, mewn Saesneg amrwd, i hel eu traed oddi yno neu gael ci ar eu sodlau. Cythrodd Katie'n ôl am y bwlch yn y clawdd.

' Rhoswch lle rydach chi,' gorchmynnodd Richard.

' O, Cymry ydach chi, ia ?'

Daeth perchennog y llais i'r amlwg, chwe throedfedd helaeth o ddyn. Sylwodd Katie fod ganddo, yn ogystal â'r ci oedd yn moeli'i ddannedd arnyn nhw, wn dan ei gesail a'i ffroen ar i fyny.

' A lle 'dach chi'n meddwl 'dach chi'n mynd ?'

' I ben y Foel.'

' Ewch chi ddim yno ffordd 'ma. Na'r un ffordd arall chwaith ran'ny.'

' Pwy sy'n deud, felly ?'

' Fi. Tir preifat ydi'r Foel rŵan. Fy nhir i.'

' Ond mae hwn yn llwybr cyhoeddus.'

' Wedi bod rywdro. Sut daethoch chi yma ?'

' Drwy'r bwlch.'

' Pa fwlch ?'

' Hwnna'n y clawdd.'

' Ydach chi'n meddwl mod i'n gosod ffensys o ran hwyl ? Wyddoch chi faint mae'r diawl peth yn i gostio, rhwng y postia a'r netin, heb sôn am y llafur ? A'r cwbwl oherwydd mulod o bobol sy'n meddwl fod ganddyn nhw hawl rhoi 'u traed lle mynnon nhw.'

Sylwodd Katie fod Richard yn gwasgu'i ddyrnau. Rhodd- odd ei llaw ar ei fraich a dweud—

' Dowch odd'ma, Richard. Mae'n siŵr fod 'na lwybra eraill.'

' Ewch chi ddim i ben y Foel o'r Waun 'ma, Mrs. Welwch chi'r ffens acw sy'n rhedeg efo'r grib ? Canpunt gostiodd honna imi ac ugian arall i'w thrwsio hi wedi i ryw ddiawliaid ddringo drosti o ochor Llanelan i'r mynydd.'

' Wedi meddwl cael gweld yr ogofeydd yr oeddan ni,' meddai Katie.

' Y tylla 'dach chi'n i feddwl ? Mi gymrodd wythnos galad imi gau rheini i fyny.'

' I be oeddach chi'n gwneud peth felly ?'

' Be fasa chi wedi'i 'neud tasa chi wedi gorfod codi cyrff tair o'ch mamogiaid gora o'r pylla 'na ? Mi agora i'r giât i chi. A gofalwch lle rydach chi'n rhoi'ch traed. Fedra i ddim fforddio colli blewyn o wair leni.'

Roedd clo ar y giât a rhes ddwbl o weiren bigog drosti. Cynigiodd Katie ei llaw i'r ffermwr ac ymddiheuro am ei darfu ond brasgamodd Richard drwy'r giât dan guchio. Prin eu bod nhw allan o glyw'r ffermwr pan ddywedodd, yn sarrug—

' I be oeddach chi'n ymddiheuro i'r diawl ?'

' Dyna'r peth lleia fedran ni i 'neud.'

' Pa hawl sydd ganddo fo i amddifadu pobol o blesera diniwad ?'

' Mae'n rhaid iddo fo feddwl am i fyw. Ac mae'n siŵr fod pobol yn gallu bod yn blagus.'

' Oes raid i chi fod mor uffernol o resymol, Katie Lloyd ?'

' Nagoes. Ond fedra i ddim peidio bod, yn enwedig pan fydd ci yn dangos i ddannadd arna i a baril gwn yn anelu at fy nhalcan i.'

Safodd Richard ar ganol y lôn. Taflodd ei ben yn ôl a rhoddodd floedd o chwerthin nes bod fflyd o adar yn sgrialu o'r llwyni am ddiogelwch yr awyr.

' Lwcus eich bod chi efo fi, 'meddai, ' neu falla mai ar wastad i gefn yn i wair y bydda'r ffarmwr 'na rŵan. Wel, dyna'r Foel wedi mynd, a'r ogofeydd i'w chanlyn. Fo a'i ddefaid.'

' Nhw ydi i fywoliaeth o.'

' Plîs, Cit.'

' Mae'n ddrwg gen i. Mi 'dw i am fod yn hollol afresymol a chyfadda y liciwn i fod wedi deud wrtho fo be i'w 'neud efo'i dir a'i ddefaid.'

Cawsant well lwc yn Llanelan. Digwyddodd Richard daro sgwrs efo hen wraig oedd yn cofio mam Katie.

' Yr hogan glenia droediodd daear erioed,' meddai, ' ond amdano fo, wn i ddim be fydda dynion y lle 'ma wedi'i 'neud iddo fo taen nhw wedi cael 'u dwylo arno fo'r diwrnod hwnnw y cawson nhw gorff 'rhen Ann fach yn Llyn Dŵr Oer. Mi 'dach chi'r un ffunud â hi—yr un edrychiad ffeind. Ond llygaid eich tad sydd ganddoch chi.'

Mynnodd yr hen wraig iddyn nhw fynd i'r tŷ efo hi. Ni faddeuai byth iddi ei hun am adael i hogan Ann fynd oddi yno heb banad.

' Mi fedrwn gicio fy hun am dynnu sgwrs efo'r hen wraig,' meddai Richard pan aethon nhw'n ôl i'r car.

' Pam, mewn difri ?'

' Mi 'dw i'n siŵr i bod hi wedi'ch tarfu chi yn siarad fel'na.'

' Ddim o gwbwl. Ro'n i wrth 'y modd yn i chlywad hi'n sôn yn dda am mam.'

' Doedd hi ddim mor glên efo'ch tad.'

' Nhaid oedd 'dani, nid 'y nhad. Fasach chi'n licio gwybod pam ?'

' Os 'dach chi'n teimlo fel deud.'

' Mi fydda'n rhyddhad.'

Agorodd y fflodiart ar y blynyddoedd pell yn ôl rheini a fu dan glo yn ei chof cyhyd. Roedd hi'n hen stori gyfarwydd ond ni wnâi hynny mohoni ronyn yn llai poenus iddi hi, yr unig un oedd ar ôl bellach â rhan ynddi. Roedd hen wraig Llanelan yn iawn—fe fydden nhw wedi darn ladd ei thaid pe baen nhw wedi llwyddo i gael gafael arno. Daethai criw ohonyn nhw at y tŷ yn gweiddi am ei waed. Roedd hi wedi cuddio yn y sgubor wrth eu gweld nhw'n dwad ac ni allai dynnu ei llygaid oddi ar yr ieuengaf ohonyn nhw—yr un efo'r llygaid gwylltion, yn llosgi fel dau golsyn yn ei wyneb. Hwnnw, wedi iddi ddeall wedyn, oedd ei thad. Cofiai feddwl dyn mor hyll oedd o a'i wyneb wedi'i ystumio gan lid.

Fel llofrudd ei mam y gwelsai'r hen wraig ei thaid ond cawsai hi olwg arall arno. Wyth oed oedd hi pan ddywedodd Bob Tai Hen wrthi un amser chwarae y dylai ei thaid fod wedi ei grogi am be ddaru o. Er na wyddai am be roedd o'n sôn clywsai bobl yn dweud am ddihirod yr ardal nad oedden nhw'n ffit i ddim ond eu crogi ac roedd clywed Bob yn cysylltu hynny â'i thaid, y dyn gorau y gwyddai hi amdano, wedi ei gyrru i ymosod arno efo'i thraed a'i hewinedd a'i dannedd—pob arf bach y gallai ei fwstro ar y pryd. Ei thaid oedd wedi dangos rhyfeddod pethau iddi, fel y gwnaethai i'w mam o'i blaen. Bob tro yr holai ei nain ynglŷn â'i mam byddai'n cau'n glep ond ni flinai taid sôn amdani. Byddai'n llithro'n aml ac yn ei galw hi'n Ann ac unwaith roedd wedi ei gwasgu ato a dweud mor falch oedd o ei bod hi wedi dod yn ôl ato.

' Pryd daethoch chi i wybod be oedd o wedi'i 'neud ?' holodd Richard.

' Nain ddeudodd wrtha i. Roedd o wedi'i gladdu ers blynyddoedd ond roedd hi mor chwerw ag erioed. Fedrodd hi ddim maddau iddo fo am wrthod i mam gael priodi nhad.'

' Ond mi fedrwch chi—fadda—mae'n debyg ?'

' Wn i ddim. Ond mi fedra i ddeall pam.'

' Bod yn rhesymol eto ?'

' Ia, falla. Ydach chi'n credu i bod hi'n bosib caru gormod, Richard ?'

' Nag ydw.'

' Waeth imi heb â thrio egluro i chi felly.'

' Fyddwch chi ddim gwaeth o drio.'

' Ofn oedd ganddo fo na fedra nhad mo'i chynnal hi. Roedd o wedi colli'i waith yn y chwaral ar ôl mosod ar y stiward gosod a phawb yn gyndyn o'i gyflogi o am i fod o mor barod i ddyrna. Fedra taid ddim diodda meddwl am i ferch yn mynd ar y plwy ac yn gorfod golchi plancedi er mwyn gallu bwydo'i theulu.'

' Mi fedra fod wedi 'u helpu nhw.'

' Mae gan bobol 'u balchdar.'

' Ac mae hwnnw'n peri cwymp i'r rhan fwya.'

' Ond mae ildio iddo fo'n costio mwy. Roedd o'n bwriadu'n dda, Richard. Mi fydda wedi rhoi i fywyd drosti.'

' Ac yn lle hynny fe aeth â'i bywyd oddi arni.'

' Go drapia chi, dydach chi wedi deall dim.'

' Be 'dach chi'n i ddisgwyl gen ddyn afresymol ? Ond cyn bellad â'ch bod chi'n deall mae popeth yn iawn on'd ydi ?'

' Ydi, yn fendigedig o iawn.'

' Ydach chi am weld rhywle arall ? Eich cartra, falla ?'

' Na, mi 'dw i'n fodlon rŵan.'

' Mae'n ddrwg gen i imi fethu mynd â chi i fyny'r Foel.'

' Gora oll. Falla y bydda'n rhaid i chi fod wedi 'nghario i i fyny.'

' Mi wnawn i hynny hefyd.'

' Dydw i'n ama dim. Wnaiff Bryn Melyn yn lle'r Foel ? Mi 'dw i'n meddwl y galla i goncro hwnnw.'

Caeai gwregys o goed pîn am Fryn Melyn a chuddio'r olygfa rhagddyn nhw. Ond roedd Katie'n falch nad oedd orfod arni edrych ymhellach na'r nyth bach o dir yr oedden nhw wedi setlo arno.

' Mae gen i syrpreis i chi, Richard,' meddai. Estynnodd gwd papur o'i bag. Ynddo roedd pentwr o deisennau cri.

Gwyliodd Richard yn bwyta un, yn ara bach, fel y dylen nhw
gael eu bwyta.

'Wel ?'

'Wel be ?'

'Sut flas sydd arni hi ?'

'Ddim yn ddrwg.'

Roedd hi wedi disgwyl gormod. Roedd synnwyr cyffredin
yn dweud na fyddai cyffyrddiad rhywun yr un wedi deugain
mlynedd. Fe ddylai fod wedi eu profi drosti ei hun. Ond
roedd hi am i Richard gael y blas cyntaf.

'Na, dydi hi ddim yn ddrwg o gwbwl. Wir, mae hi'n well
na hynny. Mae hi'r peth gora yr ydw i wedi'i flasu rioed.'

'Dweud hynny rydach chi.'

'Gredwch chi pan ddweda i mod i'n bwriadu bwyta pob
un wan jac ohonyn nhw ? Ond falla y medra i sbario un i chi.'

'Na, mi cewch chi nhw i gyd. Mi fedra i 'neud rhagor
unrhyw amsar.'

A'u bwyta nhw ddaru o. Glynai'r briwsion wrth ei wefus a
phefriai ei lygaid o ddireidi wrth iddo gnoi'n hamddenol.
Yna, heb dynnu ei lygaid oddi arni, plygodd y cwd papur yn
ofalus a'i roi yn y fasged. Ciliodd y direidi o'i lygaid ac meddai,
cyn sobred â sant—

'Cit, mi 'dach chi'n rhyfeddod o ddynas.'

— 3 —

A'r geiriau rheini oedd yn tincial yng nghlustiau Katie Lloyd
wrth iddi gerdded i fyny am Minafon y noson honno. Myn-
nodd i Richard ei gollwng yn y stryd fawr. Roedd hi erbyn
hynny yn tynnu am un ar ddeg a fawr o neb o gwmpas ar
wahân i rai cyplau'n llempian caru yn nrysau siopau a chriw
o blant a ddylai fod yn eu gwlâu yn eistedd ar y palmant yn
bwyta sglodion tatws.

Daethai rhyw swildod rhyfedd drostyn nhw wrth wahanu.
Estynnodd Richard ei law iddi a dweud yn ffurfiol—

'Does gen i ond diolch i chi.'

'Finna hefyd.' Yr un mor ffurfiol.

Pan oedd hi'n troi'r gornel am Finafon daeth Dei Ellis ar
ei gwarthaf o'r stryd groes.

' Allan yn hwyr iawn heno, Katie Lloyd,' meddai.

' Wedi bod yn crwydro rydw i.'

' Gawsoch chi blesar ?'

' Do wir—gwerth chweil.'

' Mae'n dda gen i. Ydi wir, yn dda iawn gen i.'

Teimlai Katie ei hun yn cynhesu wedi rhyndod y ffarwelio
gynnau. O leiaf, roedd 'na un yn cyd-lawenhau â hi. Heb
wybod dim, ac heb fod eisiau gwybod chwaith, roedd o'n falch
drosti.

' Sut mae'r gwaith yn mynd ?' holodd, yn glên.

' Dydi petha ddim fel buon nhw.'

' Na, dydyn nhw byth.'

' Yn y miwsïym yr ydw i rŵan, yn dangos i bobol ddiarth sut i
drin llechan. Fel blydi mwnci mewn caets.'

' O leia mi rydach chi yng nghanol eich petha.'

' Be wyddoch chi amdani ? Y ?' Yn sarrug.

' Dim.'

' Na wyddoch. Na neb arall chwaith. Allan ar y graig y
dylwn i fod nid yn ista ar 'y nhin mewn miwsïym a phobol yn
'y mwydo i efo polo mints.'

Cerddodd oddi wrthi, yn mwnglian dan ei wynt. Go drapia,
pam na allai fod wedi cadw ei gwynion iddo'i hun ? Rhoi
moethau iddi efo un llaw a chlatsen efo'r llall. Roedd o'n
lwcus ar y coblyn ei fod yn dal yn ei iechyd ac yn gallu fforddio
mynd i slotian i'r Queens bob nos. Ond tybed nad mynd yno
i geisio anghofio'i boenau yr oedd o ? Dyna fyddai esgus rhai
dros ddiota, meddai Harri. Efallai nad esgus oedd o, ond
rheswm. Ond pa reswm fyddai ganddi hi i'w gynnig i Harri am
ddychwel adref yr awr yma o'r nos ac am gymryd arni enw
oedd yn perthyn i'r gorffennol di-reol hwnnw ? A be fyddai ei
heglurhad hi dros ei anghofio a'i ddiystyru am ddiwrnod cyfan ?
Nid oedd ganddi reswm i'w gynnig, dim ond stribedi o esgus-
odion tila na fyddai Harri fawr o dro'n gwneud briwfwyd
ohonyn nhw. Crynai ei llaw wrth iddi ddatgloi'r drws a diolch-
odd o'i chalon nad oedd Richard yno i fod yn llygad dyst o'i
thrueni.

4

Gosodiad yn hytrach na chwestiwn oedd gan Gwen Ellis ar gyfer ei gŵr pan gyrhaeddodd y llofft.

' Ac mae Katie Lloyd wedi cyrraedd, ydi ?'

' Wedi cyrraedd o b'le, deudwch ?'

' Peidiwch â gofyn i mi. Meddwl falla y byddach chi'n gwybod.'

' A sut y dylwn *i* wybod ?'

' Eich gweld chi geg yn geg efo hi.'

' Ac mi welsoch hynny hefyd ?'

' Fedrwn i ddim peidio'n hawdd a chitha'n sefyll o dan y lamp, yng ngolwg pawb. Be wnaeth i chi i gadael hi mor ffwr-bwt ?'

' Wnes i ?'

' Do. Mi oedd golwg stormus arnoch chi. Ddeudodd hi rwbath i'ch tarfu chi ? Mae ganddi hen dafod milan.'

' Ers pryd ?'

' Erioed dicin i ond bod Harri Lloyd wedi gallu i ffrwyno fo.'

' Mae hi'n haeddu medal am allu byw efo'r diawl.'

' Fel arall ddeudwn i. Does 'na neb yn nabod Katie Lloyd.'

' Wel, dydw i ddim reit siŵr. Na fawr o awydd dod i'w nabod hi chwaith.'

' Mae hi *wedi'ch* tarfu chi felly ?'

Craffodd Gwen Ellis ar ei gŵr. Roedd 'na rywbeth wedi ei ysgwyd. Nid fel hyn yr arferai ddod adref, ond yn llawn gorchest a brol a'r cwrw wedi iro'i dafod. Doedd yr hen sgerbwd dynes 'na rioed wedi edliw ei gwrw iddo ?

' Wedi bod ar i thrafal mae hi.'

' Felly roedd hi'n deud.'

' Ac efo pwy medda hi ?'

' Ddeudodd hi ddim.'

' Mi ddeuda *i* wrthach chi. Efo Dic Pŵal.'

' O, ia.'

' Richard Powell.' Yn uwch.

' Mi clywis i chi.'

' Maen nhw wedi bod odd'ma drwy'r dydd—ers y bora cynta.'

' Ac wedi cael diwrnod da.'

' Sut gwyddoch chi ?'

' Hi ddeudodd.'

' Wel, tawn i'n clem, mae'n rhaid fod ganddi wynab o gâs stîl.'

' Ydach chi am ddwad i'ch gwely ? Welwch chi ddim rhagor heno.'

Roedd Dei yno eisoes ac wedi tynnu'r dillad at ei ên. Wrth iddi godi o'i chadair cydiodd y gwayw yn ei meingefn ac ni allai sythu. Daeth arni mor sydyn fel na chafodd gyfle i atal y waedd o boen.

' Be sydd rŵan ?' holodd Dei, yn ddiamynedd.

' Poen yn 'y nghefn sydd gen i.'

' Dyna sydd i'w gael o ista gormod wrth y ffenast 'na, yn y drafftia.'

Teimlodd Gwen ei ffordd efo'r dodrefn. Y nefoedd fawr, beth petai rhywbeth wedi rhoi yn ei chefn ac mae fel'ma, yn ei dau ddwbwl, y byddai am byth ? Eisteddodd ar erchwyn y gwely a chododd ei choesau arno, yn araf a thringar. Crafai'r dillad yn erbyn ei chrothau, fel llafnau. Be ddeuai o Dei petai hi'n cael ei chaethiwo i'w chornel ? Roedd o mor ddi-lun o gwmpas y tŷ. Be ddeuai ohoni hi ? Go brin y byddai Dei yn fodlon mystyn a chario iddi. A be wnâi o heb ei damaid ar nosweithiau Iau a Sadwrn ? Doedd dim disgwyl i ddyn iach fel Dei allu byw fel eunuch.

Gwelodd Gwen Ellis ei hun yn eistedd yn grwm yn ei chadair, ei gwefusau cyn syched â'r Sahara a'i llwnc ar dân, yn disgwyl Dei adra i estyn diod iddi. Yr oriau'n llusgo ymlaen a hithau'n gwybod fod y Queens wedi hen gau a'i fod wedi cael lle da yng ngwely rhyw hen slwt ddiegwyddor. Ond efallai mai mynd a'i gadael hi at drugaredd pobl Minafon a wnâi. O, na, ni allai byth fynd ar ofyn y rheini. Nac ar ofyn Dei chwaith ran'ny. Ond be oedd hi'n ei foddran ? Mae'n siŵr fod Dei yn iawn ac mai wedi cael drafft yr oedd hi. Nid o'r ffenestr reit siŵr— roedd honno'n ffitio'n glos i'w ffrâm, yn llond ei chroen. Oerfel oedd wedi'i achosi. Roedd hi wedi gwlychu 'dat ei chroen fwy nag unwaith yn ddiweddar wrth gerdded y siopau i chwilio am rywbeth blasus i Dei at ei swper chwarel. A dyma'r diolch oedd hi'n ei gael—edliw ei thipyn eistedd iddi. Fe âi at Doctor Rees y peth cyntaf fore Llun. Siawns na

88

fyddai gan hwnnw brofiad o boen cefn ac y gwyddai am ryw-
beth tebyg i'r oel Morys Ifan y rhoddai ei mam y fath goel arno.
Rhwb reit amal efo hwnnw a gallai roi tri thro am un i Dei
cyn pen yr wythnos.

'Welsoch chi *o* 'ta ?' holodd.

'Pwy 'dwch ?'

'Dic Pŵal.'

'Dim golwg.'

'Mae'n rhaid i fod o wedi'i gollwng hi'n y stryd fawr, lle
bod neb yn gweld. 'Na chi stumgar. Ond mae o wedi cael
digon o ymarfar ran'ny. Nefi blŵ, mae Minafon 'ma wedi
mynd yn lle comon. Rhyngddyn nhw'u dau a'r hogan Murphy
bowld 'na a hon drws nesa efo'i hogyn hannar pan . . .'

Disgynnodd llaw Dei arni o'r tu ôl. Teimlodd ei fysedd yn
brathu i'w gwar a cheisiodd ei hysgwyd ei hun yn rhydd. Ond
roedd ei afael fel gelan.

'Mi 'dach chi'n 'y mrifo i, Dei,' cwynodd.

'Isio'ch brifo chi sydd. Mi 'dach chi wedi gneud eich siâr
o frifo ar hyd y blynyddoedd.'

'Pwy ydw i wedi'i frifo, mewn difri ?'

'Pawb, yn i dro.'

'Wn i ddim am be 'dach chi'n sôn.'

'Na wyddoch ?'

Cofiodd Gwen yr olwg stormus a welsai ar ei wyneb wrth
iddo adael Katie Lloyd gynnau. Fe ddylai fod wedi sylweddoli
cyn hyn. Yr hen gyrbiban honno oedd wedi gwenwyno meddwl
Dei tuag ati. Be gebyst oedd hi wedi bod yn ei ddweud ?

'Wel, be ddeudodd hi amdana i ?'

'Pwy ?'

'Y Katie Lloyd 'na. Hi sydd wedi bod yn fy maeddu i,
yntê ?'

'Chi sydd wedi maeddu'ch hun, Gwen.'

Llaciodd ei afael arni a manteisiodd hithau ar y cyfle
i droi i'w wynebu. Roedd golwg hyll arno a meddyliodd am
funud ei fod am ei tharo.

'Mae gen i hawl gwybod be ddeudodd hi amdana i.'

'Soniodd hi 'r un gair amdanoch chi. Fydd neb byth yn sôn.
A wyddoch chi pam ? Am fod arnyn nhw'ch ofn chi.'

'Sylweddoli 'mod i'n gwybod gormod amdanyn nhw.'

' *Gormod* ydi'r gair. Rydach chi'n ddynas ddrwg, Gwen.'

Syrthiodd y geiriau arni fel poer poeth. Ni fyddai waeth iddo fod wedi ei tharo ddim. Chae o ddim siarad fel'na efo hi chwaith.

' Sut y medrwch chi ddeud y fath beth a finna wedi rhoi mywyd i chi ? Ydw i wedi edliw neu wrthod rwbath i chi rioed ? Y ?'

' Na, mi 'dach chi wedi 'niodda i'n ddewr, mi ro i hynny i chi. Ond â i ddim i'ch poeni chi ddim rhagor.'

' Am 'y ngadael i 'dach chi ?'

' Na, mi arhosa i efo chi. Ond ar un amod—eich bod chi'n gadael llonydd i'r bobol 'ma. Mae ganddyn nhw ddigon o friwia i'w diodda heb eich cael chi i droi cyllall ynddyn nhw. Ac os na 'newch chi fel rydw i'n deud mi fyrddia i'r ffenast 'na a'ch cloi chi'n y tŷ. Chewch chi ddim gneud rhagor o lanast.'

' Ond be ydw i wedi'i 'neud, Dei ?'

' Wyddoch chi ddim, yn na wyddoch ?' yn syn.

' Na wn, ddim.'

' Druan ohonoch chi. Mae hi'n waeth arnoch chi nag y meddyliais i. Be sy'n mynd i ddwad ohonon ni, mewn difri ?'

Oni bai fod Gwen Ellis mor brysur yn cynllwynio sut i ddial ei llid ar Katie Lloyd efallai y byddai wedi clywed y griddfan tawel a ddeuai o ganol y gwely. Roedd hi wedi clwydo ar yr erchwyn ac wedi rhoi clustog y tu ôl i'w chefn i'w helpu i gadw pellter. Ond hyd yn oed petai wedi clywed go brin y byddai wedi adnabod y sŵn.

— 5 —

Bwriadai Richard fynd i'w wely ar ei union ond pan oedd â'i droed ar y grisiau clywodd Lena'n galw arno o'r ystafell eistedd. Aeth, a sefyll wrth y drws. Roedd y tân wedi mynd yn ddim a'r ystafell yn drwm o gysgodion.

' Doedd dim angan iti aros i lawr,' meddai.

' Mi 'dw i eisia siarad efo ti.'

' Braidd yn hwyr ydi hi.'

' Mae o'n bwysig.'

' Ond mi wnaiff gadw tan y bora, siawns.'

' Na, wnaiff o ddim.'

' Mi fydd raid iddo fo. Mi 'dw i'n mynd i ngwely.'

Cythrodd Richard am y grisiau. Gallai glywed Lena'n galw'i enw ; yn mynnu ei fod yn rhoi clust iddi. Yfory, câi ddannod faint a fynnai ond ni châi roi'r dampar ar heddiw. Tybiodd iddo ei chlywed yn dweud rhywbeth am Gwyneth. Cyw o frid oedd honno hefyd, yn barod i'w werthu i lawr y draen os oedd ganddi rywbeth gwell mewn golwg. I'r cythral â hi a'i mam a'r Lis fach farus honno. Be oedd o wedi'i gael ganddyn nhw erioed ? Nid oedd yr un ohonyn nhw'n ffit i gau carrai esgidiau'r rhyfeddod o ddynes a roesai heddiw iddo.

PENNOD 7

Dydd Sul, Mehefin y 4ydd

— I —

Peth newydd i Mati Huws oedd cael ei merch i ymweld â hi ar fore Sul. Newydd godi yr oedd Mati ac heb ddadebru'n iawn. Ond bu geiriau cyntaf Lena yn ddigon i'w hysgwyd o'i syrthni.

' Ac mi 'dach chi wedi bod wrthi eto.'

' Wrthi be, d'wad ?'

' Yn myrryd. Dydach chi rioed wedi gallu cadw'ch dwylo oddi arni hi.'

' Oddi ar bwy ?'

' Gwyneth siŵr. Waeth i chi heb â chymryd arnoch fod mor ddiniwad. Mi ddeudis i wrthoch chi o'r dechra fy mod i am i magu hi yn fy ffordd fy hun.'

' Do, mi 'dw i'n cofio.'

' Ro'n i'n disgwyl i chi barchu 'nymuniad i.'

' Ac mi wnes.'

' A'ch syniad chi o barch ydi cael yr hogan yma i drafod petha yng nghefn i rhieni ?'

' Pryd digwyddodd hynny, meddat ti ?'

' Sawl tro. Echnos ddwytha. Fedrwch chi ddim gwadu iddi fod yma.'

' Na fedra. Ond fe ddaeth yma ohoni i hun.'

' Mi wydda lle i ddwad. Mi 'dach chi wedi'i hannog hi yma rioed ac wedi i dwndran a'i chymall hi i ddeud i chŵyn.'

' Mi 'dw i wedi bod yn barod i roi clust iddi bob amsar, do.'

' Ac nid yn unig hynny, ond i chefnogi hi ar bob dim, yn f'erbyn i.'

' Â i ddim yn groes i f' egwyddor er dy fwyn di na neb arall.'

' On'd ydi o'n beth od fod eich egwyddorion chi a hitha'n digwydd bod yr un bob tro ? Ond mi 'dach chi wedi mynd yn rhy bell tro yma.'

' Be ydw i wedi'i 'neud, felly ?'

' Yr helynt yma mae hi ynddi hi—fe ddaru chi ddeud eich bod chi o'i phlaid hi ?'

' Do.'

'Sut y gallach chi fod mor anghyfrifol ? Fe wyddoch be mae hi a'r criw gwyllt 'na wedi'i 'neud ?'

'Gwn, ac mi wn pam.'

'Unrhyw beth i godi twrw. Dydi pobol ifanc heddiw ddim yn fodlon os na chân nhw falu a dinistrio.'

'Mae hi'n bosib malu a dinistrio i bwrpas weithia.'

'Mi 'dach chi cyn waethad â hi. Na, gwaeth, a chitha deirgwaith i hoed hi. Mi wyddoch y gall hyn andwyo'i dyfodol hi ?'

'I dyfodol hi ydi o.'

'Ac mi 'dach chi'n deud, felly, nad oes ganddi ddim cyfrifoldab tuag ata i a Richard ?'

'Ydw, mae'n debyg.'

'Ac mae'n dilyn nad oes gen inna'r un gronyn o gyfrifoldab tuag atoch chi ?'

'Ydi.'

'Wnewch chi mo meio i am gadw'n ddiarth, felly ? Mi 'dw i'n i chael hi'n o anodd bod yn sifil efo chi am wthio'r cwch i'r dŵr mor ddifeddwl, os difeddwl hefyd. Ond â i ddim i ffraeo efo chi, petai ond o barch i nhad.'

'Nid ffraeo ydi hyn, felly ?'

'Bobol annwyl, nace.'

'Dim ond fy rhoi i'n fy lle ?'

'Os liciwch chi i roi o fel'na. Ond mi 'dw i *yn* meddwl y dylach chi gael gwybod mai methiant fu'ch ystryw chi. Mi fydd Gwyneth yn ymddiheuro i'r bobol 'na bora fory.'

'Fedri di mo'i gorfodi hi i hynny.'

'O, gallaf.'

'Dwyt ti ddim am i bygwth hi, siawns ?'

'Wela i ddim fod a wnelo hynny ddim â chi.'

'Be mae Richard yn i ddeud ?'

'Roedd o'n hwyr yn cyrraedd adra neithiwr a dydi o ddim wedi codi eto. Ond fydd ganddo fo ddim dewis ond cytuno efo fi.'

Wedi i Lena ei gadael y sylweddolodd Mati arwyddocâd ei hymweliad. Nid galw i'w rhoi hi'n ei lle yn unig a wnaethai ond i ollwng y cyfrifoldeb yn blwmp ar ei hysgwyddau. Efallai iddi fod yn annoeth ac y dylai fod wedi annog Gwyneth i fynd adref ar ei hunion. Ond roedd yr eneth yn ei hoed a'i synnwyr a'i dewis hi oedd aros a dweud. Ni allai fod wedi troi clust fyddar arni. Roedd gan Lena ryw gynllwyn i fyny'i llawes, roedd hynny'n amlwg. Ond be ? Gwyddai Mati, o brofiad, na fyddai Lena'n fyr o ddefnyddio unrhyw ystryw i'w mantais ei hun. Ni fyddai byth yn methu chwaith. Ac roedd llwyddiant Lena yn golygu profedigaeth i eraill.

Teimlodd Mati gryndod yn ei cherdded er bod llond y gegin o haul. Trugaredd mawr, be oedd ar ei phen hi yn arswydo rhag ei merch ei hun ? Roedd Gwyneth wedi gwneud ei dewis ; wedi dilyn egwyddor ac argyhoeddiad. Gwnaethai hithau ei dewis hi a'i rhwymo ei hun wrth Gwyneth. Byddai'n rhaid iddi sefyll wrth hynny a derbyn y canlyniadau ; cael gafael ar dipyn o'r cythral hwnnw a'i cariodd drwodd ers talwm. Roedd hi wedi bwriadu mynd am dro cyn cinio, ei gweld hi mor braf. Ond ni symudai led ei throed nes y câi sicrhau Gwyneth ei bod yn dal efo hi ac y byddai'n para i gredu ynddi. Dim ond gobeithio y gallai'r ddwy ohonyn nhw efo'i gilydd wrthsefyll unrhyw fygythiad a dal wrth egwyddor na wyddai Lena mo'r peth cyntaf amdani.

Ond hanner y gwir a gawsai Mati Huws. Nid cryndod yn yr awyr oedd bygythiad Lena, ond ffaith. A gwastraff ar fore braf oedd i Mati aros yn y tŷ. Roedd Gwyneth wedi gadael efo'i chodiad a rhwng hynny ac ymadawiad ei mam â thŷ ei nain wedi llwyddo i sicrhau pellter diogel rhyngddi a Minafon. Cawsai ei chario ar deirgwaith am ugain milltir a bu'n cerdded yn helaeth rhyngddyn nhw. Ond ei stumog, yn hytrach na'i thraed, oedd wedi ei gorfodi i gymryd hoe.

Chwiliodd yn ei bag sach am rywbeth i'w fwyta. Suddodd ei bysedd i'r slwtj gludiog ar ei waelod—gweddillion ffrwythau y bu Rhys a hithau yn eu bwyta ar eu ffordd adref ddydd Gwener. Roedd deunaw awr, a rhagor, er pan gawsai damaid o fwyd ; ei bai hi. Neithiwr, wedi'r ffrae efo'i mam, ni allai feddwl am fwyta ; y bore 'ma ni allai adael Minafon yn ddigon buan.

Pan gâi ei chario gynnau gan ffermwr oedd yn amlwg yn fwy cartrefol ar y mynydd nag wrth lyw car roedd fflyd o geir wedi mynd heibio. Cododd un gyrrwr ei ddwrn ar y ffermwr ac un arall ei ddau fys a chuchiodd dau neu dri, ond y cyfan ddywedodd hwnnw oedd—' Be 'di'r brys sydd ar bobol 'dwch ? Yr un ydi diwadd y daith inni i gyd a dydw i ddim yn awyddus i gyrraedd yno cyn bod rhaid.' Rŵan, roedd fel petai pob car wedi cael ei 'sgubo oddi ar wyneb daear.

Efallai y byddai'n dal yma pan ddeuai Rhys. Roedd o wedi trefnu i'w chodi wrth Woolworths am dri ac wedi ei rhybuddio i fod yno ar yr awr gan fod y cyfarfod am bump. Ei ymateb cyntaf, a'i unig ymateb mae'n debyg, fyddai cymryd yn ganiataol ei bod hi wedi colli'i nerf ar yr unfed awr ar ddeg. Gallai ei glywed wrthi'n tantro—' Blydi merchad, fedrwch chi byth roi coel arnyn nhw.' Efallai yr arhosai yno bum munud, a'i weld fel pum awr. Yna, cic ffyrnig i'r Honda, ac ymlaen i'w siwrnai, gan ei damio hi i'r cymylau. Ni allai ei feio. Roedd ganddo hawl disgwyl ffyddlondeb a theyrngarwch ac yntau wedi aberthu cymaint ei hun. Y fath siom iddo fyddai ei gweld hi rŵan, yn simsanu ac yn ei hamau ei hun. Ac yntau wedi bod mor falch ohoni. Be oedd o wedi'i galw hi, hefyd ? ' Caffaeliad i'r Achos.' Andros o lond ceg. Hi oedd wedi ei gamarwain drwy gymryd arni fod mor sicr ohoni ei hun. Na, doedd hynny ddim yn deg. Roedd hi *yn* sicr na allai dim ddiffodd y tân angerddol oedd yn llosgi ynddi. Nos Wener, er bod y blinder a'r gwayw yn ei braich yn gwasgu arni, roedd hi cyn sicred ag erioed. Ond nos Wener nid oedd ganddi ddim i'w golli ond gradd na roesai fawr o bwys arni p'run bynnag. Rŵan, roedd ganddi lawer mwy i'w golli, ac nid hi'n unig. Ddoe, ei brwydr hi oedd hi ac roedd ganddi'r hawl ar ei chorff ei hun. Ond pa hawl oedd ganddi i beryglu bywydau pobl eraill ?

Daeth lori rownd y tro a stribed o geir yn ei dilyn. Gwnaeth Gwyneth ymdrech dila i fodio ond roedden nhw'n rhy glwm wrth ei gilydd i allu mentro stopio. Gwyliodd yr olaf ohonynt yn diflannu i'r pellter. O'r nefoedd, be rŵan ?

Eisteddodd ar y wal isel ar fin y ffordd i gymryd arni wneud un o benderfyniadau mwyaf ei bywyd. Ond petai'n onest â hi ei hun byddai wedi cyfaddef ei bod eisoes wedi gwneud ei dewis.

2

Pan glywodd Mati gnoc ar ddrws y cefn ganol dydd cymer-
odd yn ganiataol mai Gwyneth oedd yno a galwodd arni i ddod
i mewn. Gadawsai'r drws heb ei gloi yn un swydd tra roedd
hi wrthi'n tacluso'r llofft. Roedd hi braidd yn ddig o orfod dod
i lawr yr holl ffordd i ateb yr ail gnoc. Ond Pat o'r drws nesaf
oedd yno ac nid Gwyneth. Roedd hi'n gyndyn o ddod i
mewn—wedi gadael y babi yn ei got meddai hi. Sicrhaodd
Mati hi na fyddai ddim gwaeth yno ond dal i loetran yn y
cysgodion yr oedd hi.

'Be fedra i i 'neud i chi?' holodd Mati, braidd yn bigog.
Roedd yr howdidŵ a gawsai efo Lena wedi mynd â'r gwynt o'i
hwyliau.

'Oes ganddoch chi siwgwr i sbario?'

Felly oedd ei deall hi, ia? Er mor dlawd oedden nhw adra
ers talwm ni welsai Mati mo'i mam yn mynd ar ofyn neb a
byddai'n well gan Arthur a hithau lwgu na gofyn benthyg.
Dim ond dechrau oedd hyn mae'n debyg—cwpanaid o hyn,
tamaid o'r llall—pethau y byddai'n anodd eu rhoi'n ôl, a'u
derbyn yn ôl ran'ny. Byddai'n well iddi fod yn blaen a gwrthod
rŵan na rhoi lle i'r beth fach 'ma fynd yn hy arni.

'Faswn i ddim yn gofyn, ond fedar mam Les ddim yfad te
heb siwgwr.'

Gwelsai Mati ddigon ar fam Les i allu credu hynny. Cawsai
sgwrs efo hi un nos Sul ; sgwrs unochrog iawn efo hi'n gwrando
ac yn rhoi ambell i ebychiad o gytundeb bob hyn a hyn. Nid
oedd mam Les yn un i fentro'i chroesi. Gwnaethai ati i'w
hosgoi byth er hynny. Ond nid oedd gan yr eneth 'ma obaith
ei hosgoi.

'Os dowch chi i mewn, mi estynna i beth i chi.'

Dyna hi wedi ei gwneud hi rŵan. Ond ni allai ollwng yr
eneth ar ddiffyg trugaredd ei mam-yng-nghyfraith heb siwgwr
i felysu'i the.

'Steddwch am funud.'

'Na, fiw imi.'

Ni chawsai olwg iawn ar yr eneth er pan ddaethai i fyw i
Finafon. Roedd hi bob amser yn mynd fel wimblad â'i phen

i lawr, yn gyrru'r pram fel petai ganddi lori ddwy dunnell. Brensiach annwyl, roedd hi'n beth fach ddiolwg ; os gweddus dweud—hyll. Ac mor ddidoreth.

'Wn i ddim sut buas i mor flêr.'

'Mi 'dan ni i gyd yn anghofio petha o dro i dro.'

'Dydw i'n gneud dim byd ond anghofio.'

'Twt, dechra byw yr ydach chi. Mae'n cymryd amsar i ddysgu.'

'Ddysga i byth.' Yna, fel petai'n adrodd ei phader—'Mi 'dw i mor dwp â phostyn llidiart.'

'Rhaid i chi beidio meddwl hynny.'

'Mae o'n wir. Fedra i 'neud dim byd yn iawn.'

'Ifanc ydach chi. Ro'n inna'n fodia i gyd ers talwm.'

Doedd hi ddim, ond roedd arni rywfaint o gysur i'r eneth am fod mor ddiamynedd efo hi gynnau. Sut yn y byd y bu i'r Leslie 'na fynd i'r afael â hi ac yntau mor larts ac fel pin mewn papur bob amser ? Wedi ei chael hi i drwbwl, efallai. Na, doedd hynna ddim yn deg. Ond roedd hi'n anodd bod yn hael efo peth fach mor anffodus yr olwg. Petai hi'n ymolchi ac yn ei thwtio ei hun . . . ond ni allai dŵr a sebon wneud dim i'r llygaid llonydd oedd yn cuddio y tu ôl i'r amrannau trymion. A'r ffordd roedd hi'n sefyll—fel petai wedi cael ei gollwng yno ac ar gwympo unrhyw funud. Efallai iddi gael ei churo pan oedd hi'n blentyn. Dylai fod wedi cymryd mwy o sylw ohoni a chynnig cymryd y babi oddi ar ei dwylo am awr neu ddwy er mwyn iddi gael ei gwynt ati. Ond o'r hyn a welsai ac a glywsai o'r babi gallai awr neu ddwy ohono fod yn hunllef. Na, cadw hyd braich oedd orau. Doedd hi ddim mewn hwyl i gael hon a'i babi yn faen melin am ei gwddw. Ond siawns na allai fforddio bod yn glên am rŵan.

'Acw maen nhw, ia—eich rhieni-yng-nghyfraith ?'

'Mae Les wedi mynd i'w nôl nhw. Mae o'n mynd bob Sul.'

'Chwara teg iddo fo, wir. Mae'n siŵr 'u bod nhw wedi dotio at y babi. Be ydi i enw fo, hefyd ?'

'Y babi ?'

'Ia ?'

'Robert. Ydach chi ddim yn meddwl i fod o'n enw hen ar fabi ?'

' Mi fydd yn tyfu efo'r enw. Ac mae'n siŵr mai Bob fydd o.'
' O, na. Enw tad Les ydi o. Mae o ar i bensiwn.'
' Mi fuo ynta'n fabi rywdro. Fydd hyn o siwgwr yn ddigon ?'
' Siŵr o fod.'
Estynnodd Mati'r pecyn iddi ond ni wnaeth Pat ymdrech i
afael ynddo. Rhoddodd hithau'r pecyn ar ymyl y bwrdd.
' Mi fydd Les yn fy nwrdio i am ofyn benthyg.'
' Mae'n siŵr i fod ynta'n methu weithia.'
' O, nag ydi. Byth.'
' Mae o'n lwcus iawn.'
' Matar o drefn ydi'r cwbwl, medda Les. Does gen i ddim.'
Trugaredd, roedd hi'n dechrau arni eto. Faint oedd ei
hoed hi, tybed ? Ugain, os hynny. Ac fel hen gant. Be ddeuai
ohoni mewn ugain arall ? Ni fyddai waeth iddi fod wedi
eistedd ddim. Nid oedd golwg symud arni. Rhwng hyrdd-
iau o siarad roedd hi'n cau'n glep a'i hamrannau'n disgyn
yn is dros ei llygaid nes ei bod hi'n ymddangos fel petai'n cysgu
uwchben ei thraed. Efallai y dylai fod wedi cynnig paned iddi.
Ond doedd wiw cynnwys gormod. Os oedd hi fel'ma ar haul,
sut oedd hi ar law ? Dechreuai Mati anobeithio gael ei gwared
pan roddodd yr eneth dro sydyn ar ei sawdl a rhuthro am y
drws.
' Glywsoch chi sŵn ?' holodd, yn wyllt.
' Naddo, dim.'
' Meddwl fod y babi'n crio.'
' Wnaiff o ddim drwg iddo fo grio dipyn.'
' Mae mam Les yn deud y gall o dorri'i lengig wrth grio.'
' Go brin. Mae'i reddf yn deud wrtho fo pa mor bell i fynd.'
' Dach chi'n meddwl ?'
' Mae gen i beth profiad.'
' Oeddach chi'n licio'ch plant ?'
' Mae'n debyg 'y mod i. Ar adega beth bynnag.'
' Fedra i ddim diodda'r babi 'na.'
Roedd hi wedi mynd, heb ei siwgwr. Cythrodd Mati ar
ei hôl a'r pecyn yn ei llaw ond roedd fel petai'r cysgodion
wedi ei llyncu.

3

Sul diog oedd Sul Minafon ers blynyddoedd bellach a'i bobl yn cymryd gorchymyn y seithfed dydd yn or-lythrennol. Yn ôl yn y pumdegau, eithriad fyddai i chi gael rhywun ym Minafon am ddeg y bore a chwech yr hwyr. Pe baech chi'n sefyll ar gornel siop Pyrs ar nos Suliau, tua deng munud i chwech i fod yn saff, fe gaech eu gweld nhw'n dod am y stryd fawr—y plant ar y blaen, rhai ohonyn nhw'n cael trafferth i frecio ar ôl bod yn rhusio'r Sadwrn, a'r merched wedyn, yn dynn ar eu sodlau, yn llygadu am gic slei a phwniad neu'r pigo trwyn a'r crafu fyddai'n addo'n ddrwg erbyn y weddi a'r bregeth. Rhyw hanner canllath y tu ôl i'r merched deuai'r dynion, yn wŷr a thadau. Ganddyn nhw yr oedd y gair olaf ar huddo'r tannau a chloi drysau a chau giatiau. Go brin y byddech chi wrth siop Pyrs yn ddigon buan i weld Harri Lloyd, yn mynd yn fân ac yn fuan efo'i gamau cownter, i ystafell fach y blaenoriaid i roi Calfaria yn ei le am wythnos arall. Ond byddai'n rhaid i chi gamu'n ôl i ddrws siop Pyrs o ffordd y lleill, oedd yn llifo i lawr tro Minafon amdanoch chi, fel afon.

Yna, wrth y gornel, byddai'r llif yn rhannu'n ffrydiau bach a'r rheini'n ymdroelli am Galfaria ac Engedi, y capal Wesla a'r Eglwys. Felly, os oedd ynoch chi rywfaint o allu i ryfeddu, y gwelech chi bethau. Digwyddai'r cyfan, o hen arfer, yn dawel a diffwdan ac ni welwyd neb erioed yn sathru traed nac yn taro'n erbyn ei gilydd. Roedd hi'n olygfa nad anghofiech chi mohoni ar chwarae bach. Y gyfrinach, wrth gwrs, oedd eu bod nhw'n gwybod eu lle ac yn ei gadw. Doedden nhw i gyd ddim yn angylion ; ddim o bell ffordd. Roedd 'na sawl silidon yn y llif a mwy nag un siarc bach. A go brin fod Harri Lloyd yn Foses er mai fo oedd yn agor y llwybr i'r lleill. Na, roedd 'na ddigon o ddiawliaid yr adeg honno, fel sydd 'na heddiw. Ond roedd ganddyn nhw rywbeth. Fe allech ei weld a'i deimlo ar nos Sul braf o Fehefin pe baech chi wedi loetran yn ddigon hir wrth siop Pyrs neu wedi cerdded ar gylch i lawr y stryd fawr, pwyso ar relins y parc, oedd wedi ei gloi ar Suliau, i gael smôc neu synfyfyr a dringo dow dow i fyny Allt y Parc i fod yn ôl i'w haros. Faint bynnag o bagan neu o watwarwr oeddech chi, fedrech chi ddim peidio bod wenwyn ohonyn nhw. Golwg braf oedd arnyn nhw, fel pe baen nhw newydd molchi drostyn' a chael newid eu dillad. A phawb ar delerau distaw. Efallai y bydden nhw trannoeth yn tynnu ei gilydd yn grïau ond ar y nos Suliau rheini roedd pobl Minafon fel un. Fe all nad oedd o'n ddim ond hunanfoddhad o fod wedi gwneud eu dyletswydd am wythnos arall ond roedd o'n rhoi andros o boen bol i chi, beth bynnag oedd o.

Ond rŵan, heddiw, yn y saithdegau fe'u caech chi nhw i gyd adra, yn eu tyllau fel cwningod, yn gwylio'r teledu, pendwmpian, moedro, ffraeo, mynd ar nerfau'i gilydd. I fod yn deg, efallai y gwelech chi Katie yn dilyn llwybr Harri Lloyd i Galfaria neu Emma Harris ar ei ffordd i'r Eglwys unwaith bob lleuad lawn, er bod gweld y lle bu'n aros yn ofer am ei darpar ŵr yn tynnu'r nerth ohoni yn hytrach na'i chryfhau. Ond ni fyddai gweld dau bererin felly'n debygol o roi poen bol i neb, yn arbennig a'r rheini'n edrych fel pe baen nhw'n mynd i'w crogi. Rhyw ddiwrnod ofer, gwastraffus felly oedd Sul Minafon erbyn hyn a'r gogor-droi yn eu meddyliau ac yn eu hunfan yn andwyo yn hytrach na pharatoi ei bobl ar gyfer yr wythnos oedd i ddod.

Diwrnod anniddorol ar y naw oedd o i Gwen Ellis yn ei ffenestr er bod pethau wedi dechrau bywiogi wedi i'r cwpl ifanc symud i mewn i rif dau. O leiaf roedd 'na ryw gymaint o fynd a dod yn fan'no at y pnawn er ei bod hi'n blino'n fuan ar weld y nain ddotus yn gwneud ystumiau i geisio tawelu'r babi a'r wraig fach ddiolwg yn ffrwcsio rhwng y tŷ a'r ardd yn cario paneidiau te, fel dynes mewn caffi ar Ŵyl y Banc. Ond roedd hynny, er mai eu hailadrodd eu hunain y bydden nhw bob Sul, yn wledd i lygaid o'i gymharu â'r hyn oedd gan ffenestr y gegin i'w gynnig—tomen ac inclên a phlanced wlân o awyr wedi'i thaflu drostyn nhw. Gwelsai Gwen yr haul yn cael ei lyncu gan gwmwl rywdro tua amser te. O dipyn i beth roedd y cymylau wedi dyblu a threblu ac wedi cau am ei gilydd nes mynd yn futrach o hyd. Roedd hynny'n eitha difyr tra parodd o ond nid oedd dim i'w weld rŵan ond ehangder mawr pygddu. Ac nid oedd angen proffwyd tywydd i ddarllen y bygythiad oedd ynddo.

Rhedodd Gwen ei llygaid i lawr yr inclên, a tharo'n erbyn corun Dei. Roedd o'n cymryd arno ddarllen. Ceisiodd Gwen daro sgwrs fwy nag unwaith ond ni chafodd ond ' ia ' a ' na ' ac ambell ebychiad o'i drwyn a allai olygu'r naill neu'r llall. Penderfynodd roi un cynnig arall arni.

' Be 'dach chi'n i ddarllan, Dei ?'

' *Chwalfa*, Rowland Hughes.'

' Mi 'dach chi wedi darllan hwnnw o'r blaen.'

' Mae 'na rwbath newydd ynddo fo bob tro.'

' Am be mae o'n sôn, 'dwch ?'

' Y chwaral.'

' Cario glo i Fflint ydi hynny a chitha'n i chanol hi bob dydd.'

' Nag ydw ddim.'

' Lle 'dach chi 'ta ?'

' Y miwsïym 'na 'te ?'

' Mi fedrwch ddiolch eich bod chi wedi cael lle dan do.'

Be oedd hi wedi'i ddweud rŵan i beri iddo rythu arni fel'na ? Petai golwg yn gallu lladd byddai'n gelain. Y nef wen, be oedd y Katie Lloyd 'na wedi bod yn ei ddwuid amdani ? A sut y gallai achub ei cham os na châi wybod ?

' Dydi o ddim yn wir, wyddoch chi—yr hyn ddeudodd hi.'

' Sôn am Katie Lloyd yr ydach chi eto, mae'n debyg ?'

' Ia siŵr. Does 'na'r un iot o wirionadd yn y peth, beth bynnag ydi o.'

' Ddeudodd hi ddim byd.'

' Mi 'dw i wedi bod yn driw i chi rioed.'

' Ydach.'

' Ac wedi aberthu llawar er eich mwyn chi.'

' Fe wnaethoch chi hynny reit glir neithiwr.'

' Be sy'n eich corddi chi 'ta ?'

' Y gwactar mae'n debyg.'

' Ond mi gawsoch de da.'

' Nid gwactar stumog.'

' Be 'ta ?'

' 'Y mywyd i, ein bywyda ni'n dau, ar wahân ac efo'n gilydd. Yr holl flynyddoedd, a be sydd ganddon ni i'w ddangos amdanyn nhw ?'

' Mwy na llawar.'

' A dim i'w gymharu â'r rhan fwya. Mi fyddwn yn darfod yma ym Minafon a fydd 'na neb i golli deigryn ar ein hola ni.'

' Pa well fyddan ni ar hynny ?'

' Mi alla fod yn gysur.'

' Rydach chi'n cuddio rwbath rhagdda i. Ydach chi'n sâl, Dei ?'

' Na, dydw i ddim yn sâl.'

' Be sydd eisia sôn am ddarfod ac ati 'ta ? Gweld golwg legach arna i yr ydach chi ? Doedd y poen cefn 'na'n ddim byd ond chydig o oerfal ar ôl gwlychu. A dydi f'oed i'n poeni dim arna i. Hen chwedl gwrach ydi hi, dyna'r cwbwl.'

' Dydach chi wedi dallt dim ydw i wedi'i ddeud, yn naddo, Gwen ?'

' Be sydd 'na i'w ddallt ? Hen lol ydi sôn am y diwadd a ninna'n dau yn iach fel y gneuan.'

' Ia, gwagedd ydi'r cwbwl.'

Roedd o'n ôl efo'i lyfr chwarelwrs a hithau'n waeth allan nag oedd hi cynt ac wedi rhoi ei throed ynddi drwy ei atgoffa o'i chefn a'i hoed. Crwydrodd ei llygaid, heibio i'r cnwd gwallt y gallai llencyn ymfalchïo ynddo, i fyny'r inclên ac i'r awyr. I fyny acw, y tu draw i'r flanced byg yna, roedd 'na wlad oedd yn harddach na'r haul, yn ôl Wmffra Jones. A phwy oedd hi i amau ? ' O mor bêr, yn y man/Ni gawn gwrdd ar y lan hyfryd draw.' Bobol, roedd ganddo fo ddarlun tlws o'r lle. Fel ail Eden, medda fo, ond heb y sarff. Roedd un peth yn siŵr—doedd 'na'r un Eden heb ei sarff i lawr yma. A sarff beryclaf Minafon oedd Katie Lloyd goegdduwiol, oedd yn grinjian wrth glywed rheg ac eto'n ymhyfrydu mewn enllibio pobl a dinistrio eu hapusrwydd. Ac roedd hi wedi llwyddo, drwy'i gwên deg, i gael gan Dei gymryd brathiad o'i hen afal gwenwynig hi. Be ddigwyddodd i'r sarff honno, hefyd ? Roedd gan Gwen ryw gof i Dduw ei melltithio hi. Gobeithio'r annwyl mai dyna wnaeth O.

Brysiodd drwodd i'r parlwr ac at y bwrdd bambŵ yn y gornel lle roedd Beibl tada. Chwythodd y llwch oddi ar ei glawr a'i agor yn ei lyfr cyntaf. Daliwyd ei llygaid gan y gair ' sarff.' Roedd hyd yn oed y gair ei hun yn hisian. Ia, dyma fo—' A'r Arglwydd Dduw a ddywedodd wrth y sarff : Am wneuthur ohonot hyn melltigedicach wyt ti na'r holl anifeiliaid ac na holl fwystfilod y maes ; ar dy dor y cerddi, a phridd a fwytei holl ddyddiau dy fywyd.'

Ar dy dor, ia ? Go dda. Ar ei thor y byddai Katie Lloyd hefyd erbyn iddi hi orffen efo hi. Llyfr ar y naw oedd hwn, efo ateb i bob dim. Rhoddodd sglein ar ei glawr efo'i llawes cyn dychwel i'r gegin lle roedd Dei yn dal â'i drwyn yn ei lyfr chwarelwrs.

' Ydach chi eisia'r gola ymlaen ? ' holodd Gwen.

' Ia, mi fedra i 'neud efo fo. Mae hi am storm mi 'dw i'n siŵr.'

' Ydi, mae hi,' cytunodd Gwen. ' Ac andros o storm fydd hi hefyd.'

Fe welwyd gwaeth storm na honno sawl tro ac ni wnaeth ddifrod yn y dref ei hun er iddi gael rhai coed i lawr ar y cyrion. Ond go brin y gellid byth adfer y difrod a wnaeth ar bobl Minafon. Aeth ag oriau o gysgu oddi ar rai na allent fforddio ei golli ac yn ystod yr oriau effro rheini dyblwyd ofnau ac amheuon a hogwyd llid a dialedd. Pe baent wedi cael eu cwsg y nos Sul honno efallai y byddai'r stori'n wahanol. Ond 'chawson nhw ddim, ac am fisoedd lawer wedyn buont yn eu hesgusodi eu hunain a'u diffygion drwy ddweud—' Oni bai am yr hen storm honno.'

BORE LLUN, MEHEFIN Y 5ED

— I —

Rywdro ganol nos rhoesai Emma Harris ei bysedd yn ei chlustiau ond ni wnâi hynny ond chwyddo'r sŵn. Aethai i'w gwely'n gynnar er mwyn bod ar ei gorau drannoeth. Bwriadai gyrraedd y swyddfa ar y blaen i bawb a bod yno wrth y drws yn aros y Jones Davies ifanc. Siawns na fyddai hynny'n ei argyhoeddi o'i sêl dros y Cwmni. Nid ei bod hi'n hoffi defnyddio ystrywiau felly ond nid oedd dim i'w wneud efo rhywun fel Gladys Owen ond bod mor gyfrwys ac, os yn bosibl, yn gyfrwysach na hi. Nid oedd erioed wedi meddwl y byddai'n rhaid iddi ddibynnu ar ddichell i gadw'i swydd. Roedd hi wedi ei hennill a'i chadw ar ei haeddiant. Gallai redeg y swyddfa â'i llygaid ynghau. Pam y dylai ei hiselhau ei hun i brofi ei bod hi'n well dynes na Gladys Owen ? Pa angen profi oedd ? Ond waeth bod yn onest ddim ; ni wyddai'r Jones Davies ifanc ddim am werth cymeriad. O, roedd hi wedi ei weld yn llygadu Gladys Owen. Mae'n wir fod honno wedi gweld ei dyddiau gorau ond roedd 'na rywfaint o'u hôl yn glynu wrthi o hyd. Ac roedd ei choesau wedi cadw'u siâp yn ddigon da iddi allu fforddio gwisgo'n gwta, yn ddychryn o gwta weithiau. Ar ei ffordd i fyny yr oedd y ffasiwn eto, meddai Gladys, pan ddywedodd Emma wrthi ddydd Gwener fod ei phen ôl yn dangos wrth iddi wyro. Digwyddai'r Jones

Davies ifanc fod yn pasio drwodd ar y pryd (roedd o wedi mynd i basio drwodd yn amal ar y coblyn) ac fe'i gwelodd hi o, â'i llygaid ei hun, yn rhythu ar gluniau Gladys. Ac yntau efo gwraig a geneth bymtheg ac wedi ei godi'n flaenor yn Engedi gynted ag y cyrhaeddodd o'n ôl o Lundain.

Fe wnaeth hi'n siŵr ei fod yn gwybod iddi ei ddal yn rhythu ond gwenu wnaeth o a dweud—

' Mae petha'n gwella yma, Miss Harris.'

Gwella wir. Byddai'r hwch drwy'r siop mewn dim. Roedd hi'n well allan ohoni. Ond allan ymh'le ? Yr un oedd y gogwydd ym mhob man. Yr allanolion oedd yn cyfri heddiw— siâp corff a thlysni wyneb. Pa ryfedd fod y wlad yn y fath gyflwr ?

Ni fu gan ei choesau hi erioed siâp i'w gadw. Coesau ei mam oedd ganddi, yn drwm o'r top i'r gwaelod fel darn o bren heb ei naddu, a'r rheini'n frith o wythiennau chwyddedig. Gobeithio'r annwyl na fyddai'n rhaid iddi eu lapio mewn rhwymau. Ond pa wahaniaeth bellach petai wedi ei lapio mewn rhwymau o'i chorun i'w sawdl, fel mwmi ? Nid oedd yr un dyn yn debygol o edrych ddwywaith arni. Ac ni allai feddwl am yr un dyn yr hoffai iddo edrych ddwywaith. Roedd hi'n well allan hebddyn nhw.

Unwaith yn unig y cawsai hi ei brifo ond roedd gwragedd, fel Lena Powell, yn cael eu cleisio byth a hefyd. Nid oedd unrhyw sa' mewn dynion. Roedd Idris wedi profi pa mor llwfr a digydwybod y gallen nhw fod. Sut fyw fyddai wedi bod arni efo dyn felly ? ' Mi gest waredigaeth, Emma,' meddai ei mam. Hithau'n ffraeo'r hen greadures ac yn bygwth mynd i'w boddi ei hun i Lyn Dwarchan. Rhagluniaeth oedd wedi ei chadw hi rhag mynd. Ond roedd hi'n demtasiwn ar y pryd, ac am wythnosau wedyn.

Go drapia'r hen storm 'ma. Roedd ganddi ddigon ar ei phlât heb feddwl am yr Idris 'na rŵan. Byddai hyn yn ei thaflu'n ôl eto.

Gwasgodd Emma ei llygaid yn dynn rhag gweld y darlun oedd yn mynnu ymwthio o'u blaenau. Ond roedd hi'n rhy hwyr. Dyna lle roedd hi, yng nghegin y tŷ yma efo'i thad—y fo, oedd yn ddyn crys agored, yn ffidlan efo'i goler ac yn cwyno fod y stydsan yn brathu fel hoelen i'w war a hithau'n gorfod canolbwyntio ar anadlu, rhwng y cynnwrf a gwasg tynn ei gwisg briodas. Newydd ddweud yr oedd ei thad—' Mi 'dw i'n gobeithio y byddi di'n hapus efo fo, Em.'—pan ruthrodd Ben, cefnder Idris, i'r tŷ dan weiddi—' Mae'r diawl wedi'i heglu hi.' Tynnodd ei thad y goler a'i thaflu ar y bwrdd. Yna, eisteddodd, nid yn ei gadair ei hun, ond ar un o'r cadeiriau caled wrth y bwrdd. Gwasgodd ei ben rhwng ei ddwylo a dechreuodd feichio crio. Rhoddodd hynny nerth ynddi i'w chadw ei hun yn sych er bod ei mam, pan gyrhaeddodd yn ôl o'r Eglwys, wedi ei dweud hi'n hallt wrth ei thad am fod yn faich pan oedd angen cefn. Sawl tro yr oedd hi wedi haeru, pan yn eneth, na phriodai hi neb ond ei thad ? A'i briodi o wnaeth hi, i bob pwrpas, am y deng mlynedd wedi marw ei mam. Rŵan, dyna nhw i gyd wedi mynd a hithau ei hun i ddod dan y fwyell unrhyw ddiwrnod.

Yn y gosteg rhwng dwy daran clywodd Emma sgrechiadau'r babi o'r drws nesaf. A'i hunig gysur ar y pryd fyddai bod wedi cael sgrechian efo fo.

— 2 —

Ni allai storm hyd yn oed foddi sŵn y babi yma, meddyliodd Pat, wrth iddi ei siglo i geisio'i dawelu rhag deffro'i dad. Ond yr oedd Leslie eisoes ar ei ffordd i'r llofft gefn.

' Ydi o'n ormod imi ddisgwyl iti allu cadw Robert yn dawal,' meddai, o'r drws.

' Mi 'dw i'n trio 'ngora.'

' Dydi dy ora di byth ddigon da, yn nag ydi ? Mae gen i ddiwrnod calad o mlaen fory ac mae arna i angan 'y nghwsg. Ydi o'n cael digon o fwyd gen ti ?'

' Mae o'n byta drwy'r dydd.'

' Mae mam yn deud o hyd nad ydi'r powdra a'r bwyd tunia 'ma'n dda i ddim. Mi ddylat fod wedi trïo i fwydo fo dy hun.'

' Mi wnes i drïo. Doedd gen i ddim byd iddo fo.'

' Nag i minna'n ôl pob golwg. Mae'n bryd iti ddechra ar fabi arall rŵan. Dydw i ddim am i Robert fod yr unig un.'

' Fedra i ddim, Les.'

' Fedri di ddim be rŵan ?'

'Fedra i ddim cael babi eto. Fe ddaru nhw 'mrifo i.'

106

' Does 'na ddim byd o werth i'w gael heb fymryn o boen.'

' Nid mymryn oedd o—lot.'

' Chlywis i mo mam yn cwyno rioed ac mi fuo ond y dim iddi â cholli'r dydd wrth 'y ngeni i. A sôn am mam, be oedd dy feddwl di'n rhoi te heb siwgwr iddi hi heddiw ? Mi wyddost na fedar hi mo'i aros o. Roedd hi'n rhy gwrtais i gwyno.'

' Wedi anghofio'r siwgwr yr o'n i. Roedd hwn yn crïo y tu allan i'r Co-op.'

' Dyna ti beth arall. Mi 'dw i am iti alw'r babi wrth i enw yn lle 'hwn' a 'fo'.'

' Gas gen i i enw fo.'

' Be ddeudist ti ?'

' Ches i ddim cynnig rhoi enw arno fo.'

' A be fyddat ti wedi'i roi ? Y ?'

' Wn i ddim.'

' Na wyddost. Pa well fyddwn i o fod wedi gofyn iti ? A symud o'r ffenast 'na. Be wyt ti'n drio'i 'neud—i ladd o ?'

Symudodd Pat i ganol yr ystafell. Roedd y babi wedi distewi ac yn sugno'i fawd.

' Eisia bwyd mae o, yli.'

' Dim posib i fod o.'

' Fo sy'n gwybod. Rho fwyd iddo fo, Pat.'

Gwnaeth Pat ystum i roi'r babi'n ôl yn ei got ond y munud nesaf roedd Leslie wrth ei hochr ac yn tynnu ei choban i lawr dros ei hysgwydd.

' Rho fwyd iddo fo, medda fi.'

' Na, fedra i ddim, Les.'

Ond roedd o wedi gafael yn ei bron ac yn gwthio'r deth i geg y babi. Caeodd y geg wancus amdani a bu ond y dim iddi â llewygu gan y boen. Rhoddodd law allan i'w sadio ei hun ond ni allai gyrraedd y wal. Teimlodd y babi'n llithro o'i gafael. Byddai wedi syrthio oni bai i Les gythru amdano.

Croesodd Les at y cot a rhoi'r babi i lawr ynddo, yn dyner a gofalus. Yna, daeth yn ôl ati. Yn araf a bwriadol, cododd ei law a'i tharo ar draws ei hwyneb. Ni wnaeth Pat unrhyw ymdrech i'w hamddiffyn ei hun.

' I feddwl imi fynd yn groes i ddymuniad mam a nhad i dy briodi di,' meddai Les, yn oeraidd. 'Yr unig dro erioed imi adael i 'nghalon fy rheoli i. Roedd gen i biti drostat ti—meddwl dy fod ti wedi cael cam erioed. Ro'n i'n credu fod 'na bosibiliada ynot ti ond iti gael arweiniad. Ond rwyt ti'n rhy fulaidd i gymryd dy ddysgu.'

' Mi 'dw i *yn* trio, Les.'

' Wyt ti'n galw hyn yn drio—hannar llwgu Robert am fod arnat ti ofn mymryn o boen ? A'r tŷ 'ma—mae gen i gwilydd i neb i weld o.'

' Wedi blino rydw i.'

' Chei di ddim gwneud llanast o 'mywyd i. Mi ro i un cynnig arall iti. Rwyt ti i wrando arna i—dallt ?'

' Mi wna i unrhyw beth, Les. Mi 'dw i eisia bod yn wraig dda iti.'

' Dydi gwraig dda byth yn gwrthod i gŵr.'

' Na, nid hynny. Plîs, Les.'

' Dos i dy wely.'

Rywdro yn oriau'r bore a'r storm yn dal yn ei gwres cymerodd Leslie ei wraig heb drafferthu ei chusanu hyd yn oed. Pa angen hynny bellach ? Yng ngolau mellten cawsai gip ar yr wyneb plaen a sylweddolodd na allai hon fforddio mynd yn groes iddo.

— 3 —

Roedd angen mwy na storm i amharu ar gwsg Richard Powell. Er iddo gael prynhawn Sul digon annifyr yn moedro ynglŷn â Gwyneth, erbyn amser te roedd o wedi llwyddo i daflu'r cyfan dros ei ysgwydd fel enghraifft arall o ddifaterwch ac anwadalwch yr oes. Rhoesai Lena stori go od iddo am losgi rhyw bapurau ac ati yn y Coleg am eu bod nhw'n Saesneg. Roedd posibilrwydd, meddai, y gallai Gwyneth gael ei chosbi drwy ei gyrru o'r Coleg. ' Choelia i fawr,' meddai yntau. P'run bynnag, roedd Lena wedi setlo'r cwbwl, meddai hi, a Gwyneth wedi mynd yn ei hôl i ymddiheuro. Fe wnâi les iddi syrthio ar ei bai am unwaith.

' Falla y bydda'n well iti glywad be ddeudis i wrthi hi,' meddai Lena. Ond roedd o ar gychwyn allan i nôl sigarets. Pwy oedd yn eistedd fel adyn yn ei gar wrth dro stryd Capal Wesla ond Hyw Twm, fyddai'n ei helpu allan weithiau drwy ddal ysgol. Cytunodd y ddau fod Sul yn Nhrefeini fel cwlffyn o fara sych ac awgrymodd Hyw Twm eu bod nhw'n mynd dros y ffin lle roedd hi'n Sul gwlyb. Nid oedd angen cymell Richard i neidio i'r car.

Roedden nhw wedi dechrau arni gynted y croeson nhw'r ffin ac wedi dal ati'n solet hyd amser cau. Lwcus nad oedd 'na'r un car brechdan jam ar y lôn y noson honno. Petai Hyw Twm wedi gorfod chwythu byddai'r bag wedi mynd i fyny'n fflamau. Roedden nhw wedi cael uffarn o ffrae ar y ffordd yn ôl—Hyw Twm yn chwarae'r diawl am ei fod o wedi difetha'i hwyl efo rhyw lefran oedd wedi gwneud pob dim ond tynnu ei ddillad iddo. Roedd 'na ddwy ohonyn nhw, cyn boethed â'i gilydd, ond yn glynu, glun wrth glun, fel efeilliaid Seiamîs. Ni allai Richard yn ei fyw godi awydd er ei bod hi'n ddi-fai'r olwg ac yn eitha bargen am noson. Ac am ei fod o wedi'i gwrthod roedd ei ffrind wedi talu drwg am ddrwg ac wedi gwrthod Hyw Twm.

Duw a ŵyr sut yr oedden nhw wedi cyrraedd y dref rhwng bod Hyw Twm yn rhefru ac yn bloto—mae'n rhaid fod y car yn gwybod ei ffordd yn reddfol fel y byddai merlod a cheffylau ers talwm. Bu'n rhaid iddo lusgo Hyw Twm o'r car am y tŷ gan ei fod yn bygwth setlo yno am y nos, a chodi gwraig oedd mewn cyrlars ac wedi tynnu ei dannedd cyn mynd i glwydo.

' 'Jaws', myn diawl,' meddai Hyw Twm, a bustachu am y gegin fach i fod yn sâl, yn ôl ei sŵn, i'r sinc.

' Ac mi 'dach chi adra, Dic Pŵal ?' meddai hi.

' Felly maen nhw'n deud.'

' Be 'dach chi wedi'i 'neud efo'r hogan fach 'na ddaru chi i repio ?'

' Hi ddaru fy repio i, musus. Doedd 'na ddim digon iddi i gael.'

' Rhag eich cwilydd chi.'

Camodd gwraig Hyw Twm tuag ato. Dim ond rholbren oedd arni ei angen, meddyliodd Richard. Be oedd hi'n fwriadu'i wneud iddo, tybed ? Roedd un peth yn siŵr—fedrai hi mo'i frathu o.

' Ewch allan o nhŷ i. A pheidiwch a thwllu'r lle byth eto.'

' Faswn i ddim wedi dwad yma heno oni bai fod eich gŵr chi'n chwil gachu gaib. Rhaid i chi roi gwell lle iddo fo, musus.'

Fel roedd o'n gadael cawsai gip ar Hyw Twm yn nrws y gegin, yn amlwg yn gwneud yn ei drowsus o ofn ei wraig. Y creadur—dim rhyfedd ei fod o â'i dafod allan wedi cael ei chefn hi.

Penderfynodd Richard, cyn syrthio i gwsg braf y nos Sul honno, nad oedd fawr o bwrpas mewn stelcian o gwmpas. Roedd ganddo rai pethau eisiau eu gorffen yma ac acw a jobyn neu ddau y gallai eu gwneud wrth ei bwysau. Byddai'n bownd o rywbeth wedyn ; nid oedd erioed wedi methu. A rywdro yn ystod y dyddiau nesaf, rhwng gwaith a gorffwys, fe alwai i weld Cit. Roedd yr wythnos yn addo'n dda. Ac ni wnâi mymryn o storm wahaniaeth yn y byd.

— 4 —

Mwynhaodd Gwen Ellis bob eiliad o'r storm. Rhoddodd ei sŵn a'i golau nerth newydd ynddi ac nid oedd erioed wedi wynebu bore Llun mor hyderus. Ond cafodd ei hysgwyd braidd pan glywodd Dei yn dweud ei fod flys aros adra.

' Ydach chi'n sâl ?' holodd.

' Nag ydw.'

' Pam aros adra 'ta ?'

' Fawr o awydd cychwyn.'

Cadw golwg arni hi, dyna oedd ei fwriad debyg. On'd oedd o wedi bygwth byrddio'r ffenestr a chloi'r drws ? Lol oedd peth felly. Ond fe allai ei rhwystro hi rhag mynd i'r llofft ; ei chadw'n y gegin efo fo drwy'r dydd, yr un fath â ddoe. Nid oedd yn bwriadu rhoi diwrnod arall i 'studio'r awyr, reit siŵr.

' Be 'newch chi yn fan'ma drwy'r dydd ? A fedrwch chi ddim fforddio gollwng gafael—mae 'na ddigon fydda'n falch o'ch lle chi.'

Bu hynny'n llwyddiant. Clywsai am ddynion o oed Dei oedd wedi dechrau llaesu dwylo ac aros adra o'u gwaith. Yno y bydden nhw wedyn, dan draed, yn hen ddynion cyn eu hamser. Roedd hi'n ddyletswydd arni achub Dei rhag hynny.

Aeth i'w ffenestr i'w wylio'n mynd. Llusgo ei draed yr oedd o a chipio dros ei ysgwydd fel petai'n disgwyl iddi ei alw'n ôl. Hy, fe ddylai gyfri ei fendithion o gael gwraig fedrai ddal y pethau brwnt ddwedodd o, heb ddigio. Roedd o wedi ei brifo hi ; ei brifo hi'n arw hefyd. Ond fe gâi dalu am hynny. ' Llygad

am lygad a dant am ddant'—dyna oedd y Llyfr yn ei ddweud.
A phwy oedd hi i amau hwnnw ?

Aeth Gwen allan ar ei hunion wedi brecwast a chyrraedd y
lle doctor cyn i'r drws agor. Roedd o'n dweud ar hwnnw fod
y lle'n agored rhwng naw ac un ar ddeg ac roedd hi rŵan yn
bum munud wedi. Curodd ar y drws a daeth Magi Griffiths,
Magi Goch iddi hi, at y twll llythyrau a gweiddi drwyddo—

'Be wyt ti isio ?'

'Gweld doctor 'te—be arall ?'

'Dydi o ddim yma eto.'

'Mi ddo i i mewn i'w aros o.'

'Be'di'r brys ? Dwyt ti ddim yn edrych yn sâl.'

'Fi sy'n gwybod sut rydw i'n teimlo.'

'Dydw i ddim wedi gorffan golchi'r llawr.'

'Mi ddylat fod wedi dechra'n gynt.'

Agorodd Magi gil y drws. Gwthiodd Gwen Ellis heibio
iddi hi a'i bwced a'i mop. Croesodd y llawr i ben pella'r
ystafell a chymryd ei sedd wrth y drws a arweiniai i ystafell
y doctor. Sylwodd, gyda phleser, fod ôl ei thraed i'w gweld yn
glir ar y llawr. Roedd Magi wedi eu gweld hefyd. Rhythodd
ar Gwen a gwthiodd y mop yn ffyrnig i'r fwced. Fetia i,
meddai Gwen Ellis wrthi ei hun, fetia i i bod hi'n cymryd
arni rŵan mai fy wynab i ydi'r fwcad 'na. Ond ni allai Magi
Goch godi igian arni hi. Un gair o'i le a byddai'n ei hatgoffa
o'r arian cinio ddwynodd hi oddi ar Jones bach yn yr ysgol.
Roedd hi'n lwcus ar y dian mai yma yr oedd hi efo'i bwced a'i
mop ac nid yn glanhau lloriau Holloway. Nid oedd dim i'w
ddwyn yn fan'ma, ran'ny, dim ond llwyth o hen gylchgronau
merched nad oedden nhw'n dda i ddim bellach ond i arbed
papur tŷ bach.

Daeth eraill i mewn a chafodd Gwen Ellis y pleser ychwan-
egol o weld hogyn bach yn gollwng caglau o fwd oddi ar ei
esgidiau ar ganol y llawr. Ond roedd Magi wedi tynnu ei
brat ac wedi mynd drwodd i'r dispensari lle byddai Miss
Jenkins yn cadw trefn ar bethau. Clywodd Gwen sŵn drws
car yn agor a chau.

'Mae o wedi cyrraedd,' sibrydodd rhywun.

Aeth pawb yn fud a gellid clywed brest yr hen Ifan Jones
yn gwichian fel drws cefn Katie Lloyd.

' Pwy 'di'r cynta ?' holodd rhyw gwb o hogan oedd, mae'n amlwg, yn anghyfarwydd â threfn pethau. Edrychodd pawb arall i gyfeiriad Gwen Ellis a thorsythodd hithau.

' Nesa,' meddai llais drwy'r twnnel bach yn y wal rhwng yr ystafell aros a'r dispensari. Magi Goch, myn coblyn i, yn cymryd arni swydd Miss Jenkins rŵan. Penderfynodd Gwen ei hanwybyddu.

' Nesa, plîs.'

' Fi 'di'r gynta,' galwodd Gwen, o ben arall y twnnel. Ia, Magi oedd yno, rŵan mewn oferôl wen. Wedi'i dwyn hi oddi ar gefn drws.

' Lle mae Miss Jenkins ?'

' Ar i holides.'

Be oedd ar ben Doctor Rees yn rhoi swydd mor gyfrifol i ddynes yr oedd bwced a mop yn rhy dda iddi ? Roedd hi'n rhy dwp hyd yn oed i allu cyfri'r arian cinio ddwynodd hi. ' Faint wyt ti wedi'i wario ?' holodd Jones bach. ' Lot fawr,' meddai hi, a'i gwefusau'n ddu las o licris bôl.

Gwyrodd Gwen Ellis i gael gwell golwg drwy'r twnnel. Eisteddai Magi wrth ddesg wedi'i gorchuddio â phapurau a chardiau. Trugaredd annwyl, byddai hon wedi gwenwyno pawb cyn pen yr wythnos.

' Tyd yn d'laen, Gwen Ellis,' galwodd Magi, o'r pellter.

' Mae Doctor Puw yn aros.'

Doctor Puw, ia—dyna eglurhad ar bethau. Fe roddai hwnnw wn yn llaw dyn gwallgof. Roedd o wedi treulio'i amser ar ôl ymddeol yn ceisio gollwng pechaduriaid o'r jêl wedi i rai doethach na fo ddweud mai yno yr oedd eu lle nhw.

Petrusodd Gwen wrth y drws. Ond roedd arni angen rhyw-beth at ei chefn, a hynny ar fyrder. Roedd gofyn bod yn ffit i allu taclo dynes fel Katie Lloyd. Fe ofynnai hi i'r dyn newydd 'na yn Boots wneud yn siŵr fod beth bynnag oedd ar y papur yn ddiogel i'w gymryd. Ac ni châi Magi Goch roi ei bys arno, reit siŵr.

Cododd Doctor Puw pan aeth hi i mewn. Byddai'n well iddo aros ar ei eistedd yn ei oed o. Nefi blw, mae'n rhaid ei fod yn hen ddihenydd bellach. Doedd 'na ddim synnwyr mewn rhoi hen greadur dotus fel hwn i ofalu am gyrff pobl. Ond roedd

o'n edrych reit sbriws a chysidro. Doedd wybod be oedd o'n
ei lyncu ar y slei i drio cadw'n ifanc.

'Be fedra i i 'neud i chi, Gwen Ellis ?'

'Wn i ddim wir.'

'Be sy'n eich poeni chi ?'

'Does 'na ddim byd yn 'y mhoeni i—dim mwy na'r cyffredin,
felly.'

'Be ydach chi'n da yma 'ta ?'

'Galw i weld Doctor Rees wnes i.'

'Welwch chi mo'no fo os na liciwch chi hedfan i Sbaen ar i
ôl o. Be sydd o'i le arnoch chi ?'

'Does 'na ddim byd o'i le arna i.'

'I be 'dach chi'n gwastraffu f'amser i 'ta, ddynas ?'

'Dydi poen cefn ddim yn beth i'w anwybyddu, yn nag ydi ?'

'Dyna sydd arnoch chi ?'

'Ia, siŵr. Mi liciwn i gael eli tebyg i'r eli Morys Ifan fydda
gen mam ers talwm.'

'Tynnwch eich dillad—i lawr i'ch pais.'

'I be ?'

'Imi gael trio gweld be sy'n achosi'r boen 'na.'

'Oerfal.'

'Mi ga i benderfynu hynny, ia ? Does dim angan i chi
boeni—mi alwa i Mrs. Griffiths i mewn.'

'Thynna i mo nillad o flaen honno, reit siŵr.'

'Mi fydd raid inni wneud y gora ohoni fel'ma 'ta.'

Bu wrthi'n ei bodio am hydoedd ac yn holi oedd hyn a'r
llall yn brifo. Wrth gwrs ei fod o'n brifo ac yntau'n gwthio'i
fysedd i'w chnawd. Ych a fi, doedd hi erioed wedi hoffi cael
ei mela. 'Triwch ymlacio,' meddai. Sut y gallai hi ymlacio
a'i fysedd yn crwydro hyd ei chorff hi fel'na. Y munud nesaf,
roedd o'n rhythu i mewn i'w cheg hi. Dyn a ŵyr be oedd a
wnelo hynny â phoen cefn. Ceisio dweud ei hoed wrth ei dan-
nedd, efallai. Bu'n ei holi wedyn, mwya powld, sut oedd ei
bowals hi'n byhafio a pha mor amal y byddai hi'n mynd i'r tŷ
bach. Be oedd hynny o fusnes i neb ? Ond y digwilydd-dra
mwya un oedd gofyn sut roedd pethau rhyngddi hi a Dei.
Chafodd o wybod dim. Doedd y ffaith ei fod wedi cael trwy-
dded i chwarae efo cyrff pobol ddim yn rhoi'r hawl iddo eu
hagor fel pysgod i chwilio'u perfeddion.

'Wel, be ydi o, meddach chi ?'

'Fedra i ddim deud fel'na.'

Ddim deud—ac yntau wedi bod yn ei bodio hi tu mewn ac allan ? Roedd o eisiau barn arall, meddai, ac am iddi fynd i mewn i'r ysbyty am ddiwrnod neu ddau er mwyn i ryw Mr. Mac gael golwg arni hi.

'Â i ddim yn agos i fan'no,' meddai hi.

'Pam ?'

'Does 'na neb yn dwad odd'no ar i draed. P'run bynnag, be fydda'n digwydd i Dei ?'

'Mae o reit abal. Mi fedar forol amdano'i hun am ddeu-ddydd.'

'Dydi o rioed wedi gorfod gneud.'

Dyna esgus iawn iddo fo—y wraig ddim adra ac yntau'n llwgu. Gair yn y lle iawn, ac ni fyddai fawr o dro cyn cael gwahoddiad i ginio gan ryw hen slwt fyddai'n cymryd arni mai pastai gartra oedd un y Co-op. O, oedd, roedd 'na fwy nag un sarff yn Eden Trefeini.

'Be mae Dei yn i 'neud y dyddia yma ?'

'Yn y miwsïym yn Y Rhosydd mae o.'

'Ac mae hi wedi dwad i hynny ?'

'Fedra fo ddim cael lle gwell—dim straen a chael ista drwy'r dydd.'

'Dyn i fod ar i draed ydi Dei 'cw.'

Estynnodd Doctor Puw ddarn o bapur iddi. Craffodd Gwen Ellis arno.

'Fedra i 'neud pen na chynffon o hwn.'

'Nid i chi mae o—i'r Sister. Mi 'dw i am i chi ddwad i mewn nos Ferchar. Dowch a'ch petha nos efo chi.'

'Ac os na ddo i ?'

'Eich corff chi ydi o, Gwen Ellis.'

Hyfdra'r dyn, yn dweud y fath beth, ac yntau newydd fod wrthi'n procio ac yn pwnio. Roedd o'n cyfaddef, felly, mai tresmaswr oedd o. Ond ni châi gyfle i roi cyllell ynddi hi.

Wrth iddi fynd heibio i'r dispensari cafodd gip ar ben coch (coch potel erbyn hyn, reit siŵr) yn plygu uwchben llwyth o gardiau. I feddwl fod dyfodol pobol yn dibynnu ar honna a'i dwylo blewog a'r Doctor Puw 'na fyddai'n llenwi'r wlad efo mwrdrwyr a phuteiniaid petai'n cael ei ffordd.

Piciodd i mewn i Boots i holi'r dyn newydd am eli i'w chefn. Roedd o'n batrwm o gwrteisi. Hwn, meddai, fyddai Doctor Rees yn ei gymell ac roedd Doctor Rees yn siarad o brofiad. ' Clywch, clywch,' meddai hithau, a thalu drwy'i thrwyn am yr eli. Ond doedd hi ddim yn ei rwgnach, o nag oedd. Ond roedd hi *yn* grwgnach yr amser wastraffodd hi yn gwrando ar ddyn nad oedd ganddo ddim i'w gynnig ; dyn nad oedd corff rhywun yn ddim mwy iddo na thun sardins.

Rhwng y stryd fawr a Minafon cyfarfu â Mati Huws, ar ei ffordd i nôl ei thorth. Ceisiodd Mati chwilio am lwybr ymwared ond roedd hi ar dir agored. Ni fyddai'n rhaid iddi fod wedi ffrwcsio dim. Aeth Gwen Ellis heibio iddi heb arafu, gan daflu'i ' Helo ' dros ei hysgwydd. Mewn un cip brysiog gwelodd Mati ddigon i adnabod y bygythiad ar wyneb Gwen Ellis. Roedd 'na rywun mewn perygl, ond nid hi, drwy drugaredd. Gallai anadlu'n rhydd am sbel, o leiaf.

Gynted ag y cyrhaeddodd y tŷ taflodd Gwen Ellis y nodyn a roesai Doctor Puw iddi i'r tân. Gwnaeth baned a brechdanau caws iddi ei hun ac aeth â nhw i'w chanlyn i'r llofft. Caeodd y llenni'n glos cyn tynnu ei dillad. Be oedd y Doctor Puw 'na'n ei feddwl oedd hi ? Efallai fod merched heddiw yn fwy na pharod i dynnu eu dillad iddo, yn enwedig y merched drwg 'na yr oedd o mor awyddus i'w helpu. Ond roedd hi'n perthyn i oes fyddai'n rhoi pwyslais ar barchusrwydd a moesoldeb.

Gwthiodd flaen ei bys yn ofalus i'r eli a'i rwbio i'w chnawd. Roedd oglau iach arno, nid annhebyg i'r eli Morys Ifan. Tada druan—roedd o wedi gorfod dibynnu ar ei mam i rwbio'i gymalau. ' Mae'n chwith imi,' meddai. A pheth chwith oedd gweld dyn yn gorfod ildio'i hunan barch a chymryd ei drin fel babi. Ni roddai hi byth mohoni ei hun ar drugaredd na Doctor Puw na Mr. Mac na Dei na'r un o bobol Minafon. Ni châi neb edliw ei gymwynasau iddi hi ac ni châi Dei mo'r esgus i fynd ar ofyn dynes arall am na bwyd na moethau.

Gwisgodd, ac aeth i eistedd wrth y ffenestr i fwynhau'r te a'r brechdanau. Roedd yr eli fel tân ar ei chnawd—arwydd pendant ei fod o'n dechrau gwneud lles. Agorodd y llenni, rhoddodd glustog y tu ôl i'w chefn a gwnaeth ei hun mor gyfforddus ag oedd bosibl ar gyfer ei horiau o wyliadwriaeth.

PENNOD 9

DYDD MAWRTH, MEHEFIN Y 6ED

— I —

Ni chawsai Katie Lloyd, chwaith, fawr o lonydd gan y storm. Newydd syrthio i gysgu yr oedd hi, ei blinder wedi'i threchu, pan gafodd ei deffro ganddi. Meddyliodd, yn yr eiliad ofnadwy honno, mai'r Farn y soniai Harri amdani oedd wedi disgyn arni. Clywodd lais Harri'n dweud, cyn blaened â phetai yn yr ystafell efo hi—' Eithr yr ydwyf yn dywedyd wrthych, mai am bob gair segur a ddywedo dynion, y rhoddant hwy gyfrif yn nydd y Farn. Canys wrth dy eiriau y'th gyfiawnheir, ac wrth dy eiriau y'th gondemnir.'

Roedd hi wedi arfer mwy na'i siâr o eiriau segur yn ystod y Sadwrn ac wedi ymddiried i ddieithryn bethau na allodd erioed eu dweud wrth Harri. Y cyfan a wyddai Harri oedd mai plentyn anghyfreithlon oedd hi a bod ei mam wedi marw mewn cywilydd. Dyna pam yr oedd mor awyddus i'w chadw draw o Lanelan. Roedd o wedi pwyso arni i anghofio trueni ei gorffennol—nid oedd yr un a edrychai ar bethau oedd o'i ôl, meddai, yn gymwys i deyrnas nefoedd. Bu Katie'n pitïo llawer na allai gymryd at y deyrnas honno a'i gwneud yn ddelfryd i gyrraedd ato. Ond darlun digon digalon oedd ganddi o'r lle —strydoedd a phelmynt aur yn galed dan draed ac yn boen ar lygaid a Harri Lloyd wrth y dwsinau yn eu cerdded nhw i ac o seiadau rif y gwlith.

Llwyddodd hithau i'w hargyhoeddi ei hun nad oedd dim ar ôl iddi yn Llanelan ac na allai'r lle a'i gysylltiadau fod ond maen tramgwydd iddi. Mae'n wir iddi gael rhyw lithriad bach ar yn ôl adeg claddu nain ond roedd 'na gymaint o waith trefnu efo'r dodrefn fel na chafodd pethau gyfle i lynu wrthi. Ac roedd Harri'n ei disgwyl adref bryd hynny, yn barod i'w thywys hi'n ôl i'r llwybr cul anniddorol hwnnw yr oedd yn rhaid ei gerdded er mwyn cyrraedd y pelmynt aur.

Ond dyma hi rŵan wedi dad-wneud y cyfan ac wedi rhuthro â'i phen yn gyntaf am y ffordd lydan a'i mynegbost tuag at ddistryw. Roedd Harri wedi ei rhybuddio o'r gwendid oedd ynddi ac wedi ei siarsio y byddai'n rhaid iddi ei ymladd am byth. Ond nid oedd wedi ceisio ei ymladd y Sadwrn, dim ond gadael iddo'i harwain ar gyfeiliorn. Ac wedi gwneud hynny yng ngŵydd dyn y byddai Harri'n ei alw'n odinebwr.

Pan ddeffrodd, yn foddfa o chwys, yn oriau cynnar y bore Llun roedd Katie'n barod i blygu i'w thynged. Ac nid oedd sylweddoli mai storm oedd hi, a'i bod hi'r un i bawb, wedi tawelu dim ar ei heuogrwydd. Rhybudd oedd yn y storm iddi hi'n bersonol i beidio, ar boen ei bywyd, roi cyfle i'w gwendid gael y gorau arni eto. A phan atebodd y gnoc ar ddrws y ffrynt tua amser te brynhawn Mawrth a chael Richard Powell yn sefyll yno gwnaeth un ymdrech egnïol i gau'r drws arno. Ond cyn iddi allu gwneud hynny roedd llaw gref yn gwthio'n ei herbyn a llais yn gofyn—

' Be 'di peth fel hyn ?'

Rhoddodd ei holl bwysau'n erbyn y drws a dweud, yn erfyniol—

' Richard, plîs, gadewch lonydd imi.'

' Rhowch un rheswm da imi pam y dylwn i ac mi â i odd'ma fel oen bach.'

' Peidiwch â gofyn imi.'

' Ond rydw i *yn* gofyn. Be ydw i wedi'i 'neud i gael fy ngwrthod fel'ma ?'

' Dim byd. 'Dydach chi wedi gneud dim.'

' Ac rydach chi'n fy nghosbi i am 'neud dim ?'

' Nag ydw. Fy nghosbi fy hun yr ydw i.'

' Ac rydach chi'n disgwyl imi fynd a'ch gadael chi'ch hun i ddiodda'r gosb 'ma, beth bynnag ydi hi ? Hynny o feddwl sydd ganddoch chi ohona i ?'

' Mae gen i feddwl mawr ohonoch chi.'

' Digon i allu agor y drws imi ?'

' Na, fiw imi.'

' Os na ollyngwch chi fi i mewn mi waedda i ' Cit ' nes bydd Minafon yn diasbedain.'

' Wnaech chi byth mo hynny.'

' Na wnawn i wir ? Beth am hyn 'ta ?'

Agorodd ei geg, yn barod i weiddi. Gollyngodd Katie ei gafael ar y drws. Gallai deimlo ei choesau'n crynu 'dani. Y munud nesaf roedd llaw Richard o dan ei phenelin.

' Fe ddaru hynna'ch ysgwyd chi, yn do ?'

Arweiniodd hi i'r gegin a'i rhoi i eistedd. Eisteddodd yntau, yng nghadair Harri, ei goesau wedi eu hymestyn ar draws yr aelwyd. Estynnodd baced sigarets o'i boced a chynnig un iddi.

'Bobol annwyl, dydw i rioed wedi 'u cyffwrdd nhw.'

'Mae 'na dro cynta i bob dim. Triwch un.'

'Wna i ddim dechra rŵan reit siŵr.'

'Dydach chi ddim yn smocio nac yn yfad. A hyd y gwn i rydach chi wedi bod yn ffyddlon i un dyn ar hyd eich hoes. Mi 'dach chi'n rhy dda i fod yn wir. Mae'n rhaid fod ganddoch chi ryw bechoda cudd.'

'Oes, digonadd.'

'Chreda i fawr. Mi 'dach chi'r ddynas ora ydw i wedi'i chyfarfod rioed.'

'Peidiwch â deud hynna.'

'Mi ga i ddeud be rydw i'n gredu, siawns. Mi fydda i'n cofio'r Sadwrn dwytha am byth.'

'Doedd gen i ddim hawl dod efo chi. Pechod oedd o.'

'Diwrnod fel'na'n bechod ?'

'Faddeua i byth i mi fy hun.'

Roedd Richard wedi codi ac yn camu tuag ati. Pwysodd Katie'n ôl yn ei chadair.

'Na, peidiwch â chyffwrdd yna i.'

Safodd Richard, fel pe wedi ei rewi, a dweud, yn araf—

'Mae arnoch chi f'ofn i. Fedra i mo'ch beio chi ran'ny. Mi 'dach chi'n ddynas barchus ac mae ganddoch chi gymeriad i'w gadw. Mi ddylwn fod wedi sylweddoli hynny.'

'Na, mi 'dach chi wedi camddeall.'

'Does dim rhaid i chi fod ofn deud. Mae gen i groen fel eliffant.'

'Does wnelo hyn ddim â chi, Richard. '

'Wrth gwrs fod o wnelo â fi. Ro'n i'n meddwl ein bod ni'n ffrindia.'

Petai heb ddw'eud hynny efallai y gallai fod wedi dal ei thir. Ond bu clywed y gair 'ffrindia,' oedd mor ddieithr iddi, yn ormod. Suddodd yn swp i'w chadair a chuddio'i hwyneb efo'i dwylo. Rhuthrodd Richard ati a phenlinio wrth ei hymyl.

'Mi 'dw i wedi'ch tarfu chi eto. Duw mawr, faint rhagor ydw i'n mynd i'w frifo arnoch chi ?'

'Dydach chi ddim wedi mrifo i.'

' Pam 'dach chi'n crio 'ta ?'

' Ydw i ?'

Teimlodd ei llygaid â blaen ei bys. Roedden nhw'n wlyb.
Arwydd o wendid oedd dagrau, meddai Harri. Ond gwan
oedd hi wedi bod erioed, ac i fod, hyd dragwyddoldeb.

' Dydw i ddim wedi crio ers 'dwn i ddim pryd.'

' Rydach chi'n swnio'n falch.'

' Mi 'dw i *yn* falch. Diolch i chi, Richard.'

' Am 'neud i chi grio ?'

' Hynny, a deud ein bod ni'n ffrindia.'

' Ro'n i'n cymryd eich bod chi'n gwybod hynny. Wyddoch
chi am Williams Parry ?'

' Y bardd ?'

' Ia. Fyddwch chi'n darllan barddoniaeth ?'

' Mi fyddwn, ar un adag.'

' Mae o, Williams Parry, yn sôn am gael crwydro'r Lôn
Goed yn Eifionydd ar i ben i hun 'neu gydag enaid hoff, cytûn.'
Felly mae o'n deud. Mi 'dan ni'n hynny, Cit, chi a fi.'

' 'Enaid hoff, cytûn.' Mi 'dw i'n licio hynna.'

' Mi ddylach. O ia, mi fuo ond y dim imi ag anghofio.
Mae gen i bresant i chi.'

Tynnodd becyn o'i boced a'i roi ar ei glin.

' Agorwch o.'

Roedd hi'n fodiau i gyd wrth agor y pecyn, yna'r bocs.
Ynddo, ar wely sidan, gorweddai cadwen, ei dolennau'n fân
ac yn frau a loced arian yn crogi wrthi.

' I mi mae hon ?'

' Ro'n i flys i rhoi hi i Gwen Ellis ond roedd gen i ofn cael
llygad du gen Dei. Wrth gwrs mai i chi mae hi. Mi fyddwn i
wedi licio cael eich enw chi arni hi ond fedrwn i ddim aros i
chi i chael hi. Welwch chi be sydd wedi'i sgythru ar y loced ? '

' Dyn ydi o, ia—yn cario rwbath yn ôl i olwg. Pwy ydi o,
Richard ?'

' Sant Christopher—nawddsant teithwyr. Meddwl yr o'n i,
gan i fod o wedi glynu wrthon ni ddydd Sadwrn, y bydda'n
eitha peth i chi gael i gwmni o ymhellach.'

' Dydw i ddim wedi cael anrheg er pan o'n i'n enath.'

' Fydda Harri Lloyd ddim yn prynu i chi ?'

' Doedd Harri ddim yn credu mewn prynu er mwyn prynu.'

' Ond nid dyna ydi o. Plygwch eich pen.'

Gwyrodd Katie ei phen. Teimlodd ei fysedd yn cyffwrdd yn ysgafn â'i gwar wrth iddo fachu'r gadwen.

' Dyna chi. Mae hynna'n haeddu cusan mi 'dw i'n siŵr.'

' Na, Richard, mae nyddia cusanu i drosodd.'

' Does 'na neb yn rhy hen i gusan.'

Llithrodd ei wefusau dros ei boch a phrin gyffwrdd â'i gwefusau hi. Daliodd Katie ei chorff yn dynn. 'Feiddiai hi ddim ymateb ; 'feiddiai hi ddim. Gyda theimlad oedd yn gymysgfa o ryddhad a gofid y gwyliodd hi Richard yn symud yn ôl i'w gadair.

' A rŵan, mi 'dw i am eglurhad.'

' Ar be ?'

' Cit, Cit, mi wyddoch yn iawn. Be oedd ystyr y lol 'na wrth y drws gynna a pham roeddach chi'n deud fod y Sadwrn yn bechod a be ydi'r gosb sy'n rhaid i chi i diodda ?'

' Fedra i ddim atab y cwbwl yna ar un gwynt.'

' Mae gen i ddigonadd o amsar. Oes wnelo hyn i gyd rwbath â Harri Lloyd ?'

' Mae wnelo fo'r cwbwl â Harri. I gyfarfod o mewn priodas ffrind imi wnes i—roedd o'n perthyn i'w gŵr hi. Ugain oed o'n i ar y pryd. Roedd taid wedi marw ers blynyddoedd a doedd 'na ond nain a finna. Fedrais i rioed gymryd ati na hitha ata i. Mi fyddwn yn fy elfan yn mynd yn groes iddi ac mi ddechreuais gadw cwmni drwg yn unswydd er mwyn i phoeni hi. Doedd 'na ddim dal arna i ac mi fyddwn wedi mynd ar fy mhen i ddistryw oni bai am Harri. Mi gymrodd fi mewn llaw, fy mhriodi i, a dod â fi yma. Mae arna i'r fath ddylad iddo fo.'

' Ond mae honno wedi'i thalu bellach, siŵr o fod.'

' Thala i byth mo'ni hi. A be ydw i'n i 'neud, rŵan mod i wedi cael i gefn o ?'

' Be, Cit ?'

' I siomi a'i wadu o ; poeri gwawd arno fo. Ar fy mhen i ddinistr yr â i os y meiddia i i groesi o ragor.'

' Ond dydi o ddim yma bellach, Cit.'

' Mi fydd efo fi am byth. Mi ddwedodd hynny i hun, efo'i anadl olaf. Glywsoch chi'r storm nos Sul ?'

' Naddo, dim ond clywad amdani.'

' Mi ddylias yn siŵr mai barn oedd wedi disgyn arna i. Ond
dim ond rhybudd oedd o, o'r gosb sy'n fy aros i.'

' Storm oedd hi, Cit.'

' Wyddoch chi y gall barn daro rhywun yn farw gelan ?'

' Na wn, a chreda i mo'no fo chwaith. Be 'dach chi'n bwriadu
i 'neud, felly—eich cau eich hun yn y tŷ am byth, fel Madge
Parry ?'

' Be arall fedra i i 'neud ? Dydw i ddim yn dryst.'

Dilynodd Richard rediad llygaid Katie ac aros ar yr wyneb
yn y llun ar y seidbord.

' Os gall dyn marw 'neud hyn i chi, be allodd o i 'neud i chi
pan oedd o'n fyw ?'

' Dydach chi ddim yn deall, Richard.'

' Nag ydw, nac eisia deall chwaith. Does gen i ddim diddor-
dab yng ngweddw Harri Lloyd, dim ond yn Cit o Lanelan.
Adawa i ddim i chi gladdu'ch hun yn y tŷ 'ma. Mi 'dw i'n
mynd yn ôl i weithio rŵan, ond peidiwch â meddwl eich bod
chi wedi cael fy ngwarad i. Does gen i ddim ofn 'r un adyn
byw, heb sôn am ddyn marw. Mi ollynga i fy hun allan.'

' Na, mi fedra i 'neud hynny.'

Chwarddodd Richard, ond arhosodd Katie'n fud.

Pan oedden nhw yn y lobi, meddai Richard—

' Be oedd y sŵn 'na ?'

' Y dyn bach drws nesa mae'n debyg. Mae o wedi bod yn
pesychu'n ddi-baid ers dyddia. Mi ddylwn alw yno, ond mi
'dw i'n un wael am fynd i dai.'

' Liciach chi i mi fynd yno ?'

' Fydda'n ddim ganddi hi gau'r drws yn eich wynab chi.'

' Mi 'dw i wedi profi y galla i drin hynny. Mi alwa i yno
rŵan. Wyddoch chi ble rydw i am fynd â chi Sadwrn nesa ?
I fyny'r Wyddfa.'

' Na, fedra i ddim, Richard.'

' Mi gewch drên i'ch cario chi'r holl ffordd.'

' Nid dyna o'n i'n i feddwl.'

' Be arall allach chi i feddwl ? Mi adawa i iddo fo ofalu
amdanoch chi tan hynny.'

' Pwy ?'

' Sant Christopher. Roedd yr hen greadur wedi pechu ac
yn gorfod cario teithwyr dros yr afon. Fe ddaeth y plentyn

'ma ato fo i gael i gario ac mi fuo ond y dim iddo fo a methu i gneud hi i'r ochor arall, y pwysa oedd yn y cog bach. Pwy ddyliach chi oedd o ?'

' Dim syniad.'

' Crist, meddan nhw. Ac wrth i gario fo roedd yr hen begor wedi cario holl bechoda'r byd ar i sgwydda.'

Safodd Katie yn y cyntedd nes iddo fynd drwy'r giât. ' Mi fydda i'n ôl,' gwaeddodd, o'r ffordd. Caeodd Katie'r drws ar fyrder. Wrth iddi fynd drwy'r gegin cadwodd ei llygaid ar y pared gyferbyn er mwyn osgoi'r llygaid yn y llun. Ond gwyddai eu bod arni, yn ei dilyn bob cam ac yn dyst o'r gwrid ar ei hwyneb.

— 2 —

Nid oedd Eunice Murphy mewn hwyl i ddal pen rheswm efo neb a'r olaf yr oedd eisiau ei weld wrth ei drws oedd Richard Powell. Yn ystod y tridiau ers y Sadwrn ni allodd gael o'i chof y darlun ohono'n sefyll, yn llydan a herfeiddiol, yn wyneb yr haul. Wrth iddi gymell ychydig o fwyd llwy i Brian a gwylio'i ymdrech i geisio'i lyncu gallai weld y pen melyn wedi ei daflu'n ôl a chlywai, drwy'r peswch cras, y chwerthin powld yn llenwi'r awyr.

Storman o ddynas, meddyliodd Richard, pan ddaeth hi i'r drws. Ond storman ifanc, ddel er hynny. Crwydrodd ei lygaid, o hen arfer, at y bronnau llawnion a chael ei atgoffa o Rosie a nosau nwydwyllt y Nag's Head.

' Ia ?' yn frathog.

' Galw dros Katie Lloyd y drws nesa yr ydw i—meddwl fod 'na rwbath y gallwn ni i 'neud.'

' Fel be ?'

' I'ch helpu chi. Y gŵr sy'n cwyno, ia ?'

' Mymryn o annwyd.'

' Katie Lloyd oedd yn poeni—i glywad o'n pesychu'n ddi-stop medda hi.'

' Brest wan sydd ganddo fo.'

' Liciach chi imi ofyn i'r doctor alw ?'

' Mi fedra i i alw fo fy hun os bydd angan.'

' Dim ond meddwl, gan eich bod chi'n ddiarth. 'Dach chi'n siŵr nad oes 'na ddim byd . . .'

' Yn berffaith siŵr.'

' Os byddwch chi angan rwbath, mi wyddoch b'le i nghael i.'

Whiw, doedd hon ddim am roi llawer. Ond mae'n siŵr, ond i rywun ddyfalbarhau, fod yr hyn oedd 'na i'w gael yn werth yr egnïo. A go brin fod gan y llipryn dyn a welsai Richard yn cwmanu am ei waith un bore, wedi ymlâdd cyn dechrau, fawr i'w gynnig iddi.

Penderfynodd Richard fynd ar ei union am Danyclogwyn lle roedd o ar ganol gosod silffoedd i ryw Mrs. Jones—gwaith y gallai ei gŵr ei wneud oni bai fod ganddo ddwy law chwith. Gorau oll, ran'ny ; roedd silffoedd yn well na dim ac efallai, ond iddo seboni dipyn, y câi ragor o waith ganddi cyn pen yr wythnos.

Cafodd y teimlad, wrth iddo adael tŷ Eunice, fod rhywun yn ei wylio. Edrychodd tua'i dŷ ei hun. Na, neb. Gwen Ellis, wrth gwrs—pwy arall ? Cododd ei olygon at ffenestr llofft y tŷ pellaf. Ia, dyna hi, a'i thrwyn ar y gwydr. Roedd o'n syndod na fyddai'r hen fuwch wirion wedi syrthio drwodd bellach wrth geisio crafangio i weld popeth. Cododd ei fawd arni cyn brasgamu i lawr y stryd fawr dan chwibanu.

— 3 —

' Pwy oedd 'na, Eunice ?' holodd Brian, yn floesg, o'r gegin.

' Richard Powell drws nesa ond un.'

' Be oedd o isio ?'

' Dod i holi'n dy gylch di am wn i.'

' Chwara teg iddo fo. Pam na fasat ti'n gofyn iddo fo ddwad i mewn ?'

' Mi fedrwn 'neud heb i help o.'

' Mi fyddwn i wedi licio cael sgwrs. Lle wyt ti'n mynd rŵan ?'

' Dim ond i glirio dipyn.'

' Gad o. Tyd i ista efo fi.'

Ar ei heistedd yr oedd hi wedi bod drwy'r dydd, ac ers dyddiau ran'ny. Bob tro y gwnai osgo i godi byddai Brian yn ymbil arni aros efo fo. Dim ond picio i'r siop ac yn ôl gafodd hi ddoe a hyd yn oed wedyn roedd o'n ei gweld hi'n hir. Ond roedd hi'n braf cael dianc o sŵn y peswch, petai ond am rai munudau. Rhag ei chywilydd hi, yn meddwl y fath beth. Dim ond gwrando oedd raid iddi hi. Corff Brian oedd yn cael ei sgytio a'i gam-drin. Aeth i'r gegin ato.

'Deud ro'n i y byddwn i wedi licio cael sgwrs efo Mr. Powell.'

'Fyddi di ddim gwell o gael sgwrs efo hwnna. Mi 'dw i'n meddwl fod i wraig o'n un o fil yn i gymryd o'n ôl.'

'Mae'n siŵr fod ganddo fo'i resyma.'

'Dwyt ti rioed yn dal 'dano fo ?'

'Dim ond trio bod yn deg. Mae 'na ddwy ochor i bob stori.'

Cofiodd Eunice fel y bu i Gwen Ellis ddweud wrthi nad oedd Lena Powell fawr o gop chwaith a'i fod o'n cael trafferth byw efo hi. Dynes berig oedd y Gwen Ellis 'na, yn barod i groes-hoelio unrhyw un. Ond roedd yn rhaid iddi hi hyd yn oed gael pen llinyn i dynnu arno. I be oedd y dyn Powell 'na eisiau dod yma i fusnesa a thrio rhoi allan mai Katie Lloyd drws nesaf oedd wedi ei anfon ? Roedd honno ymhell o fod yn analluog yn ôl a welsai hi fore Sadwrn. Gobeithio yr oedd o, efallai, y câi ychwanegu ei henw hi at restr ei fuddugoliaethau. Ond roedd o wedi taro'n anlwcus y tro yma. Beth bynnag oedd Brian yn ei ddweud, lle dychrynllyd oedd Minafon a'r peth gorau allai hi ei wneud oedd cadw'n glir â nhw i gyd. Gallai Brian a hithau fyw yma i'w gilydd, ac ar wahân i bawb, unwaith y câi hi wared â'r ddau o'r drws nesaf. Wedi iddi setlo'r rheini câi'r arbenigwyr i mewn i drin y waliau. Ni fyddai fawr o dro wedyn yn ail-bapuro ac yn gwneud y tŷ'n batrwm o glydwch iddyn nhw'u dau fach fel na fydden nhw angen neb na dim.

'Am be wyt ti'n meddwl ?' holodd Brian.

'Amdanom ni—mor lwcus ydan ni o'n gilydd.'

Gafaelodd yn ei law a'i rhoi i orffwys ar ei bron. Roedd arni gymaint o'i eisiau. Wrth iddo wyro ymlaen i'w chusanu cafodd bwl ffyrnig o beswch. Sychodd Eunice y chwys oddi ar ei wyneb efo cornel ei ffedog.

'Be ydw i'n da iti fel'ma, Eunice ?' meddai.

'Mi wyt ti'n werth y byd.'

'Mi 'dw i d'isio di. Mi wyt ti'n gwybod hynny ?'

' Ydw. Does 'na ddim brys. Mae ganddon ni beth hydoedd o amsar ; oes gyfa efo'n gilydd. Wyt ti'n meddwl y gelli di fyta rwbath rŵan ?'

' Na, dim ond panad.'

Yn y cefn, allan o olwg Brian, cafodd Eunice yr hyn fyddai hi'n ei alw'n ' grei bach ' a'i helpodd i allu rhannu poen ei gŵr am fin nos arall.

— 4 —

Roedd Gwen Ellis wedi dechrau gwangalonni'r prynhawn Mawrth hwnnw o weld pethau mor ddistaw a disymud. Ofnai fod yr hyn yr oedd hi â'i llygad arno wedi digwydd nos Lun rhwng dyfodiad a mynediad Dei. Bu'n ymarhous iawn yn cychwyn am y Queens. Roedd 'na, wrth gwrs, ffordd gefn fyddai'n apelio at bechaduriaid oedd â rhywfaint o gydwybod ond go brin y byddai'r pechaduriaid yr oedd hi â'i llygad arnyn nhw yn dewis manteisio ar honno. Roedden nhw wedi 'sbyddu'r ychydig gydwybod oedd ganddyn nhw fore Sadwrn.

Ar godi i ystwytho'i chymalau yr oedd hi pan welodd Richard Powell yn dod i fyny Minafon, yn cerdded heibio i'w dŷ ei hun, a thrwy giât rhif pump. Roedd hi'n iawn, felly, doedd y Sadwrn yn ddim ond tamaid i aros pryd. Ac fe barodd y pryd hwnnw'n hwy nag yr oedd hi wedi'i obeithio hyd yn oed. Faint bynnag o bechu oedd wedi bod ym Minafon ar hyd y blynyddoedd doedd neb wedi bod mor awyddus i'w daenu ar goedd, tan rŵan. A doedd 'na neb erioed wedi cadw tŷ drwg yma er bod 'na ryw bethau go ryfedd yn hel at y ddynes fu'n byw yn y drws nesaf ond un. Ond yn y nos y deuai'r rheini, yn dawel a llechwraidd fel 'stlumod, ac ni fu'r ddynes yma'n ddigon hir i roi enw drwg i'r lle. Pwy fyddai'n meddwl mai Katie Lloyd fyddai'r gyntaf i hel dynion i'w thŷ, a hynny liw dydd golau ?

Wrth iddo adael rhif pump roedd Dic Pŵal wedi gweiddi rhywbeth ar Katie Lloyd. Petai'r ffenestr yn agored byddai wedi gallu dal y geiriau ond ofnai gael drafft i'w chefn cyn i'r eli gael chwarae teg. Cyn gynted ag yr oedd wedi cau un giât o'i ôl, roedd o'n agor un arall. Aeth o ddim pellach na'r drws yn fan'no, ond fe fu yno sbel go dda, geg yn geg efo'r ddynes

Murphy 'na. Y nefoedd fawr, roedd o'n gythral o ddyn. Os oedd o fel'ma liw dydd, o fewn tafliad carreg i'w gartref, sut roedd o yn y tywyllwch, allan o'i gyrraedd ?

Gwyrodd Gwen ymlaen er mwyn gwneud yn siŵr o'i symudiad nesaf. Roedd o wedi mynd heibio i'w dŷ ei hun pan safodd yn stond ar ganol y ffordd a chodi'i fawd. Pa un ohonyn nhw oedd yn y ffenestr, tybed ? Y ddwy, efallai. Roedd y dyn yn gwneud ati i fod yn herfeiddiol. Ond os oedd o wedi colli'i gymeriad, fe ddylai gysidro fod gan rai o bobl Minafon— ychydig ar y naw erbyn hyn—gymeriad i'w gadw. Buan iawn yr âi'r stori ar led. Roedd 'na rai fyddai yn eu helfen yn trin budreddi. Byddai merched y topiau, oedd yn dal i wneud eu rhaid i'r afon ac yn cenhedlu fel cwningod, eu plant yn gymysgfa o wahanol dadau, wrth eu boddau yn cael tynnu Minafon i lawr beg neu ddau. Ond doedd ganddi hi ddim byd i'w ofni, ran'ny. Roedd ei chymeriad hi fel y carlwm.

Pwysodd Gwen yn ôl yn ei chadair. Gallai fforddio ymlacio rŵan. Ni chawsai brynhawn mor broffidiol erioed ac fe wnâi iddo dalu ar ei ganfed.

— 5 —

Gan ei fod yn pasio heibio i ddrws cefn Mati Huws penderfynodd Richard alw i mewn. Ni welsai Mati er pan ddaethai'n ôl i Finafon ac nid oedd am iddi feddwl ei fod yn ceisio'i hosgoi. Er nad oedden nhw erioed wedi bod yn glos—roedd hynny'n amhosibl a Lena'n sefyll rhyngddyn nhw—doedd hi ddim yn ddrwg fel roedd mamau-yng-nghyfraith yn mynd. Gallai fod yn eitha clên weithiau os oedd o'n ddigon lwcus i allu ei thoddi.

Wrthi'n hwylio te yr oedd Mati. Eisteddodd Richard wrth y bwrdd a llygadu'r deisen afalau, yn awchus.

' Mi 'dach chi wedi cael te mae'n debyg, Richard.'

' Na, ddim eto. Ar fy ffordd i Danclogwyn yr ydw i—ar ganol joban.'

' Petha wedi pentyrru tra buoch chi i ffwrdd ?'

' Ia.'

' Waeth imi heb â chynnig dim i chi, i ddifetha'ch te.'

Fel mam i Lena dyla un ai droi tu min arno neu ei anwy-byddu mae'n debyg. A dyma hi, yn tynnu arno ac yn ei herian. Ond roedd hi'n anodd bod yn gas efo fo ac ni fyddai Lena ronyn mwy diolchgar iddi am ochri efo hi. Torrodd ddarn o deisen iddi ei hun.

'Chi wnaeth honna, Mati ?' holodd Richard.

'Ia. Newydd i thynnu hi o'r popty yr ydw i.'

'Does 'na ddim byd tebyg i deisan fala.'

'Nagoes. Ylwch, waeth i chi ofyn ddim.'

'Dyna o'n i am i 'neud nesa.'

'Helpwch eich hun iddi hi. Mi 'dach chi'n hen law ar hynny.'

Cil-edrychodd arni, ei ben ar un ochr, fel hogyn bach wedi ei ddal yn gwneud drwg.

'Allan â fo, Mati.'

'Be, felly ?'

'Beth bynnag sydd ganddoch chi i'w ddeud wrtha i.'

'Be sy'n gneud i chi feddwl fod gen i rwbath i'w ddeud ?'

'Mi wnes gythral o stomp o betha, yn do ?'

'Do. Be oedd ar eich pen chi, Richard ?'

'Wn i ddim. Ysgafn ydi o, debyg—hawdd i droi.'

'Mi wyddoch gystal â finna nad ydi hynny ddim yn wir.'

'Gwn. Does gen i ddim eglurhad. Llithro i'r peth wnes i.'

'A chitha'n ddyn yn i oed, beth bynnag am i synnwyr. Mi 'dach chi wedi i gneud hi efo pobol y lle 'ma ac mae mam yr enath 'na am eich lladd chi fel 'dw i'n dallt.'

'Syniad Lis oedd o—mynd i ffwrdd fel'na.'

'Dydach chi ddim yn disgwyl i bobol gredu hynny ?'

'Ydach chi'n credu ?'

'Mae o'n bosib, mae'n debyg. Ond be sy'n mynd i ddigwydd rŵan ? Does 'na ddim pentwr gwaith, yn nagoes ?'

'Nagoes. Ond fe ddaw 'na rwbath.'

'Mae'n rhaid eich bod chi'n meddwl yn dda o bobol, Richard.'

'Nag ydw. Gas gen i'r diawliaid.'

'Meddwl uchal ohonoch eich hun sydd ganddoch chi felly ?'

'Ia, mae'n debyg. Dydw i rioed wedi methu. Ydach chi wedi darfod ?'

'Darfod be ?'

' Deud y drefn wrtha i.'

' Fe wnaethoch beth creulon, Richard. Beth bynnag ydi Lena, dydi hi rioed wedi edrych ar ddyn arall.'

' Biti na fydda hi.'

' Er mwyn rhoi leisans i chi fod yn anffyddlon ?'

' Er mwyn imi allu anadlu.'

Torrodd Richard ddarn helaeth arall o'r deisen. O, wel, arni hi roedd y bai yn ei gymell i'w helpu ei hun. Nid oedd angen gwneud hynny efo Richard. Ond y perig oedd iddo'i helpu ei hun un waith yn ormod. Ni allai ffawd wenu arno am byth.

' Mi fyddwch yn ofalus, Richard.'

' Mi 'dw i bob amsar.'

Roedd o'n amhosibl. Ac roedd hithau wedi gadael iddo'n rhy hir i allu gwneud dim o werth rŵan ; wedi meddwl amdano ar hyd y blynyddoedd fel hogyn mawr wedi gor-dyfu. Ond nid hogyn mohono ac nid oedd pen cam a winc ac osgo ' wna i byth eto ' yn mynd i'w achub.

Yna, roedd o'n adrodd hanes y Sul efo Hyw Twm a hithau'n chwerthin. Ond hyd yn oed yn yr hwyl hwnnw ni allai Mati gael gwared â'r ofn oedd yn llercian yng nghefn ei meddwl— rhyw ddarogan oer fod cwymp Richard Powell yn nes nag oedd neb yn ei feddwl.

Wedi i Richard fynd, cofiodd Mati na fu iddi sôn wrtho am y nodyn a ddaethai oddi wrth Gwyneth yn dweud iddi orfod gadael Minafon ben bore ac yn gofyn peth rhyfedd iawn— gofyn tybed a wnâi hi, Mati, gadw unrhyw lythyr a ddeuai yma. Fe anfonai ei chyfeiriad o hyn i ben yr wythnos fel y gallai Mati ailgyfeirio'r llythyrau a'u hanfon ymlaen iddi. Teimlai Mati'n ddig o gael ei defnyddio. Nid oedd am ragor o helynt efo Lena.

Rhyfedd na fyddai Richard wedi crybwyll y peth. Ond roedd o'n rhy glwm wrth ei bethau ei hun. Be ddwedodd Lena, hefyd ? O, ia, dweud na fyddai gan Richard ddewis ond cytuno efo hi. Doedd hi rioed wedi . . na, ni adawai ei hunanfalchder iddi ymostwng i hynny. O, drapia unwaith, roedd hi wedi cael llond bol ar y busnes. Nid oedd ei chefn-ogaeth hi wedi golygu fawr i Gwyneth os gallodd hi adael mor ffwr-bwt, heb daro'i phen i mewn hyd yn oed. Roedd hi'n llawer haws byw iddi ei hun a thynnu ar yr atgofion oedd ganddi.

Gafaelodd yn nodyn Gwyneth oddi ar y cwpwrdd, i'w roi o'r golwg yn y drôr. Wrth iddi ei wthio'n ôl i'r amlen gwelodd fod rhywbeth wedi ei sgriblo ar du mewn y llabed. Llun saeth ar dro oedd o ac oddi tano'r geiriau—' Daliwch i gredu.'

DYDD GWENER, MEHEFIN Y 9FED

— I —

Cyrhaeddodd yr ail nodyn oddi wrth Gwyneth fore Gwener, yn cynnwys ei chyfeiriad, rywle yng nghyffiniau Caer, cofion chwilboeth a'r un saeth ar dro. Croesodd Mati'r ysgrifen ar yr amlen a ddaethai i Gwyneth a rhoi'r cyfeiriad newydd uwch ei ben. Gwesty oedd o, yn ôl yr enw. Gweithio yno yr oedd hi mae'n siŵr ; ni allai fforddio aros mewn gwesty. Ta waeth, ran'ny, go brin y clywai ragor oddi wrthi na chael gwybod chwaith beth ddigwyddodd yn y Coleg ddechrau'r wythnos. Ond ni ofynnai i Lena petai hi heb wybod byth.

Aeth allan yn unswydd cyn cinio i bostio'r llythyr. Roedd o'n amlwg yn golygu llawer i Gwyneth. Ni fu erioed mor chwannog i roi gair ar bapur.

Ar ei ffordd yn ôl o'r Post yr oedd hi pan welodd Pat yn pwyso yn erbyn giât y ffrynt a'r babi ar ei braich. Roedd hwnnw'n crio, fel arfer. Ni welsai Mati ddarlun mor ddigalon ers amser. Ysai am gael mynd i'r tŷ o'u golwg ond byddai angen calon o haearn i allu anwybyddu'r fath drueni. P'run bynnag, roedd Pat yn galw arni. Aeth at y giât.

' Oeddach chi f'isio i, Pat ?'

' Wnewch chi rwbath i mi ?'

' Wel, gwnaf os medra i.'

' Isio picio i'r siop yr ydw i.'

' Mi â i yno yn eich lle chi.'

' Na, mae'n rhaid i mi fynd. Isio newid dillad. Maen nhw'n rhy fach iddo fo—y babi.'

' Am i mi gadw golwg arno fo yr ydach chi ?'

' Os gnewch chi.'

Nid oedd ganddi fawr o awydd cyffwrdd yn y babi. Roedd wedi llwyddo i gael mwy o'i frecwast y tu allan i'w geg nag ynddi ac roedd hyd yn oed ei flew llygaid yn gremst ohono. Pan gymrodd hi o yn ei breichiau sylwodd fod ei glwt yn wlyb a hwnnw'n socian drwodd i'r siwt gysgu byg oedd amdano. Ond roedd Minafon yn gyfleus i'r siopau a siawns na fyddai Pat yn ei hôl mewn chwarter awr ar yr hwyaf.

' Mi â i â fo i'r tŷ efo fi. Galwch amdano fo.'

Ceisiodd ddal y babi hyd braich oddi wrthi rhag iddi
wlychu'i dillad. Wedi iddi fynd i'r tŷ rhoddodd ddarn o hen
flanced ar lawr a rhoi'r babi i orwedd ar honno. A gan ei fod
yn dal ati i gecian aeth ar ei phengliniau ar lawr i'w ddiddanu.
Ceisiodd gofio sut y byddai hi'n difyrru ei phlant ei hun ond
hyd y cofiai nid oedd fawr o waith difyrru dim ond iddyn
nhw gael beth bynnag yr oedden nhw'n ei fynnu ar y pryd.
Ond nid oedd ganddi ddim i'w gynnig i hwn. Canolbwyntiodd
ar dynnu wynebau a mwmian canu i'w gadw cyn daweled ag
oedd bosibl nes y deuai Pat yn ei hôl.

Aeth un chwarter awr heibio ; yna un arall. Cododd Mati'n
drafferthus a mynd i'r drws ffrynt i edrych a welai Pat yn dod ;
yna i'r gornel, lle gallai weld i'r stryd fawr. Roedd honno'n
llawn prysurdeb bore Gwener ond darfyddai'r bwrlwm yno
ac roedd y pwt ffordd rhyngddi a Minafon yn wag. Clywodd
Mati'r babi yn sgrechian a rhuthrodd yn ôl ato. Rhoddodd
hen oferôl amdani a'i godi. Roedd ei siwt gysgu cyn wlyped â
phetai wedi ei godi o'r afon. Cerddodd hyd a lled y tŷ dan
fwmblan pethau gwirion yn ei glust. Fe'i daliodd yn edrych
arni a'i ben ar osgo, fel petai'n gofyn—' Wyt ti'n gall d'wad ? '
a bodlonodd ar gerdded yn unig. A dal i gerdded yr oedd hi
pan glywodd y cloc yn taro un.

Bu'n rhaid iddi roi'r babi i lawr gan ei bod hi â'i thafod
allan eisiau paned. Penderfynodd ferwi ŵy iddo—nid oedd
fawr o ddrwg yn hwnnw—ac efallai y byddai'n fodlon yfed
llefrith, ond iddi ei ferwi gyntaf, i fod yn saff. Daliodd ymlaen
i grio tra roedd hi'n paratoi'r bwyd a'r diod ac wedyn, rhwng
llwyeidiau, nes ei fod o'n poeri'i hanner yn ôl am ei ben ei hun
a hithau. Prin y cafodd amser i lyncu paned a rhoddodd i
fyny'r gobaith o gael tamaid i'w fwyta nes bod y babi wedi'i
ddigoni, pryd bynnag fyddai hynny.

Hen dro shabi oedd dili-dalio fel'ma a'i gadael hi'n dal
y babi. Roedd hi'n amhosibl gwneud cymwynas heb i rywun
gymryd mantais. Ond dyna fo, roedd hi wedi amau, pan
alwodd Pat i fenthyca siwgwr, mai fel'ma y byddai hi. A'i
chamgymeriad hi oedd rhoi modfedd iddi. Byddai'r siopau
i gyd wedi cau i'w hawr ginio rŵan. Lle aflwydd allai'r eneth
fod ?

131

Roedd Pat wedi gadael y dref ac yn cerdded yn ddiamcan ar y cyrion. Tynnodd lori i fyny wrth ei hymyl a gwaeddodd y gyrrwr drwy ffenestr y cab—' Isio lifft, cariad ?'

Ysgydwodd Pat ei phen ac aeth y lori ymlaen. Y munud nesaf roedd hi'n difaru iddi wrthod. Nid oedd dim yn galw ar y Mrs. Huws 'na a gallai fforddio awr neu ddwy reit hawdd. Biti na allai hi fod wedi gadael potel a chlwt glân i'r babi, ond byddai hynny wedi taro'n od a hithau ddim ond am bicio i'r siop. Nid oedd ganddi unman i fynd na neb i fynd ato nac ati ond daliodd ymlaen i gerdded. Y cyfan a wyddai oedd fod yn rhaid iddi fynd cyn belled ag oedd bosibl oddi wrth y babi er mwyn cael ei sŵn o'i chlustiau. Llosgai ei boch, lle roedd Les wedi ei tharo, a rhoddodd ei llaw arni i'w hoeri. Doedd dim rhaid iddo fod wedi troi arni fel daru o. Roedd o wedi bod mor amyneddgar, y misoedd cyntaf wedi iddyn nhw briodi, ac mor ffeind efo hi. 'Tria eto,' meddai, a sefyll uwch ei phen nes ei bod hi'n ei gael o'n iawn. Ond nid oedd fymryn gwell y tro wedyn—yn ailadrodd yr un camgymeriadau, drosodd a throsodd. Roedd 'na derfyn ar amynedd y gorau o ddynion ac ni allai ddisgwyl i Les roi ei amser i gyd iddi hi. 'Fedrai hi ddim cwyno ; roedd o wedi rhoi ar ddeall iddi o'r dechrau ei fod eisiau teulu mawr. Hithau'n cytuno ac yn dweud y rhoddai fabi iddo bob blwyddyn. Ond ni wyddai bryd hynny y byddai geni babi'r fath boen a'i fagu'r fath straen. Ond byddai merched eraill yn geni ac yn magu heb drafferth yn y byd. Arni hi yr oedd y drwg. Fe wnaeth Les yn iawn i'w tharo. Roedd hi'n haeddu cweir go iawn.

Daeth fan o gyfeiriad Trefeini, ac aros. Roedd rhywbeth yn gyfarwydd yn wyneb y gyrrwr er na allai roi enw arno.

' Chi sy'n byw ym Minafon, ynte ?' meddai.

' Ia.'

' Ro'n i'n ama braidd. Richard Powell ydw i. Mi 'dw i'n byw yn rhif pedwar. Mi 'dw i'n cymryd mai disgwyl reid yr ydach chi.'

' Ia.'

' Dowch i mewn 'ta. Ers faint yr ydach chi'n byw ym Minafon ?'

' Chwech wythnos.'

' Rydw inna wedi bod oddi cartra'n gweithio. Dim rhyfadd ein bod ni'n ddiarth i'n gilydd. Ydach chi am fynd ymhell ?'

' I'r dre nesa.'

' Mi 'dach chi'n lwcus. Yno rydw inna'n mynd—i'r iard goed. Mae 'na ugain milltir go dda o fan'ma.'

Ceisiodd Richard ei orau dynnu sgwrs efo hi, a methu. ' Ia ; nace ; do ; naddo' oedd y cwbwl.

' 'Dach chi'n smocio ?'

' Na.'

' Gymrwch chi un i drio ?'

' Plîs.'

Taniodd un a'i hestyn iddi. Tynnodd hithau'n wancus ynddi a thagu ar y mwg. Cofiodd Richard iddo ei gweld yn gwthio pram a holodd hi am y babi. Roedd o efo ffrindiau, meddai hi. Hogyn, felly ? Ia. Merch oedd ganddo fo, tua'r un oed â hi mae'n debyg. Yn y coleg. A'i gŵr—be oedd o'n ei wneud ? Yn y banc. Job dda, gyfrifol. Ia. A phosibiliadau ynddi ; cyfle i ddringo, i'w wella ei hun. Ia. Rhoddodd Richard y gorau iddi a chanolbwyntio ar ei chael hi i'r dref gynted ag oedd bosibl.

— 3 —

Pan ddychwelodd Emma Harris o'i chinio y prynhawn Gwener hwnnw roedd nodyn ar ei desg yn gofyn iddi alw i mewn i weld Mr. Jones Davies ar y cyfle cyntaf.

' Mi 'dach chi'n hwyr,' meddai Gladys Owen.

' Dim ond pum munud.'

' Mae pob pum munud yn cyfri.'

' Fy oriawr i sydd ar i hôl hi.'

' Mi fydda i'n gosod f'un i efo *Big Ben* ar ddechra *News at Ten*.'

Sylwodd Emma fod y fasged sbwriel yn llawn o gydau papur a'r mat o dan y ddesg fawr a rannai'r ddwy yn blastar o friwsion. Aeth drwodd i'r cyntedd i nôl brws a rhaw.

' Mae Mr. Jones Davies yn aros amdanoch chi.'

' Mi gaiff aros. Mi fydda'n dda gen i 'taech chi'n peidio byta yn y swyddfa 'ma, Gladys.'

' Mae hynny'n eich poeni chi, ydi ?'

' Ydi , mae o.'

' Fydd dim rhaid i chi i ddiodda fo lawar rhagor.'

' Mae'n dda gen i glywad.'

Wedi iddi wagio'r rhaw a'r fasged i'r bin yng nghefn y swyddfa aeth i weld Jones Davies. Er bod ei ddesg yn dryblith o bapurau, dal ei ddwylo yr oedd o. Edrychodd ar ei oriawr pan aeth hi i mewn.

' Steddwch, Miss Harris.'

Roedd pob cadair yn drwm o lyfrau a phapurau a bu'n rhaid iddi symud pentwr er mwyn cael lle i eistedd. Gallai deimlo ei lygaid arni wrth iddi blygu i roi'r llyfrau ar lawr. Gofalodd dynnu ei sgert yn isel dros ei chluniau wrth eistedd.

' Newydd drwg sydd gen i i chi, mae arna i ofn.' Heb edrych arni. ' Mi fedrwch ddyfalu beth ydi o, mae'n siŵr.'

' Na fedra i wir.'

' Rŵan, Miss Harris, peidiwch â gwneud pethau'n anodd imi. Mi 'dw i'n siŵr nad oes raid imi sôn wrth ferch ddeallus fel chi am bethau poenus fel chwyddiant a chostau rhedeg busnes fel hwn. Fedra i ddim fforddio colli Mr. Clark, wrth gwrs—mae 'na addewid mawr yn y bachgen—ac mae gan Robert Jones ei deulu bach i'w gadw. A gan mai Miss Owen oedd yma gynta, does gen i fawr o ddewis . . .'

' Ond rhoi'r sac imi.'

' Fyddwn i ddim yn i roi o fel'na.'

' Sut 'ta ?'

' Dydi cysylltiadau'r gair sac ddim yn rhai hapus iawn. Ond rydw i'n hyderu y byddwn ni'n gwahanu ar delerau da.'

' Fe roddodd eich tad i air imi y cawn i aros yma.'

' Fy nhad oedd hwnnw, Miss Harris. Maddeuwch imi am ddweud, ond perthyn i'r hen oes roedd 'nhad ac wedi sefyll yn ei unfan ers chwarter canrif a rhagor. Mi 'dw i'n gobeithio gwneud rhai gwelliannau o gwmpas y lle 'ma.'

' Fe ddaru'ch tad godi'r busnes yma o ddim. Mae gan bawb yn y dre air da iddo fo.'

' Oes, mi 'dw i'n siŵr. Ac mi 'dw i'n ddiolchgar i chi am bob cymorth roesoch chi iddo fo. Credwch fi, mae'n ofid calon gen i orfod gwneud hyn. Mi gewch dysteb o'r radd ucha gen i wrth gwrs.'

' A be wna i efo hwnnw—i fframio fo ?'

' Dydach chi ddim yn chwerwi tuag ata i gobeithio ?'

' Oeddach chi'n disgwyl imi roi 'mendith arnoch chi ?'

' Ro'n i'n disgwyl y byddech chi'n ddigon doeth i allu cydymdeimlo â fi yn wyneb sefyllfa mor anodd.'

' A phwy sy'n mynd i gydymdeimlo efo fi ? Mi ddois i i'r swyddfa 'ma yn syth o'r ysgol. Rydw i wedi gneud fy ngwaith yn gydwybodol ac wedi ymdrechu i ddod yma pan na fedrwn i prin sefyll uwchben fy nhraed. Ar wahân i un cyfnod, pan o'n i'n cwyno efo fy nerfa—ac fe ŵyr eich tad am yr ymdrech wnes i i'w concro nhw—dydw i ddim yn credu imi golli diwrnod.'

' Rydw i'n gwerthfawrogi hynny, Miss Harris. Ond rydach chi'n dal ar yr ochr orau i hanner cant ac mi 'dw i'n siwr y cewch chi waith arall heb unrhyw drafferth.'

' Yn gneud be—gweini yn Woolworths ?'

' Mae'n rhaid i rywun gymryd be sy'n dod heddiw. Fedrwn ni ddim fforddio bod yn fisi. Mi fydd ganddoch chi fis wrth gefn i chwilio am rywbeth. Rŵan, os gwnewch chi f'esgusodi i, mae gen i brynhawn prysur o 'mlaen.'

Dychwelodd Emma i'w hystafell. Syllodd Gladys Owen yn chwilfrydig arni. Rhythodd Emma'n ôl.

' Waeth i chi gael gwybod rŵan ddim—mi 'dw i wedi cael fy nghardia.'

' Doedd o ddim yn sioc, yn nag oedd ?'

' Nag oedd, ddim yn sioc. Ond mae rhywun yn dal i obeithio, i'r munud ola. Oes ganddoch chi gwd papur go fawr i'w sbario ?'

Palfalodd Gladys o gwmpas ei rhan hi o'r ddesg nes dod o hyd i glamp o gwd papur ar linyn.

' Wnaiff hwn y tro ?'

' Mi ddalith lai na'i lond.'

Roedd yn syndod cyn lleied o bethau oedd ganddi a hithau wedi bod yma am chwarter canrif. Ond roedd hi wedi gofalu twtio wrth fynd yn ei blaen a chael un glanhad iawn bob gwanwyn. Dyna sut y cawsai hi'r fath drefn ar bethau.

' Be 'dach chi'n i 'neud, Emma ?'

' Pacio.'

' Ond dydach chi ddim yn mynd odd'ma rŵan.'

' Ydw.'

' Rhaid i chi roi'ch notis.'

' Mae hwnnw wedi i roi imi, yn dydi ?'

' Ond mae ganddoch chi hawl aros mis.'

' Dyna un hawl y galla i 'neud hebddo fo.'

' Be ddeuda i wrth Mr. Jones Davies ?'

' Deudwch 'y mod i'n sâl.'

' Ydach chi ? Yn sâl, felly ?'

' Mae gen i ddigon o reswm dros fod.'

Taflodd y cyfan i mewn i'r bag, blith draphlith—y tro cyntaf erioed iddi fod mor esgeulus o'i phethau. Byddai'n difaru mewn amser mae'n debyg. Ond rŵan doedd o gythgam o ots ganddi.

' Os ydw i wedi gadael rwbath mi gewch chi i gadw fo, i gofio amdana i.'

' O, Emma, wn i ddim be i'w ddeud.'

' Be sydd 'na i'w ddeud ?'

' Mae'n ddrwg gen i. Ond hen fyd fel'na ydi o—pawb drosto'i hun.'

' A Duw dros rai.'

' Mae gen i mam i ofalu amdani. Mi fedar rhywun ymdopi'n haws ar i ben i hun.'

' 'Dach chi'n meddwl ?'

' Doeddach chi rioed yn disgwyl i *mi* fynd, yn eich lle chi ?'

' Dydw i'n disgwyl dim gen neb, Gladys. A 'chydig ar y coblyn ydw i wedi'i gael gen neb, erioed. A waeth i chi heb â snwffian rŵan. Mi fydd arnoch chi angan y dagra i chi'ch hun pan aiff y lle 'ma a'i ben iddo.'

' Dyna ydach chi'n i ddymuno inni ?'

' Ia, a bod yn onast. Da bo'ch chi, Gladys.'

Roedd urddas Emma Harris, wrth iddi adael swyddfa Jones Davies a cherdded y stryd fawr am Minafon, yn rhywbeth gwerth ei weld. Ond unwaith y cafodd hi'r tro, a stryd wag, aeth yr urddas hwnnw'n rhy drwm i'w gario. Prin y gallai hi ddal gafael yn y cwd papur.

Ar fynd i'r tŷ yr oedd hi pan glywodd Mati Huws yn galw i ofyn oedd hi wedi gweld Pat y drws nesaf yn rhywle. Ni chymrodd Emma arni ei chlywed. Gollyngodd ei hun i'r tŷ

a adawsai hanner awr ynghynt. Roedd pobman yn dawel—
dim canu ; dim crio. Gallai ei chlywed ei hun yn anadlu ac
roedd hwnnw'r sŵn mwyaf diobaith a glywsai erioed.

— 4 —

Roedd Mati'n y drws am y degfed tro pan welodd Eunice
Murphy yn cerdded amdani. Bwriadai ofyn iddi gadw golwg
am Pat ond prin y cafodd ateb i'w ' Helo.' Be oedd yn bod
ar bawb heddiw ? Doedd bosib nad oedd Emma Harris wedi
ei chlywed hi. Ond un oriog oedd honno, ran'ny—y cwbwl,
neu ddim.

Ni fu Minafon erioed yn lle cymdogol—dim picio i mewn
ac allan o dai fel y caech chi mewn rhai mannau'n y dref—
ond roedd yno, ar un adeg, ddigonedd o ddwylo parod pan
fyddai eu hangen. Ac er ei bod hi wedi damio pobl y lle i'r
cymylau lawer gwaith a hwythau, yn eu tro, wedi ei llambystio
hithau, gwyddai y gallai ddibynnu arnyn nhw pan âi pethau
i'r pen. Rŵan, fe allai rhywun drengi yn ei dŷ a gorwedd yno'n
gorff am ddyddiau heb i neb ei golli, ar wahân i Gwen Ellis,
wrth gwrs, ac ni fyddai'n ddim gan honno adael i rywun
orwedd yno, o ran sbeit.

Byddai'n dda calon ganddi gael gwybod b'le roedd y Pat
fach 'na wedi mynd a phryd y bwriadai ddod yn ei hôl. Aethai'r
babi i gysgu yn ei ludded ond ni pharodd ei gyntun ragor nag
ugain munud. Roedd o wedi maeddu'i glwt, yn ogystal â
gwlychu rhagor arno. Chwiliodd Mati mewn drôr am y bocs
napcynau—anrheg priodas gan fodryb Arthur oedd yn cadw
gwesty ym Mae Colwyn. Roedd hwnnw heb ei agor byth.
Roedd hi wedi gresynu llawer at y fath bethau di-fudd, yn
arbennig pan oedd hi'n dynn ar Arthur a hithau. Be fyddai
modryb Arthur yn ei ddweud petai'n gweld un o'i napcynau
lliain main am ben ôl babi ?

Roedd hi wedi anghofio pa mor ddrewllyd y gallai babi fod.
Ond tybed nad oedd hwn yn drewi mwy na'r cyffredin ?
Gollyngodd y clwt budr ar bapur newydd a'i lapio'n frysiog
cyn i'r arogl droi arni. Âi hi ddim i'w olchi reit siŵr. Roedd
hynny'n gofyn gormod. Ond fe fyddai'n syniad molchi tipyn
ar y babi fesul darn, gan roi sylw arbennig i'w wyneb.

137

Roedd yn syndod fel roedd y babi'n mwynhau'r driniaeth ac mor barod oedd o i gydweithredu, fel petai'n diolch am y cyfle o gael bod yn lân a sych. Nid oedd gofyn i'w fam fod gwilydd ohono o gwbwl. Go brin y gallai'r greadures fach honno fforddio troi ei thrwyn ar neb, ran'ny. Cofiodd Mati fel y bu iddi ddweud na allai oddef y babi. Roedd eisiau rhywun go wynebgaled i allu dweud hynny am ei blentyn ei hun. Er iddi gyfaddef fod adegau pan nad oedd hithau'n hoff o'i phlant roedd 'na ryw gwlwm gwaed yn ei helpu i allu dygymod â nhw, hyd yn oed pan oedden nhw ar eu gwaethaf.

Fe'i cafodd hi'n haws codi'r babi rŵan. Aeth â fo efo hi i'r llofft a'i roi i orwedd ar y gwely efo clustogau o'i gwmpas tra roedd hi'n molchi ac yn ei thwtio ei hun. Cododd bwrlwm o sŵn ohono, digon tebyg i chwerthin, wrth iddo wylio'r cysgod golau'n cael ei siglo gan yr awel a ddeuai drwy'r ffenestr. Pan ddychwelodd Mati o'r ystafell ymolchi roedd o'n cysgu'n braf. Symudodd y clustogau rhag iddo ddigwydd troi arnyn nhw ac aeth i orwedd efo fo. Toc, roedd hithau'n cysgu a'r cwsg hwnnw'n esmwythach na'r un a gawsai ers misoedd.

Roedd hi wedi pedwar arni'n deffro. Cysgai'r babi o hyd. Roedd y gwres wedi llacio a'r awel wedi meinhau a chododd Mati i gau'r ffenestr. Beth petai Pat wedi galw tra roedd hi'n cysgu ? Pan edrychodd i gyfeiriad y drws nesaf, gwelodd fod y drws ffrynt yn agored. Roedd hi'n ôl, felly. Byddai'r beth fach wedi dychryn am ei bywyd o fethu cael ateb.

Agorodd y ffenestr i'w hanner a gweiddi ' Iw hw.' Les, nid Pat, ddaeth i'r drws. Craffodd i bob cyfeiriad ond yr un iawn ac yna diflannodd yn ôl i'r tŷ. Trugaredd, roedd y ddau ohonyn nhw yno. Byddai ganddi waith ateb drosti'i hun. Penderfynodd fynd draw i egluro sut bu pethau. Byddai'n bechod torri ar gwsg y babi.

Roedd Les yn ei chyfarfod wrth y giât—wedi ei gweld yn dod.

' Dydach chi ddim yn digwydd gwybod lle mae Pat ?' holodd.

' Dydi hi ddim adra ?'

' Nag ydi. Ro'n i wedi i rhybuddio hi i gael te'n barod gan 'y mod i wedi addo mynd â Robert draw i dŷ mam.'

' Mae'r babi efo fi.'

' Efo chi ?'

' Ydi, ers oria. Roedd Pat am bicio i'r siop, medda hi. Roedd hynny cyn cinio.'

' Lle mae o ?'

' Ar y gwely, yn cysgu'n rholyn. Ond wn i ddim be sydd wedi digwydd i Pat.'

' Mi ddo i i'w nôl o rŵan.'

' Waeth i chi heb ag aflonyddu arno fo. Mi ddo i â fo draw wedi iddo fo ddeffro. Ewch chi i chwilio am Pat.'

' Na, mi ddo i i nôl Robert.'

Bobol annwyl, sut y gallai'r dyn fod mor ddi-feind ? Doedd wybod be oedd wedi digwydd i'r eneth bellach.

' Ydach chi ddim yn meddwl y dylach chi alw yn swyddfa'r heddlu ?'

' I be ?'

' Dydw i ddim isio'ch dychryn chi, ond mae hi wedi mynd ers oria. A fydda hi ddim chwartar awr yn picio'n ôl a blaen i'r siop.'

' Dydi o mo'r tro cynta iddi fynd. Ond dyma'r tro cynta iddi adael Robert. A'r tro ola.'

Roedd o ar ei sodlau, yn y cyntedd ac ar y grisiau. Gwthiodd heibio iddi yn nrws y llofft a rhuthro am y gwely. Cododd y babi, yn ei gwsg fel roedd o, ac agor ei siwt gysgu.

' Be roesoch chi iddo fo i fyta ?'

' Ŵy, a chydig o lefrith.'

' Wedi'i ferwi gynta, gobeithio.'

' Rydw i wedi magu plant fy hun wyddoch chi, Mr. . . .'

' Owens. Mae o i'w weld yn iawn.'

Roedd o wedi tynnu'r siwt gysgu i lawr dros ysgwyddau'r babi ac yn archwilio'i gorff yn fanwl.

' Wrth gwrs i fod o'n iawn. Dydach chi rioed yn meddwl fy mod i wedi'i gam-drin o ?'

' Mi 'dach chi'n camddeall. Nid eich ama *chi* yr ydw i.'

' Be, felly ?'

' Dydi Pat ddim yn dryst efo fo.'

' Ddim yn dryst ?'

' Mi 'dw i wedi'i dal hi'n i ysgwyd o, fwy nag unwaith, pan oedd o'n crio. Ofn oedd gen i, gan i bod hi wedi gadael mor sydyn . . .'

139

' I bod hi wedi gneud niwed iddo fo ?'

' Ia, mae'n ddrwg gen i ddeud.'

Trugaredd mawr, be nesa ? Yn ôl y papurau roedd cam-drin
plant yn beth digon cyffredin heddiw. Ond i'w gael o'n dig-
wydd yma, ym Minafon, y drws nesaf iddi hi. Mae'n wir nad
oedd na marc na chlais ar y babi. Ond roedd Pat wedi dweud
yn ddigon eglur na dda ganddi mohono. Ac roedd y dyn yma'n
ymddangos yn eitha siŵr o'i bethau. Sylweddolodd Mati, o'i
weld mor agos, ei fod flynyddoedd yn hŷn na'i wraig. Roedd
hi'n briodas od, a dweud y lleiaf. Hwn, yn rêl dandi bach, siwt
wedi'i mesur, nid oddi ar y peg, ei wyneb cyn llyfned â phen
ôl babi, a Pat a'i gwallt dros ei dannedd a'i dillad yn hongian
amdani ; y naill mewn swydd gyfrifol ac yn berwi o hunan-
hyder a'r llall, yn ôl ei chyfaddefiad ei hun, mor ddwl â phostyn
llidiart.

' Mae'n ddrwg gen i i chi gael y draffarth 'ma.'

' Mae o drosodd rŵan.'

' Mi ofala i na chewch chi mo'ch poeni eto.'

' Dim ond gobeithio fod Pat yn iawn.'

' Mae hi'n siŵr o ddod yn i hôl. Does ganddi nunlla arall
i fynd.'

Cariodd Les y babi'n ofalus i lawr y grisiau ac allan o'r tŷ.
Yr oedd yn dda gan Mati ei weld yn mynd. Ni allai yn ei byw
deimlo'n braf efo fo er ei fod mor gwrtais ei ffordd. Roedd
ynddo ryw allu i beri i rywun deimlo'n llai na fo'i hun ac yn
fodiau i gyd. Wel, wir, roedd hi'n mynd yn debycach i Gwen
Ellis bob dydd, yn gweld bai ar bawb. Lle roedd honno'n
cadw, tybed ? Nid oedd wedi ei gweld ers dyddiau, ac nid oedd
arni flys ei gweld chwaith. Yr unig un yr oedd arni eisiau
ei gweld rŵan oedd Pat, a hynny o bellter.

Aeth Mati'n ôl i'r llofft a thynnu cadair at y ffenestr. 'Dawn
i'n clem, meddyliodd, dyma ddynwared Gwen Ellis eto—y tŷ
pen a'r tŷ pellaf yn wynebu'i gilydd fel dau gi tsieni ar silff
ben tân. Ond ni fwriadai hi wneud arferiad o'r peth.

Roedd hi wedi saith ar Pat yn cyrraedd. Safai Les yn y
drws yn ei haros a gallai Mati daeru iddi ei weld yn codi ei law
fel pe i'w tharo. Ond roedden nhw yn y cysgodion ac ni allai
fynd ar ei llw. P'run bynnag, go brin y byddai dyn yn safle
Leslie yn ymostwng i beth felly. Roedd ynddo ddigon o allu

i sodro Pat heb help llaw. Ta waeth ran'ny, roedd yr eneth yn ôl. Dyna oedd yn bwysig. Sut bynnag fam oedd hi roedd yn well i'r mymryn 'na wrthi na hebddi.

Penderfynodd Mati agor tun salmon iddi ei hun i'w swper. Teimlai ei bod hi'n haeddu amheuthun bach. Aeth â'r hambwrdd drwodd i'r ystafell eistedd er mwyn cael gwylio'r teledu wrth fwyta. Ceisiodd ddilyn rhediad y rhaglen ond mynnai'r wynebau ar y sgrîn gymryd ffurf a phryd aelodau'i theulu, Pat a Leslie Owens, Gwen Ellis, Emma Harris, Eunice Murphy —pob un yn ei dro. Go drapia nhw. Ychydig oedd hi'n ei ofyn ; dim ond heddwch i fyw ar y gwaddol oedd ganddi ; cael cofio Arthur yn ei iechyd ; ailflasu'r gwmnïaeth hyfryd fu rhyngddyn nhw, a chael mynd weithiau, pan ddeuai'r awydd, i sefyll ar y cyrion ac edrych i mewn. Nid oedd ganddi na nerth na thosturi i'w rannu. Pam aflwydd na allen nhw adael llonydd iddi ?

— 5 —

Nid oedd Eunice Murphy wedi bwriadu bod mor gwta efo Mati Huws. Roedd hi'n cymharu'n ffafriol efo'r mwyafrif o bobl Minafon ac mae'n debyg ei bod hi wedi dioddef digon ar gorn y Richard Powell powld yna. Byddai'n ddigon parod i aros am sgwrs efo'r ddynes oni bai ei bod hi, ar y pryd, yn cychwyn ar neges bwysig oedd yn mynnu ei sylw i gyd.

Nos Fawrth, cawsai Brian bwl gwaeth na'r cyffredin ac yn ystod yr hwrdd olaf o beswch roedd o wedi poeri gwaed. ' Mi 'dw i'n meddwl y bydda'n well iti gael y doctor yma, Eunice,' meddai.

Aethai hithau i chwilio am un ar ei chodiad a chael gafael ar ryw Ddoctor Puw oedd wedi ymddeol ond yn llenwi bwlch dros dro. Gadawsai hwnnw lond yr ystafell ddisgwyl ac roedd o yma cyn iddi dynnu ei chôt. Mynnodd fod Brian yn mynd i'w wely ar ei union. Wrth adael rhoesai ei rif ffôn iddi a'i rhybuddio i'w alw pe digwyddai Brian gael pwl tebyg eto. Ond roedd y ffisig a gawsai wedi ei dawelu ac ni fu'n rhaid iddi alw'r doctor yn ôl. Nid fod hynny'n gwneud yr un iod o wahaniaeth i'r hyn yr oedd hi wedi'i benderfynu pan welsai'r cochni ar yr hances boced. Mynd i weithredu ar y penderfyniad hwnnw yr oedd hi rŵan.

Bu ond y dim iddi a chael ei gwrthod. Mynnai rhyw lefran o eneth, oedd fel petai'n rhedeg swyddfa'r Cyngor ar ei liwt ei hun, y dylai fod wedi trefnu amser. Roedd y Swyddog Iechyd yn ddyn prysur, meddai.

'Rydw inna'n ddynas brysur,' haerodd Eunice.

Tra roedd hi'n aros, aeth dros y cyfan, gam wrth gam. Pan arweiniodd yr eneth hi, yn ddigon grwgnachlyd, i ŵydd y Swyddog Iechyd, gallodd roi ei neges gerbron yn glir a diwastraff. Addawodd yntau edrych i mewn i'r mater.

'Pryd ?' holodd Eunice.

'Gynted ag sy'n bosibl.'

'A phryd fydd hynny ?'

'Mae'n anodd deud.'

'Mi liciwn i gael gwybodaeth bendant.'

'Mae 'na amryw byd o bethau'n galw. '

'Ond mi 'dw i'n siŵr y cytunwch chi y dyla hyn ddod yn gynta. Mi fedra i gael llythyr doctor os mynnwch chi.'

'Na, fydd dim galw am hynny.'

'Mi 'dw i isio'r ddau yna allan o'r tŷ, rhag blaen.'

'Fedra i addo dim. Ond mi ddo i draw fy hun—dydd Mawrth nesa os yn bosibl. Yn niffyg hynny—dydd Gwener.'

Bu'n rhaid iddi fodloni ar hynny, am y tro. Ond roedd un peth yn sicr, fe ddychwelai yno dro ar ôl tro i'w boeni a'i blagio nes y deuai draw i Finafon. Roedd o'n gwilydd o beth fod y ddau yna wedi cael llonydd cyhyd. Lle roedd doctoriaid y dref na fydden nhw wedi mynnu rhoi'r Os 'na efo'i debyg ? Ac fe fyddai ei fam yn well allan o gael rhywun i ofalu amdani. Doedd wybod sut olwg oedd arni bellach, wedi ei chau ei hun yn y tŷ afiach 'na am yr holl flynyddoedd. Roedd y ddau yn berygl bywyd i'w cael o gwmpas, heb sôn am y difrod oedden nhw'n ei wneud ar eiddo ac ar gyrff pobl ddiniwed fel ei Brian hi. Dim rhyfedd fod pobl Minafon wedi gadael llonydd iddyn nhw. Ofn oedd wedi cadw pawb mor dawedog. Ac er ei bod hi bellach wedi adnabod yr wyneb a welsai yn ei hunllef roedd ei phryder am Brian yn drech nag unrhyw arswyd. Hon oedd crwsâd fawr ei bywyd ac roedd dyfodol Brian a hithau yn dibynnu ar ei llwyddiant.

DYDD SADWRN, MEHEFIN Y 10FED

— 1 —

Deffrowyd Mati yn oriau mân bore Sadwrn gan guro gwyllt ar y drws. Yn oer gan arswyd agorodd ffenestr y llofft a galw—

' Pwy sydd 'na ?'

' Pat.'

' Trugaradd annwyl, enath, on'd ydi hi'n ganol nos.'

' Plîs—'newch chi agor imi ?'

' Na, wir, fedra i ddim 'r adag yma o'r nos.'

' Plîs. Plîs.'

Tarodd Mati ŵn drosti ac aeth i agor y drws. Roedd yr eneth yn pwyso'n ei erbyn a bu ond y dim iddi a syrthio i mewn. Rhoddodd Mati law allan i'w harbed a sylwodd ei bod yn crynu'n ddilywodraeth.

' Deudwch be sydd, yn enw'r nefoedd. Ydi'r babi'n sâl ?'

Dim ateb.

' Y gŵr 'ta. Oes 'na rwbath wedi digwydd iddo fo ?'

' Mi lladda i o.'

' Pwy ? Y babi ?'

' Les. Mi ladda i'r uffarn.'

' Be mae o wedi'i 'neud ?'

Roedd yr eneth yn gwthio'i gwallt yn ôl ac yn dal ei phen ar ogwydd.

' Fedra i weld dim. Dowch drwodd i'r gegin.'

Roedd y golau'n gryfach yno. Gadawsai'r eneth i'w gwallt syrthio'n ôl nes ei fod yn cuddio'i hwyneb.

' Be oeddach chi am i ddangos imi ?'

' Dim byd.'

' Na, roeddach chi am imi weld rwbath. Be oedd o, Pat ?'

Er nad oedd arni flys cyffwrdd â'r eneth, mwy nag â'i babi ddoe, gorfododd Mati ei hun i redeg ei bysedd drwy'r gwallt seimlyd a'i 'sgubo'n ôl ar ei gwar.

' O ble mae'r holl waed yma wedi dwad ?'

' 'Nhrwyn i.'

' Fyddwch chi'n cael gwaedlyn yn amal ?'

' Les ddaru 'nharo i.'

143

' Eich taro chi ? Am be ?'

' Am 'y mod i wedi gadael y babi ddoe.'

' Lle buoch chi mor hir, Pat ? Na, hidiwch befo hynny rŵan, ran'ny. Mi fydd raid inni gael rhyw drefn ar eich wynab chi gynta. Ydi'ch gŵr yn debygol o ddwad yma ar eich ôl chi ? '

' Ŵyr o ddim 'mod i yma.'

' Lle mae o'n i feddwl ydach chi ?'

' Dydi o ddim ots ganddo fo. Mi ddeudodd wrtha i am fynd i'r diawl.'

' Fedra i mo'ch cael chi yma. Mi fydd raid i chi fynd adra ar eich union wedyn.'

' Na !'

' Ylwch, Pat, does wnelo hyn ddim â fi. Dydw i ddim eisia myrryd.'

' Does gen i neb arall.'

' Steddwch yn fan'na ac mi â i i nôl dŵr cynnas i chi gael molchi.'

Bu Mati mor sydyn ag oedd modd yn cael pethau at ei gilydd. Nid oedd am gynnwys yr eneth eiliad yn hwy nag oedd raid. Beth petai'r gŵr yn casglu mai yma yr oedd hi ac yn dod draw i godi twrw ? Roedd hi'n biti dros y beth fach, os oedd hi i'w chredu, ond eu busnes nhw oedd o. Gofyn am drwbwl fyddai mynd rhwng gŵr a gwraig.

Pan aeth yn ôl i'r gegin ni allai weld Pat yn unman ond wrth iddi groesi am y bwrdd efo'r ddesgil trawodd ei throed yn erbyn rhywbeth meddal. Gorweddai'r eneth ar lawr fel peth marw.

Wrth iddi ruthro o'r tŷ roedd bryd Mati ar nôl Les ond yn lle troi i'r dde fe'i cafodd ei hun yn rhedeg am y stryd fawr i gyfeiriad y bwth ffonio. Roedd rhif Doctor Puw ganddi, mor sownd yn ei chof â ' Duw cariad yw ' a ' Cofiwch wraig Lot.' Dyn a ŵyr be ddwedodd hi wrtho ond roedd o ym Min-afon ar ei sodlau hi bron ac yn cymryd y cyfan o'i dwylo, yn dawel a diffwdan. Ceisiodd Mati egluro, orau y gallai, beth oedd wedi digwydd.

' Ers faint wyt ti'n 'u nabod nhw ?' holodd Doctor Puw.

' Dydw i ddim yn 'u nabod nhw.'

' Wyddost ti os oes ganddi hi deulu—mam neu dad falla ?'

' Mae ganddo fo fam a thad. Wn i ddim amdani hi. Ond fe

144

ddeudodd i gŵr yma ddoe y bydda hi'n siŵr o ddwad yn i hôl—
nad oedd ganddi unlla arall i fynd.'

' Mi gaiff fynd i'r ysbyty am sbel. Mi ddyla'r ambiwlans
fod yma gyda hyn.'

' Ydi hi mor ddrwg â hynny ?'

' Na—mi ddaw ati i hun toc. Mewn perig o golli'r babi
mae hi.'

' Babi ? Ond dydi'r un sydd ganddi hi fawr o damad i gyd.
A fedar hi ddim gneud efo hwnnw. Roedd i gŵr hi'n ofni i bod
hi'n i guro fo.'

' 'Churodd y beth fach yma neb yn i bywyd. Ond mae hi
wedi cael mwy na'i siâr o guro.'

' Mi 'dach chi'n meddwl i bod hi'n deud y gwir, felly ?'

' Mae arna i ofn i bod hi.'

' Ond dydi petha fel'na ddim yn digwydd ym Minafon.'

' Mati, Mati, dydi Minafon ddim gwahanol. A'r un ydi
pobol ym mhob man.'

' Fedrwch chi ddim gneud rwbath ?' yn siarp.

' Falla y medrwn i 'tae pobol yn gofyn imi. Ond mae pob
un ohonon ni am ddal ar i urddas i'r pen.'

' Ydi. Mae'n ddrwg gen i. Roedd hynna'n hy arna i. A
chitha wedi gneud cymaint erioed. Mi ddylwn fod wedi galw
Doctor Rees heno, ond chi oedd arna i i eisia.'

' Mi wnest yn iawn. Rydw i'n ôl p'run bynnag.'

' Nag ydach rioed ?'

' Dros dro, i lenwi bwlch.'

' A phwy well ?'

' Roedd hi'n werth troi allan i glywad hynna. Ond rhyw
Ha' Bach Mihangel ydi hi arna i rŵan.'

'Ddylwn i ddim deud, ond mi 'dach chi'n werth y cwbwl
lot ohonyn nhw efo'i gilydd. Mi faswn wedi rhoi'r byd tasach
chi o gwmpas pan oedd hi'n ddrwg ar Arthur.'

' Mi symudodd y wraig a finna 'sti—i Lundan, i fod yn
ymyl y ferch 'cw. Ond fedrwn i ddim dygymod â'r lle. Mi
gostiodd y camgymeriad bach hwnnw filoedd imi. Ond mi
fydda'n well gen i gael fy nghladdu ar y plwy na chael fy
llosgi'n lludw gan ddieithriaid. Sut mae'r ferch 'na sydd gen
ti erbyn rŵan ?'

' Iawn, am wn i.'

' Felly mae petha, ia ?'
' Sut ?'
' Diarth.'
' Ia. Ac wedi bod rioed. Coblyn o fentar ydi magu plant. '
' Mentar ydi bywyd i gyd, Mati fach.'

Cyrhaeddodd yr ambiwlans. Tra roedden nhw'n cario Pat iddi casglodd Mati fân bethau i fag—un o'i chobenni ei hun, lwmp o sebon ogla da a chadach a thuniad o'r powdwr talc a roesai Gwyneth iddi'r Nadolig. Aeth allan atyn nhw a gwthio'r bag i ddwylo Pat. Gorweddai honno'n hollol lonydd, ei llygaid yn llydan agored yn syllu ar do'r ambiwlans. Trefnodd Doctor Puw i'w dilyn wedi iddo alw i weld ei gŵr a chyn cau'r drws rhoddodd ei law ar dalcen Pat a dweud—

' Mi ddaw petha'n well, 'sti.'

Danfonodd Mati i'r tŷ a mynnodd ei bod yn llyncu dwy dabled cyn mynd yn ôl i'r gwely.

' Rho glo ar y drysa i gyd,' meddai, ' a chysga tan amsar te os medri di.'

Roedd ganddi ffydd yn y tabledi, fel yn yr un a'u rhoddodd iddi, ac ni fu fawr o dro cyn cysgu.

— 2 —

Drwy drugaredd, ni wyddai Mati am yr helynt a fu yng nghartref ei merch a'i mab-yng-nghyfraith yn hwyr nos Wener. Wrthi'n gwylio'r teledu yr oedden nhw pan ddywedodd Richard ei fod yn bwriadu mynd i grwydro trannoeth.

' Efo pwy ?' holodd Lena.

' Fy hun.'

' Dwyt ti rioed yn disgwyl imi gredu hynny ?'

O, wel, nid oedd ganddo ddim i'w guddio. A hi oedd yn mynnu cael gwybod.

' Wedi addo mynd â Katie Lloyd am dro yn y fan yr ydw i. Bodlon ?'

' Wyddwn i ddim dy fod ti'n i nabod hi.'

' On'd ydan ni'n byw drws nesa i'n gilydd ers ugian mlynadd.'

' Ac mi fyddi'n picio i mewn yn amal—byddi ?'

' Digwydd taro sgwrs efo hi yn y ffrynt 'ma wnes i un noson. Mae hi'n unig iawn.'

' Cymwynas ydi'r daith yma, felly ?'

' Ia, siŵr. Be arall ?'

' A b'le ei di â hi ?'

' I fyny'r Wyddfa.'

' Yn y fan ?'

Nefoedd, roedd ganddi hen dafod budur. A be oedd ystyr yr holl groesholi yma ? Doedd hi rioed yn meddwl fod 'na rywbeth rhyngddo a Cit ? Byddai gofyn iddi fod yn o ddrwg arno cyn yr âi i'r afael â dynes drigain oed. P'run bynnag, roedd eu perthynas yn rhy lân a phur i hynny. Dyna oedd ei gogoniant hi. Gallai ymlacio'n braf efo Cit heb orfod malio sut roedd o'n edrych na phoeni os oedd ei berfformiad i fyny â'r gofynion. Gobeithio'r annwyl nad oedd Lena am fynnu mynd efo nhw. Byddai hynny'n andwyo'r cyfan.

' Ro'n i wedi bwriadu mynd i Landudno i siopa fory.'

' Mae 'na drên on'd oes ?'

' Ond mi fydda'r fan yn llawar mwy cyfleus.'

' Fydd hi ddim ar gael, yn na fydd ?'

' Mi liciwn i iti wneud yn siŵr i bod hi ar gael.'

' Licio gei di hefyd.'

' Ac am ba hyd rwyt ti'n bwriadu rhoi cysur merchad eraill o flaen dy wraig ?'

' Be gythral wyt ti'n i awgrymu rŵan ?'

' Nid awgrymu yr ydw i, Richard, ond deud. Rydw i wedi peidio deud tan rŵan.'

' A pham deud rŵan 'ta ?'

' Am nad wyt ti wedi dangos 'run iot o euogrwydd.'

' Be ydi hwnnw, d'wad ?'

' Wyddost ti ddim, yn na wyddost ? Oeddat ti'n meddwl y gallat ti gyrraedd yn ôl o dy hwra fel tasat ti'n dwad adra o dy waith ?'

Pam uffarn na fyddai hi wedi'i daclo ar y pryd ? Ond roedd hyn yn nodweddiadol ohoni, ran'ny—gadael i bethau waelodi ac aros nes y byddai dyn yn ddiamddiffyn cyn taro. Milain oedd hi mae'n debyg am nad oedd wedi gwneud dim efo hi ers nosweithiau.

' Wel ?'

' Wel be ?'

' Wyt ti am fynd â fi i Landudno ?'

147

' Mi 'dw i wedi trefnu efo Katie Lloyd.'

' Yna mi fydd yn rhaid iti ad-drefnu.'

' Pwy ddiawl wyt ti i ddeud wrtha i be i 'neud ?'

' Mi 'dw i'n dal yn wraig iti. Mi wyddost y gallwn i fod wedi gwrthod dy gymryd di'n ôl.'

' Allat ti ? Yli, cariad, waeth iti fod yn onast ddim. Mi wyddost gystal â finna pam y cymrist ti fi'n ôl.'

' A lle buost ti ?'

' Mi 'dw i yma rŵan on'd ydw ?'

' A beth am fory ?'

' Nefoedd fawr, mae'r ddynas yn ddigon hen i fod yn fam imi.'

' Ac roedd y slwt fach arall 'na'n ddigon ifanc i fod yn ferch iti.'

' Wela i ddim ein bod ni fymryn gwell o drafod y peth. Mae o wedi'i setlo, ac rydw i'n mynd.'

' Os ei di mi fydda i'n galw efo Jones Davies peth cynta bora Llun. Dydw i ddim yn credu y ca i unrhyw draffarth.'

' I be ?'

' I gael ysgariad.'

' A beth am Gwyneth ?'

' Beth amdani hi ?'

' Mae'n ddyletswydd arnon ni gadw cartra iddi hi.'

' Dyna wyt ti'n galw hwn, ia ? P'run bynnag, go brin y bydd arni hi i angan o. Ddaw hi ddim yn i hôl ar fyrdar, os byth.'

' Sut gwyddost ti hynny ?'

' Hi ddeudodd.'

' Ond pam ?'

' Wyt ti eisia gwybod ?'

' Oes siŵr Dduw. Be sy'n i chadw hi draw ? Rhyw blydi hogyn, debyg.'

' Ti, Richard.'

' Fi ?'

' Mae hi'n gosod safona moesol uchal i'w rhieni os ydi hi'n llac i hun. Ac roedd ganddi hi dipyn o feddwl ohonat ti, yn ôl pob golwg.'

' Mae hi'n gwybod ? Ond pwy ? Yr hen fuwch Gwen Ellis 'na fetia i. Mae eisia torri tafod y diawl.'

' Fi ddeudodd wrthi hi.'

' Ti ?'

' Do'n i ddim wedi bwriadu deud, nes y clywais i am yr helynt 'na yn y coleg. Soniodd Gwyneth ddim am y peth. Un o'i ffrindia hi ddwedodd y Sadwrn oeddan nhw yma— cymryd yn ganiataol 'mod i'n gwybod. Fe gawson ni eiria. Roedd hi'n benderfynol o fynd ymlaen â'r ffwlbri. Fedrwn i ddim gadael iddi ddinistrio'i dyfodol oherwydd rhyw fympwy plentynnaidd. Ac mi rois i'r dewis iddi hi—o ymddiheuro, neu o fod yn gyfrifol am chwalu'i chartra. Roedd yn rhaid imi egluro pam y byddwn i'n dy adael di, wrth gwrs.'

' Roedd hynny'n annheg.'

' Dydi tegwch ddim yn ein geiriadur ni fel teulu, yn nag ydi ?'

' Ond dydw i ddim yn deall. Mi wnest ryw fath o fargan, debyg ? A rŵan rwyt ti'n bygwth twrna arna i. Ydi hynny ddim yn torri'r fargan ?'

' Mae hi eisoes wedi'i thorri. Dydi Gwyneth ddim wedi ymddiheuro a chaiff hi ddim mynd yn ôl i'r coleg am flwyddyn. Go brin yr aiff hi yno o gwbwl, yn ôl i llythyr.'

' Llythyr ? Pam na che's i i weld o ?'

' I mi mae o wedi'i gyfeirio. Ond does gen i ddim gwrth-wynebiad i ti i ddarllan o.'

Tynnodd Lena'r llythyr o'i phoced a'i estyn i Richard.

' Rydw i wedi deud y cwbwl sydd ynddo fo.'

O, do, ond roedd y cyfan mor wahanol o'i weld ar bapur— yn llawer mwy cignoeth a therfynol. Nid oedd gair o sôn amdano fo o ddechrau'r llythyr i'w ddiwedd, fel pe na bai mewn bod.

' Fe allat ti fod wedi rhoi cyfla imi egluro.'

' Pa eglurhad fydda gen ti, mewn difri ?'

Dim, dim eglurhad o gwbwl. Go brin y byddai'r eneth yn fodlon derbyn mai gorfodaeth oedd ei briodas. Nid oedd dyn yn ei ugeiniau cynnar heb wybod beth fyddai canlyniad y caru cyson. Ac ni allai byth roi rhyndod y blynyddoedd mewn geiriau ; ei angen mawr am g'nesrwydd, am rywun fyddai'n ei dderbyn am yr hyn ydoedd, a'i ymdrech i gael gafael ar hynny cyn ei bod hi'n rhy hwyr. A phetai'n gallu dweud, ni fyddai'n gwneud rhith o synnwyr i eneth nad oedd eto wedi profi canlyniad ei chamau gweigion.

Rhoddodd y llythyr yn ôl i Lena a chododd.

' Lle rwyt ti'n mynd rŵan ?'

' I ddeud wrth Katie Lloyd na fydd 'na 'run trip.'

' Mae hi'n rhy hwyr iti alw yno rŵan. Mi gei fynd yn y bora.'

Gollyngodd Richard ei hun yn ôl i'w gadair wedi ei lethu'n llwyr gan ei fethiant.

— 3 —

' A dyna hynna, Cit.'

Ni fu gan Katie Lloyd erioed fwy o biti dros neb. Ac ni wyddai sut i'w gysuro. Roedd cysur, o unrhyw fath, yn beth mor ddieithr yn y tŷ yma.

' Falla mai fel'ma mai hi ora, Richard.'

' Sut 'dach chi'n egluro peth felly ?'

' Wn i ddim, eto. Ond mi 'dw i *yn* credu mewn rhagluniaeth.'

' Be ydi hwnnw, 'dwch ?'

' Rhwbath sy'n ein cadw ni rhag dinistrio'n hunain.'

' Dyna oeddach chi'n i weld yn dwad ?'

' Do'n i ddim eisia'i weld o.'

' Mi fedrwn ni ymladd, Cit.'

' Mi fydda hynny'n annoeth iawn. O'n plaid ni mae rhag-luniaeth i fod, nid yn ein herbyn ni.'

' Be 'dach chi'n fwriadu i 'neud, felly ?'

' Bodloni i'r drefn. Dyna fydd raid i chitha i 'neud.'

' Na ! Byth.'

' Fe wnaethon ni'n dewis, Richard—chi ugian mlynadd yn ôl, finna ddwbwl hynny. ' Pa beth bynnag a blannodd dyn hynny hefyd a fêd efe'.'

' Uffarn gols, mi 'dach chi'n dechra pregethu wrtha i rŵan. Ylwch, Cit, cael ein gorfodi ddaru ni, chi a finna, gan rai cryfach na ni'n hunain. Doedd ganddon ni ddim gobaith.'

' Mae ganddon ni lai fyth o obaith rŵan. Fe gawson ni'n diwrnod, Richard.'

' Dydach chi rioed yn disgwyl imi allu byw ar hwnnw ?'

' Nag ydw. Ond mi 'dw i'n gobeithio y bydd o o help i chi, fel i minna.'

' Un diwrnod. Sut y gallwch chi fodloni ar cyn lleiad ?'

' Am 'y mod i wedi cael cyn lleiad, mae'n debyg.'

' Nefoedd fawr, mi 'dach chi'n annioddefol o resymol.'

Rhesymol, ia ? Na, ni châi byth wybod fel yr oedd hi'n deisyfu
am gael bod yn afresymol—cael melltithio Lena Powell am
ddwyn yr ychydig hapusrwydd diniwed yma oddi arni a dweud
wrth Richard yr âi efo fo, nid yn unig i gopa'r Wyddfa ond i
ben draw'r byd, heb gyfri'r gost. Ond nid oedd wiw iddi
ymollwng rŵan. Ei dyletswydd hi oedd ceisio'i argyhoeddi
mai gwaith rhagluniaeth oedd hyn ; ei ddarbwyllo i fynd yn ôl
at ei wraig a gwneud y gorau o'r ychydig oedd ganddyn nhw'n
weddill.

' Gymrwch chi gyngor gen hen wraig, Richard ?'

O, roedd hynna'n brifo. Ond roedd yn rhaid iddi ei atgoffa
o'r blynyddoedd oedd rhyngddyn nhw a'r rhwyg a achosai'r
rheini hira'n y byd y bydden nhw efo'i gilydd.

' Pwy ydi honno ?'

' Fe allach fod yn fab imi, reit hawdd.'

' Fedrwn i ddim fod wedi dymuno am well mam.'

Roedd hi wedi gobeithio mai cellwair yr oedd o, ond nid
oedd awgrym o chwerthin yn ei lygaid.

' Mi fedrwn gadw i fyny efo chi am un diwrnod ond buan
iawn y byddwn i'n dechra llusgo ar ôl.'

' Mi fyddwn i'n fodlon aros amdanoch chi.'

' Am ba hyd, Richard ?'

' Am byth.'

Nid oedd hynny'n golygu dim iddo. Nid oedd erioed wedi
amgyffred y tragwyddoldeb o ystyr oedd i'r gair. Be oedd
yn mynd i ddod ohono, mewn difri ?

Roedd o'n edrych arni, am y tro cyntaf er pan ddaeth i'r
tŷ, a'r llygaid gleision fel pe baen nhw wedi'u cleisio.

' Doeddan ni ddim yn gofyn llawar, yn nag oeddan, Cit ?
Dim ond cael bod efo'n gilydd o dro i dro, yn eneidiau cytûn.'

' Roedd o'n ormod i'w ofyn, mae'n rhaid.'

Gadawodd ei lygaid ei hwyneb a llithro i gyfeiriad y seid-
bord, at y llun yn y ffrâm.

' Ac mae o wedi cael y gora arna i,' meddai.

' Dydw i ddim mor siŵr. Fe roesoch chi rwbath i mi mewn
diwrnod na allodd Harri i roi mewn oes.'

Fe gâi ei thâl am ddweud hynna ond nid oedd am gyfri'r gost rŵan.

'Ga i alw yma weithia ?'

'Na, Richard.'

'Dim ond am sgwrs fach.'

'Ydach chi am gymryd yr hyn roesoch chi imi oddi arna i ?'

'O, Cit, dyna'r peth ola ydw i am i 'neud.'

'Yna mi 'newch barchu 'nymuniad i, a chadw draw.'

Syllodd yn apelgar arni. Bu ond y dim iddi a galw'r geiriau'n ôl a dweud y câi alw pryd y mynnai. Ond roedd y blynyddoedd o hunanddisgyblaeth o dan lygad barcud Harri Lloyd wedi gwneud eu gwaith a gallodd gadw'n fud.

'Waeth imi fynd felly, ddim.'

'Ia. Mi fydd Lena yn eich disgwyl chi.'

''Newch chi ddim . . . ?'

'Da bo'ch chi, Richard.'

Wrth y drws edrychodd Richard yn ddirmygus ar y loced fach a grogai am ei gwddw.

'Fuo gen i rioed ffydd mewn seintia,' meddai.

Gwyddai ei fod yn aros, hyd yr eiliad olaf, iddi newid ei meddwl. Caeodd y drws ar ei sodlau a sylweddolodd ei bod, wrth gau Richard allan, yn ei chau ei hun i mewn. Roedd dyn ar y radio neithiwr yn mynnu hawl i lofruddion, oedd wedi'u dedfrydu i oes o garchar, gael cyfle rhyddid ar derfyn deng mlynedd. Fe weithiai ar eu rhan hyd angau ac yn wyneb pob gwrthwynebiad, meddai. Ond pwy oedd yn mynd i bledio ei rhyddid hi ? Roedd yr unig un a allai fod wedi ei gynnig iddi wedi ei alw'n ôl i'w gaethiwed ei hun ac nid oedd neb yn weddill i falio dim.

— 4 —

Cawsai Pat ward fach iddi ei hun. Er ei bod wedi ei chymhennu ac olion y gwaed wedi diflannu roedd ochr ei hwyneb yn ddulas o'i llygad i'w chern a'i thrwyn bron o'r golwg mewn rhwymau a phlasteri.

Gwelsai Mati'r Sister ar y ffordd i mewn. Roedd Pat, meddai, wedi colli'r babi. Efallai fod hynny am y gorau. Go brin y gallai fod wedi ei gario am dymor llawn p'run bynnag a byddai'n well, yn ôl Doctor Puw, iddi beidio cario'r un arall chwaith. Roedd y Doctor yn bwriadu gofyn caniatâd ei gŵr i roi triniaeth iddi. Allech chi ddim ymddiried mewn geneth fel'na i gymryd gofal ohoni ei hun. Wyddai hi ddim ei bod hi'n feichiog, hyd yn oed. Mae'n amlwg fod y Sister wedi cymryd eu bod nhw'n perthyn oherwydd pan ddywedodd Mati mai cymdoges oedd hi tawodd ar unwaith.

Tawedog iawn oedd Pat, hefyd, nes i Mati ddweud, yn hollol ddifeddwl—

' Pryd cewch chi ddwad adra tybad ?'

' Does gen i 'run cartra.'

' Wrth gwrs fod ganddoch chi. Dau, Minafon—drws nesa i mi.'

' Cha i ddim dwad yno gen Les.'

' Ydi o wedi deud hynny ?'

' Mi ddeudodd wrtha i am fynd i'r diawl.'

Cofiodd Mati fel roedd Pat wedi bygwth neithiwr—na, bore heddiw oedd hi, ran'ny—y byddai'n lladd Les. Gor-ddweud yn ei phoen, wrth gwrs, ond roedd iddi feddwl y fath beth . . . Trugaradd mawr, on'd oedd yna helynt efo pobol ? Ond roedd Doctor Puw'n siŵr o fod wedi setlo'r Les 'na. Rhyfedd iddi deimlo mor annifyr yn ei gwmni. Ond roedd hi wedi bod yn un go dda erioed am allu rhoi ei bys ar byls rhywun. Yr hen gythral iddo fo, hefyd, yn cam-drin yr eneth fach 'ma.

' Mi 'dw i'n siŵr i fod o'n difaru'i enaid rŵan.'

' Roedd ganddo fo hawl.'

' Pwy 'dwch ?'

' Les. Roedd ganddo fo hawl.'

' Does gan yr un dyn hawl i guro'i wraig.'

' Ro'n i'n haeddu cweir.'

' Be oeddach chi wedi'i 'neud, felly ?'

' Gadael y babi.'

' Doedd o ddim gwaeth efo fi. P'run bynnag, roeddach chi'n sâl a phetha wedi mynd yn drech na chi rhwng bod y babi'n crio cymaint a chitha wedi dechra ar un arall cyn mendio'n iawn.'

' Mi wnes i addo i Les y câi o deulu mawr.'

' Mi fydd raid iddo fo fodloni ar un.'

153

' O, na, mi wnes i addo.'

' Pat fach, mae'ch iechyd chi'n bwysicach. Rhaid i chi 'neud fel mae Doctor Puw yn i ddeud.'

' Les sydd i ddeud.'

' Ond ro'n i'n meddwl nad oeddach chi ddim am fynd yn ôl ato fo.'

' Mi â i os ca i.'

' Oes ganddoch chi rwla i fynd i gryfhau, ar ôl gadael yr ysbyty ?'

' Mae gen i chwaer.'

' Lle mae hi'n byw ?'

' Caerdydd. Mae hi a'i gŵr yn dysgu yn y coleg. Mae hi'n glyfar iawn. Hi gafodd y brêns i gyd.'

' Mae'n siŵr fod ganddoch chitha rwbath mae hi'n brin ohono fo.'

' Nagoes, does gen i ddim byd.'

' Ga i sgwennu ati hi, drosoch chi ?'

' Fydd hi ddim eisia gwybod.'

' Gawn ni weld am hynny, ia ? Ydi'i chyfeiriad hi ganddoch chi ?'

Ysgrifennodd Pat y cyfeiriad ar y pwt papur a estynnodd Mati iddi.

' O, mae ganddoch chi lawysgrifan ddel.'

Tybiodd Mati iddi weld cysgod gwên ar wyneb Pat ond roedd hi'n anodd dweud efo'r holl 'nialwch o gwmpas ei thrwyn.

' Mi sgwenna i iddi hi rhag blaen.'

Wrth iddi adael yr ysbyty sylweddolodd Mati iddi fod braidd yn fyrbwyll. Peth annoeth fyddai iddi ddod i gysylltiad â chwaer Pat, yng nghefn Les. Peth annoeth oedd iddi ymyrryd o gwbwl. Ond roedd hi wedi rhoi ei throed ynddi rŵan. Ni allai godi calon y greadures fach i'w gollwng yn blwmp wedyn. Y peth gorau fyddai gadael i bethau am rŵan a galw i weld Doctor Puw bore Llun, am gyngor. Teimlai Mati beth yn well o wybod y câi rannu'r cyfrifoldeb a phan welodd Lena'n dod i'w chyfarfod penderfynodd fod mor glên ag oedd modd efo hi. Doedd 'na ddim pwrpas mewn dal dig ac roedd hon, ryfedded oedd hi, yn dalp o'i chnawd hi. A mwy na hynny, roedd hi'n ferch i Arthur.

Edrychai Lena'n ffrwcslyd braidd—peth newydd iddi hi. Roedd gwrid uchel ar ei hwyneb. Tybed oedd hi wedi cael geiriau efo rhywun ? Na, tynnu'r gwrid ohoni a wnâi hynny a'i gadael fel y galchen. Am unwaith, teimlodd Mati fod ganddi fantais ar ei merch. Ond rŵan fod y cyfle ganddi ni allai feddwl am ddim i'w ddweud. Ychydig eiriau fu rhyngddyn nhw p'run bynnag. Roedd Lena ar frys, meddai hi.

Croesodd Mati'r ffordd am Finafon. Petai wedi digwydd troi ei phen i'r chwith byddai wedi gweld Lena'n diflannu i mewn i Swyddfa'r Heddlu. Ond roedd ffawd efo hi am y tro a chafodd ei harbed rhag gorfod wynebu'r broblem honno. Chwarae teg i Mati—roedd ganddi ddigon ar ei phlât fel roedd hi.

— 5 —

Ni chawsai Lena ei phrynhawn yn Llandudno wedi'r cyfan. Penderfynodd Richard ei fod yn mynd i weithio. Rywdro ganol y prynhawn llyncodd Lena ddos ddwbwl o aspirins a bu'n slwmbran yn ei chadair am sbel. Pan ddeffrodd roedd y tân yn isel a theimlai'n oer. Aeth i'r llofft i nôl siwmper. Wrth iddi ddod i lawr y grisiau, yn araf gan ei bod yn fyr o wynt, sylwodd ar y darn papur ar y mat y tu cefn i'r drws. Llythyr oedd o. Mae'n rhaid fod Richard wedi ei fethu'r bore. Ond nid oedd pwt o enw na chyfeiriad ar yr amlen.

Gwyddai, cyn ei ddarllen, mai llythyr dienw oedd. Roedd yna rywbeth yn ei olwg—yn y llythrennau bwriadol flêr a'r inc du, trwm oedd yn bradychu atgasedd y sawl a roesai fod iddo. Llythyr ynglŷn â Richard oedd o, yn edliw ei bechodau ac yn ei rhybuddio hi i gadw'i llygaid yn agored. Ni fyddai'n rhaid iddi edrych ymhell. Nid oedd yn y llythyr ddim nad oedd hi ei hun wedi ei ddweud, yn wyneb Richard. Ond roedd ganddi hi hawl gyfreithiol i'w ddweud.

Chwarter awr yn ddiweddarach roedd y llythyr hwnnw yn llaw'r Rhingyll Davies.

' Mi 'dw i wedi gweld llawar o'r rhain yn fy nydd,' meddai, 'ond mi 'dw i eto i ddallt pa blesar mae pobol yn i gael o'u sgwennu nhw. Oes ganddoch chi ryw syniad o b'le mae hwn wedi dwad ?'

' Oes , mae gen i syniad go dda.'

Gollyngodd y rhingyll ochenaid o ryddhad. Busnes ofnadwy oedd y busnes llythyrau 'ma—trafferthus hefyd. Roedd hi'n llawer haws delio efo ffrwgwd agored ac roedd yn well ganddo fo'n bersonol ddyn parod ei ddwrn nag un parod ei bin gwenwyn. Ond o leiaf byddai ganddo drywydd i'w ddilyn y tro yma. Ac roedd Mrs. Powell yn ddynes sicir o'i phethau.

Tra roedd y rhingyll yn manteisio'n ddiolchgar ar awgrymiadau Lena Powell gwthiwyd amlen arall, ddienw a digyfeiriad, drwy dwll llythyrau ym Minafon ac nid oedd cynnwys y llythyr a orweddai ar ddesg y Rhingyll Davies ond claear o'i gymharu â chynnwys yr amlen honno.

DYDD SADWRN, MEHEFIN YR 17EG

— I —

Braidd yn gyndyn oedd Mati Huws o fynd i alw ar Emma Harris ond nid oedd ganddi fawr o amser wrth gefn ac ni allai feddwl am neb arall ym Minafon fyddai'n debygol o wybod amser y trenau. Gwyddai fod Emma'n eitha cyfarwydd â nhw gan ei bod yn treulio amryw o'i Sadyrnau rhydd yn Llandudno—wedi cymryd ffansi, meddai hi, at ryw gaffi bach lle roedd coffi go iawn i'w gael. Roedd eisiau chwilio'i phen yn crwydro cyn belled am baned o goffi, ond dyna fo, be arall oedd ganddi i'w wneud efo'i harian ? Ac fe ddylai fod ganddi nyth bach taclus bellach wedi'r holl flynyddoedd o weithio cyson.

Ofnai Mati ei bod wedi galw ar amser drwg ac meddai, pan ofynnodd Emma iddi fynd i mewn—

' Â i ddim â'ch amsar chi.'

' Mae gen i ddigonadd o amsar.'

' Diwrnod i ffwrdd, ia ?'

Anwybyddodd Emma ei chwestiwn a'i hysio i mewn i'r tŷ. Synnodd Mati weld y fath lanast. Câi Emma, fel ei mam o'i blaen, yr enw o fod yn barticlar a chlywsai Gwen Ellis yn haeru fod Emma'n mynnu i bobol dynnu eu hesgidiau cyn mynd i'r tŷ. ' Synnwn i ddim nad oes ganddi hi ddysglaid o ddŵr sebon yn y lobi yn barod iddyn nhw olchi'u traed,' meddai. Beth bynnag am hynny, roedd Emma wedi ei gorfodi i mewn cyn iddi gael cyfle i sychu ei thraed hyd yn oed. Efallai fod ganddi rai dyddiau o wyliau a'i bod am eu defnyddio i gymhennu'r tŷ.

' Mi 'dach chi'n brysur, Emma ?'

' Nag ydw.'

Roedd llond y bwrdd o lestri budron. Ni wnaeth Emma unrhyw ymdrech i'w cuddio. Oedd hi'n sâl, tybed ? Roedd gwedd digon afiach arni, fel petai'n dioddef o'r clefyd melyn. Beil oedd arni, efallai.

' Mi gymrwch banad ?'

'Wn i ddim oes gen i amsar. Wedi galw i holi ynglŷn â'r trena i Landudno yr ydw i.'

'Chewch chi 'run am awr. Digon o amsar i banad.'

'Oes, felly. Pryd buoch chi draw yno ddwytha, Emma ?'

'Ddim ers tro rŵan.'

'Fyddwch chi'n dal i fynd i'r caffi bach ?'

'Mae o wedi cau. Dim digon o fusnas.'

'Tewch. Biti.'

'Does gen bobol ddim chwaeth heddiw. Fedran nhw ddim gwahaniaethu rhwng y peth iawn a'r peth ffug.'

'Falla mai methu fforddio'r peth iawn maen nhw.'

'Tasa ganddyn nhw rwbath yn 'u penna mi fyddan yn gweld mai hynny sy'n talu yn y pen draw.'

''Chydig iawn ohonon ni sy'n gallu gweld cyn bellad. Rhyw duadd i gythru am y peth rhata sydd ynon ni i gyd—meddwl ein bod ni'n cael bargan.'

'Does 'na mo'r fath beth. Talu'n rhad, talu eilwaith— dyna fydda mam yn i ddeud.'

'Roedd eich mam yn ddynas ddoeth, Emma.'

'Mi rois i lawar o boen iddi hi.'

'Bobol annwyl, naddo, mi fuoch yn siampl o ferch iddyn nhw. Tasa ddim ond fel daru chi ofalu am eich tad am yr holl flynyddoedd.'

'Roedd hynny'n blesar.'

'Fydda pawb ddim yn cytuno. Baich ar 'u plant ydi'r rhan fwya o hen bobol mae arna i ofn.'

Roedd yna flynyddoedd lawer er pan fu yn y tŷ yma. Arthur a hithau oedd wedi galw i weld yr hen ŵr wedi iddo syrthio ar y rhew a thorri'i fraich. Roedden nhw wedi dotio at y llewyrch oedd arno. 'Mae ganddoch chi nyrs dda, Tom Harris,' meddai Arthur. A'r hen ŵr yn ateb—'Chafodd neb erioed well nyrs. Mae hon yn haeddu nefoedd os ydi rhywun.'

Cofiodd Mati fel roedd Emma'n picio yma ac acw, fel gwenynen fach—prin sŵn wrth iddi symud, ond ei hôl hi ym mhobman, yn y graen oedd ar y dodrefn, yn sglein y taclau pres a glendid y llenni a'r clustogau. Roedd hi'n anodd credu mai'r un ystafell oedd hon. A, wir, roedd yna rywbeth bwriadol yn y blerwch, fel petai rhywun wedi bod yn dial ei lid ar y lle.

Efallai fod Emma wedi cael ffit o dymer ddrwg ac wedi mynnu ei gael allan o'i system fel y byddai hithau'n cael blas ar glepian drysau wrth weld y bliws efo rhywun ers talwm. Be oedd ots fod y lle ar gerdded, ran'ny ? Roedd yn llawer gwell i Emma fwrw ei llid rhwng ei phedair wal ei hun na gorfodi eraill i ddioddef efo hi.

Roedd y te'n dda ac yn blasu'n well na'i the hi.

' Nid te Co-op ydi hwn.'

' Nace wir, mi fydda i'n i gael o o Lundan, ers pymthang mlynadd bellach. Mae'n dda gen i eich bod chi wedi sylwi.'

' Prawf fod gen i rywfaint o chwaeth, ia, Emma ?'

Roedd hi'n mentro, yn cellwair fel'na. Ni fu gan Emma erioed fawr o synnwyr digrifwch. Ond doedd hi ddim dicach. Mae'n rhaid ei bod hi'n llareiddio wrth fynd yn hŷn.

' Faint o wylia ydach chi'n 'u cael ?'

' Faint fynna i.'

' Lwcus iawn. Mae'r bos newydd yn un go glên, felly ?'

' Ydi, tu hwnt o glên.'

' Mi fydd yn dda cael dipyn o waed newydd yn y lle.'

' 'Dach chi'n meddwl ?'

' Wel, clywad wnes i fod yr hen Jones Davies wedi mynd braidd yn ddotus.'

' Pwy oedd yn deud ?'

' Roedd o'n siarad y dre. Mi ddeudodd un wrtha i i Jones Davies ddeud, pan anfonodd o am i fil, iddo anghofio amdano fo.'

' Natur ffeind.'

' Falla wir. Ond fedrwch chi ddim rhedag busnas fel'na.'

' Be wyddoch chi am redag busnas ?'

' Nesa peth i ddim.'

' Fedrwch chi ddim barnu, felly.'

' Dim ond ailadrodd yr hyn glywais i.'

' Ro'n i'n meddwl eich bod chi tu hwnt i beth felly.'

' Be ?'

' Cario cleps ; enllibio pobol heb fymryn o brawf.'

' 'Rargian fawr, Emma, wnes i mo'r fath beth.'

Trugaradd, be haru'r ddynas ? A hithau'n credu gynnau ei bod wedi llareiddio ; wedi cymryd ei thwyllo gan fwynder y munud a hithau'n gwybod pa mor oriog y gallai Emma Harris fod. Ni wyddai hi ddim am y Jones Davies yma ac nid oedd ganddi fymryn o ddiddordeb ynddo chwaith, nac yn ei fab na'i fusnes, nac yn Emma Harris chwaith petai'n mynd i hynny. Byddai'n well iddi hel ei thraed oddi yma a gadael iddi fwydo yn ei thymer ddrwg ei hun.

Ar godi i adael yr oedd hi pan ddywedodd Emma—

' Roedd yr hen Jones Davies y noblia o ddynion. A 'tae o yno fyddan nhw ddim wedi cael gneud hyn i mi.'

' Gneud be, Emma ?'

' Ridyndant ydi'r gair newydd. Ffordd neis o ddeud wrth rywun i fod o'n cael y sac.'

' Sac ? Ond pam y chi ? Rydach chi wedi rhoi cymaint i'r busnas. Y cwbwl.'

' Ond fedra i ddim fforddio gwisgo'n gwta. Fy nghoesa i 'dach chi'n gweld.'

Roedd y ddynas yn siŵr o fod yn drysu. Cael ei thrwblo gan ei hoed yr oedd hi efallai. Dyna eglurhad ar y lliw afiach a'r fflachio sydyn. Doedd wybod be oedd wedi digwydd tua'r swyddfa 'na.

' Wnaiff o ddim drwg i chi gael seibiant bach. Rydach chi wedi bod wrthi'n arw.'

' Mi 'dach chitha'n meddwl fy mod i wedi chwythu 'mhlwc, felly ?'

' Ddim o gwbwl, Emma. Ond dyma gyfla i chi gymryd petha'n dawal. Mi gewch godi pryd mynnoch chi, dim angan rhuthro, bwyta'ch cinio wrth eich pwysa. Ylwch braf fydd hi arnoch chi heb neb i orfod i blesio ond chi'ch hun.'

' Dydw i erioed wedi gallu byw efo fi'n hun.'

' Gormod o bwysa oedd arnoch chi. Fydd 'na ddim gorfod-aeth rŵan.'

' Ond gorfodaeth sydd wedi 'ngyrru i.'

' Mae amgylchiada yn ein newid ni. Mi ddyliais i na allwn i byth fyw heb Arthur. Mi fûm i am sbel go hir yn hollol farw i deimlad. Yna, un diwrnod, mi dorrais fy mys ar gaead tun—un o'r petha bach rheini mae rhywun yn 'u cymryd yn i streid—ond mi fuo bron imi â mynd yn wirion gen y boen. A wyddoch chi be wnes i yng nghanol y gwewyr i gyd ? Chwerthin. Roedd o'r fath ryddhad i wybod fy mod i'n fyw.

Ond ro'n i'n ddynas wahanol. Ac fe welwch chitha'ch hun yn newid, dros amsar, ar gyfar beth bynnag sy'n eich wynebu chi. Ydw i'n gneud rywfaint o synnwyr, Emma ?'

' Mi 'dw i'n meddwl eich bod chi.'

' Dydw i ddim yn rhy siŵr ydw i'n i ddeall o fy hun ond rydw i *yn* i dderbyn o. Fedra i mo'ch helpu chi, Emma, ond mi 'dw i yn dymuno'r gora i chi. '

Ni ddywedodd yr un o'r ddwy air wrth gerdded am y drws. Ofnai Mati ei bod wedi dweud gormod. Dyma'r tro cyntaf iddi agor ei pherfedd fel hyn er pan gawsai'r sgwrs ddadlennol honno efo Doctor Puw yn yr ysbyty ers talwm.

Ar ei ffordd allan yr oedd hi pan roddodd Emma law ar ei braich i'w hatal. Brysiodd i'r gegin a dychwelodd yn cario paced o'r te y cawsai Mati'r fath flas arno. Wrth i Emma roi'r paced yn ei llaw gwnaeth Mati osgo protest ond ni allai anwybyddu'r taerineb yn llygaid Emma. Roedd hi'n amlwg ar ddweud rhywbeth. Ond ni chafodd Mati wybod beth ydoedd oherwydd rhoddodd Emma dro sydyn ar ei sawdl a rhuthrodd i fyny'r grisiau. Safodd Mati yno am rai eiliadau yn ei disgwyl i lawr, yna, yn ddryslyd a thrwblus ei meddwl, gadawodd y tŷ.

— 2 —

Ni wnaeth rhuthr yr hanner awr canlynol, ei phryder rhag colli'r trên a'i dieithrwch pan ddaeth, ond ychwanegu at ddryswch Mati. Roedd wyth mlynedd, a rhagor, er pan fu ar drên a bu'n o hir cyn gallu dygymod â'i gryndod a phrysurdeb gwyllt y teithwyr wrth iddyn nhw esgyn a disgyn. Cawsai sedd iddi ei hun wrth gychwyn ond erbyn cyrraedd Llangai roedd y trên wedi llenwi a hithau wedi ei gwasgu i gornel. Byddai wedi rhoi'r byd am gael codi ac ymestyn ei choesau ond byddai hynny'n golygu bustachu heibio i fagiau a thraed a cholli ei sedd yn y fargen.

Ceisiodd alw geiriau'r bore'n ôl. Cofiodd fel yr oedd yr hen wraig, mam Emma, wedi ei galw ati i'r tŷ un diwrnod, yn fuan wedi i Idris Preis gymryd y goes. Roedd Emma'n gwrthod codi, meddai hi, a'r noson gynt roedd hi wedi bygwth mynd i'w boddi ei hun. Roedd hithau, yng nghynnwrf y munud, wedi dweud peth digon gwirion, ond gwir fel y profodd amser--

'Peidiwch â phoeni, Mrs. Harris fach. Dydi'r sawl sy'n bygwth byth yn gneud.'

Ond y tro yma nid oedd Emma wedi bygwth dim, er ei bod hi wedi awgrymu digon. Pan ddisgynnodd Mati o'r trên yng Nghyffordd Llandudno nid oedd ganddi amheuaeth yn y byd beth oedd bwriad Emma Harris. Aeth i fwth ffonio, gan fwriadu galw Siop y Becws, y lle agosaf i Finafon. Ond ni allai'n hawdd ofyn iddyn nhw bicio i fyny i weld Emma a hwythau ym mhen eu helynt ar fore Sadwrn. Pa reswm fyddai ganddi dros eu hanfon ar y fath siwrnai ? A beth petai Emma mewn cyfyng gyngor a rhywun yn galw i ddweud ei bod hi, Mati, wedi galw i holi ei hynt ? Gallai hynny fod yn ddigon i'w gyrru ar ei phen i'r afon. Ac roedd honno mor gyfleus o agos. Nid oedd dim i'w wneud ond ceisio byw yn ei chroen am yr oriau nesaf a gweddïo y byddai magwraeth Emma a'i pharch tuag at yr hen bobol yn ddigon o atalfa iddi.

Cafodd Mati drên hwylus o'r Gyffordd i Fae Colwyn er ei bod hi'n ei weld yn drol o drên ac yn boenus o araf. Dim ond gobeithio y byddai gan Gwyneth ddigon o amynedd i aros yn y pen arall. Ond ei busnes hi oedd aros gan mai ei syniad hi oedd y cyfarfyddiad yma—ychydig linellau blêr yn peri i Mati ddod ar y trên cyntaf o Drefeini bore Sadwrn i'w chyfarfod hi ym Mae Colwyn. Nid gofyn fedrai hi ddod, os oedd hynny'n gyfleus, na hyd yn oed roi cyfle iddi ateb i'r gwrthwyneb ; dim ond dweud—'Mi fydda i'n eich disgwyl chi.'

Roedd hi yno, ac wedi bod yno ddwyawr, meddai hi.

'Doeddat ti rioed yn disgwyl imi ddwad efo'r trên saith ?' holodd Mati.

'Wnes i ddim meddwl.'

'Mi ddylat feddwl. A dydw i rioed wedi bod yn un dda am drafaelio.'

'Mi fyddwch yn iawn ar ôl cael panad.'

'Dydw i ddim ar frys am un.'

'Be ydach chi am i 'neud 'ta ?'

'Mi liciwn i wybod, i ddechra, be ydw i'n da yma.'

'Iawn. Rŵan, ia ?'

' Ddim o flaen yr holl bobol 'ma.'

' Dydw i ddim yn meddwl fod ganddyn nhw fawr o ddiddor-dab hyd yn oed tasan nhw'n deall ein hiaith ni. Ond mi awn ni i lawr at lan môr os liciwch chi.'

Be oedd ar yr eneth efo'i ' os liciwch chi ' ? Nid ei dewis hi oedd dod yma ac wedi cyrraedd ni allai aros i gael mynd yn ôl. Cofiodd nad oedd wedi holi amser y trenau. Go drapia, roedd hi'n gymaint haws eistedd yn y tŷ. Neu fe roedd hi, hyd yn ddiweddar. Rŵan, eistedd ar bincws yr oedd hi yn y fan honno hefyd.

Cerddodd y ddwy i lawr y pwt gallt am y môr. Ar y dde iddyn nhw, yn y ffair fach, roedd dynion yn morthwylio ac yn peintio, yn ceisio cuddio beiau am dymor arall. Ac wrth y giât glo roedd mam yn ceisio darbwyllo'i phlentyn nad oedd y ffair wedi agor eto. Roedd hi'n cael trafferth gan fod yr haul, ar y pryd, yn tywynnu'n ffyrnig arnyn nhw.

Wrth iddyn nhw fynd heibio i'r bwth hufen iâ o dan ysgwydd y bont rêl, meddai Gwyneth—

' Ydach chi am un ?'

' Be ?'

' Hufen iâ. Eis crîm i bobol Minafon.'

' Nag ydw. Na chditha chwaith.'

' Mi fedra i 'neud efo un. Oes ganddoch chi fenthyg ? Mae hi'n o dynn arna i ar y munud.'

Cawsai Mati ei magu i wneud heb ddim os na allai fforddio. Ond roedd yn well gan bobl heddiw fynd i ddyled nag aberthu dim. Estynnodd ddarn deg i Gwyneth.

' Mae eisia pump arall.'

' Dwyt ti rioed yn fodlon rhoi pymthag ceiniog am ryw stwff fel'na ?'

' Mae'n rhaid imi os ydw i amdano fo.'

Gwelodd Mati fainc wag yn wynebu'r môr ac anelodd am honno.

' Dowch i lawr i'r tywod.'

' Na ddo i wir. Fuo gen i ddim i'w ddeud wrtho fo rioed. Mae'n well gen i beth solad dan draed.'

' Olreit 'ta, fel mynnwch chi.'

Llowciai Gwyneth yr hufen iâ yn swnllyd gan ddangos clamp o dafod coch, iach. Collodd lwmp ohono ar ei chrys T. Cododd y lwmp ar flaen ei bys a'i sodro yn ei cheg. Sylwodd Mati nad oedd y crys wedi gweld haearn er ei fod yn eitha glân. Go brin y gellid dweud yr un peth am y jîns. Ac roedd eu gwaelodion fel petai ci wedi gwneud pryd arnyn nhw.

' Be wyt ti wedi'i 'neud i dy drowsus ?'

' Be ydi'r matar arno fo ?'

' Yli i odreuon o. Be ddaru mosod arnat ti ?'

' Fi ddaru, efo siswrn. Mae o'n edrych yn well fel'ma— mwy o ôl gwisgo arno fo. Be oeddach chi eisia'i wybod ?'

' Yn un peth—pam y gwnest ti imi ddwad yr holl ffordd i Fae Colwyn ?'

' I ddeud ta ta wrthoch chi.'

' Dwyt ti ddim yn bwriadu dwad yn ôl i Finafon, felly ?'

' Nag ydw.'

' Mi 'dw i'n credu fod gen i hawl i wybod pam.'

' Hawl ?'

' Ia. Rwyt ti wedi cymryd dipyn o fantais arna i—defnyddio nghyfeiriad i, heb ganiatâd, a fy nhynnu i yma heddiw heb air o eglurhad.'

' Iawn. Lle ydach chi am imi ddechra ?'

' Oedd raid iti ddeud wrth dy fam fy mod i wedi dy bledio di efo'r busnas llosgi 'ma ?'

' Pam ? Oedd ganddoch chi gwilydd iddi hi wybod ?'

' Nag oedd, dim cwilydd.'

' Be 'ta ?'

' Dwad acw i nhaclo i ddaru hi.'

' Biti.'

' Ia. Biti garw.'

' Wyddwn i ddim be fydda'i hymatab hi.'

' Roedd gen ti syniad go dda.'

' Mae rhywun yn dal i obeithio. Ond maen nhw i gyd 'r un fath.'

' Pwy ?'

' Pobol y lle acw. Maen nhw wedi siarad Cymraeg ar hyd ' u hoes—mae Saesneg y rhan fwya ohonyn nhw'n warth— ac eto fe edrychan ar yr iaith yn marw heb godi bys bach i'w helpu hi. Pam, meddach chi ?'

' Falla nad ydyn nhw ddim wedi sylweddoli'r perig.'

164

'Mae'n bryd iddyn nhw sylweddoli. Fedran nhw ddim gweld ymhellach na'u giatia'u hunain.'

'Mae hynny'n ddigon o straen arnyn nhw. Dyna ti Emma Harris. Mae hi wedi cael i stopio'n y swyddfa a hitha wedi bod yno er pan adawodd hi'r ysgol ac wedi rhoi i bywyd i'r lle. Ŵyr hi ar y ddaear sut mae hi'n mynd i fyw efo hi'i hun.'

'Dyma'i chyfla hi, felly.'

'I be ?'

'I fyw y tu allan iddi hi i hun. Gneud rwbath o werth dros yr iaith sydd wedi bod yn gyfrwng byw iddi gyhyd.'

'Nefoedd fawr, be fedar Emma Harris i 'neud ?'

'Mae gan bawb i gyfraniad. Rydan ni eisia profi fod y Gymraeg yn iaith fyw, y gellir i defnyddio hi nid yn unig mewn addysg ond mewn busnes a masnach, ym mhob rhan o fywyd.'

'Dim ond bocs sebon wyt ti i angen eto. Pan fydda dy daid a finna'n dwad yma i Fae Colwyn i weld Anti mi fydda 'na ddyn mewn rhyw bulpud bach pren yn trannu am Ddydd y Farn ac yn galw ar bobol i edifarhau. Mi welas i blant yn i bledu o efo tywod a graean fwy nag unwaith.'

'Be fyddach chi a taid yn i wneud ?'

'Gwrando efo un glust ; allan drwy'r llall. P'run bynnag, mi oedd gwynt y môr yn cipio'r rhan fwya o'i eiria fo.'

'Ond dal ymlaen roedd o ?'

'O, ia.'

'Dal ymlaen wna inna hefyd.'

'Dydw i'n ama dim.'

'Mi wyddoch imi wrthod ymddiheuro ?'

'Na wn. Ond dydi hynny ddim syndod imi. Be sy'n digwydd rŵan ?'

'Rydw i allan am flwyddyn meddan nhw. Ond mi gân stwffio'u coleg.'

'Rwyt ti am adael i eraill ymladd dy frwydra di, felly ?'

'Roedd hynna'n frwnt.'

'Dim mymryn bryntach na'r hyn wyt ti wedi'i ddeud am y lle a'r bobl roddodd gychwyn iti.'

'Rydan ni'n gyfartal 'ta ?'

'Os ma' chwarae gêm rydan ni.'

'Na, nid gêm ydi hi. A dydw i ddim am adael i eraill frwydro drosta i. Yn y coleg, falla, ond mae 'na faes ehangach y tu allan. Rydw i'n meddwl i bod hi'n deg i chi gael gwybod pam na ddo i'n ôl i Finafon.'

'Ro'n i'n meddwl dy fod ti wedi gneud hynny reit glir.'

'Mae 'na reswm arall.'

'Y ffrae gest ti efo dy fam ?'

'I hachos hi.'

'A dyna ni'n ôl yn 'r un lle.'

'Ddim yn hollol. Roedd ganddi hitha i rhan yn y ffrae. Rydw i'n cymryd eich bod chi'n gwybod sut mae petha rhyng-ddi a dad.'

'Nag ydw i wir. Fydda i byth yn myrryd.'

'Ond fe wyddoch iddo fynd a'i gadael hi. Ac efo pwy ?'

'Fe ddaeth yn i ôl.'

'Ydi hynny'n canslo'r hyn ddaru o ?'

'Nag ydi. Ond fe ddyla 'neud gwahaniaeth.'

'Ddim i mi. Nac i mam chwaith. Mae hi am i adael o.'

'Dy fam ddeudodd hynny wrthat ti ?'

'Ia. Fe fydda hi wedi aros 'tawn i wedi ymddiheuro. Ond i be ? Roedd y drwg wedi'i 'neud p'run bynnag.'

'A dyna'r dewis roddodd hi iti ?'

'Dyna fo.'

'Wyt ti ddim yn meddwl y dylat ti fod wedi rhoi cyfla i dy dad ?'

'Ydach chi'n gwadu'r ffeithia ?'

'Nag ydw.'

'Fe wnaeth o i ddewis, a phriodi mam. Rydw i'n barod i dderbyn canlyniada fy newis i, hyd yn oed petai hynny'n golygu carchar.'

'Rwyt ti'n gneud i betha swnio mor syml.'

'Maen nhw, os ydach chi'n barod i dderbyn egwyddor achos ac effaith.'

Syllodd Mati allan i'r môr. Roedd o'n rhyfeddol o ddi-gynnwrf. Gallai gymryd ato pan oedd fel hyn, ar delerau efo'i hun a phawb arall. Ond doedd wybod pa gynyrfiadau oedd yn digwydd o dan yr wyneb clên. Un oriog oedd o, fel Emma Harris, ond yn filwaith mwy nerthol. Roedd hi wedi credu erioed mai ei faint a'i gryfder oedd yn rhoi'r hunan-

hyder iddo. Ond er mai tenau ac eiddil oedd yr eneth wrth
ei hochr roedd ynddi wytnwch oedd yn cyfateb i'r grym oedd
ynddo. Ac i feddwl ei bod hi wedi barnu Gwyneth am gymryd
mantais arni hi, a'i defnyddio. Nid oedd ar yr eneth angen
yr un ohonyn nhw. Roedd hi eisoes wedi symud heibio a thu
draw iddyn nhw. Teimlodd Mati ddigalondid mawr yn ei
cherdded, fel y cryd. Roedd y rhwyg rhwng Gwyneth a'i
rhieni yn golygu dieithrwch. Ac o'i theulu, yn hon y gwelsai
hi fwyaf o Arthur.

'Rydach chi'n ddig efo fi ?'
'Ydw. Ond falla mai ofn dy golli di sy'n gyfrifol am hynny.'
''Chydig fyddech chi'n i weld arna i.'
'Ond mi fedrwn i dy ddisgwyl di.'
'Mi sgwenna i.'
'O, Gwyneth.'
'Wir yr. A falla y cawn ni gyfarfod fel hyn weithia.
Fuo mam yn gas iawn efo chi ?'
'Braidd yn gignoeth. Ond ddylwn i ddim fod wedi myrryd.
Mae'n rhaid i mi fyw efo dy fam 'sti.'
'Wela i ddim fod rhaid.'
'Na weli ?'
'Mi fedrwch symud, siawns.'
'Mor hawdd â hynna, ydi ?'
'Dydi o ddim yn lles i neb aros yn i unfan yn rhy hir.'
'Ym Minafon y bydda i bellach. Chredi di ddim, falla,
ond mi fydda gorfod symud odd'no yn anga imi. Mae'n debyg
y bydda gadael Cymru yn dy sigo ditha ?'
'Adawa i mohoni hi, byth.'
'Mi ddylat allu deall be sydd gen i, felly.'
'Ond ddyla gwreiddia ddim dal rhywun yn glwm i un lle.
Mae angan edrych ymhellach na'r filltir sgwâr. Nid Minafon
ydi Cymru.'
'Minafon ydi Cymru i mi. Fe ddeudist ti mai meddwl bach
crebachlyd sydd gen i . . .'
'Sôn am bobol Minafon yr o'n i.'
'Rydw i'n un ohonyn nhw. Does gen i mo'r nerth i ymladd
dros wlad ond mi ymladdwn i hyd anga i gadw nghartra a'r
hyn mae o'n i olygu imi. A falla, wedi imi gryfhau dipyn,

y galla i ymladd dros y byd bach y gwn i amdano fo a helpu
i bobol o i gael yr hawl i fyw. Dwyt ti ddim yn nabod Pat
drws nesa ?'

'Nag ydw.'

'Mae hi newydd golli babi—effaith curfa gafodd hi gan
i gŵr. Roedd hi'n haeddu'r gweir, medda hi. Mae 'na rywun
wedi bod wrthi'n ddygn erioed yn pwyo i ben y beth fach nad
oes ganddi hi hawl ar i bywyd i hun, i bod hi'n rhy ddiolwg ac
yn rhy dwp. Wyddost ti be liciwn i allu i 'neud ? I helpu hi
i fagu digon o hunanhyder i allu troi ar i gŵr a mynnu i hawlia.
Ac mi liciwn i weld Emma Harris yn cael swydd arall rhag
blaen fel i bod hi'n gallu codi i dau fys ar y Jones Davies 'na.
Oes gen ti ryw syniad am be rydw i'n sôn ?'

'Oes, siŵr.'

'Ond does gen ti ddim llawar o fynadd efo fi ?'

'Rydw i'n digwydd credu fod 'na betha pwysicach—dyna'r
cwbwl.'

Cafodd Mati'r teimlad, oni bai fod yn Gwyneth weddill y
cwrteisi cynhenid, y byddai'n ei dirmygu'n agored. Byddai'n
dda ganddi hithau allu dweud wrth Gwyneth am fynd a'i
gadael ond ni fu'n rhaid iddi ymostwng i hynny oherwydd
cododd yr eneth, ac meddai—

'Mi fydd raid imi fynd. Gwaith yn galw.'

Roedd ei gwallt wedi disgyn dros ei hwyneb. Diolchodd
Mati ei fod yn ei guddio rhagddi. Roedd osgo herfeiddiol
y corff yn ddigon i'w gofio. Tybiodd fod Gwyneth ar gamu
tuag ati a gwasgodd ei hun yn ôl i gornel y fainc, cyn belled ag
y gallai oddi wrthi. Gallai fod wedi gwneud ei dewis heb sarhau
dewis eraill, heb fychanu ymdrech rhai gwannach na hi i geisio
dod i delerau â bywyd.

'Mae hi'n ta ta o ddifri tro yma. Diolch i chi am yr hufen iâ.'

Gwyliodd Mati hi'n cerdded oddi wrthi, yna'n torri i redeg
a'i gwallt yn ei dilyn yn y gwynt. Dychmygodd weld ei hwyneb,
yn fyw o ryddhad dyna-hynna-drosodd.

Toc, cododd hithau a mynd i chwilio am ginio. Yn y caffi,
daeth gwraig siaradus i eistedd gyferbyn â hi. Cwyno am ei
phlant yr oedd hi. Roedd y diawliaid diegwyddor wedi troi
eu cefnau arni gynted ag y cawson nhw arian i'w dwylo. 'Mi

'dw i wedi penderfynu gadael iddyn nhw fynd i'w crogi rŵan
a byw i mi fy hun. Ond wn i ar y ddaear lle i ddechra,' meddai.

Gadawodd Mati ei chinio ar ei hanner ac aeth i chwilio am
fwth ffonio. Cafodd drwodd i Siop y Becws heb drafferth.
'Emma Harris?' holodd un o'r merched. 'Roedd hi i
mewn rhyw hannar awr yn ôl yn prynu teisenna hufen i'w
the. Awydd sgram medda hi. Fedra i yrru negas iddi hi?'

Sicrhaodd Mati hi nad oedd neges a rhoddodd y ffôn i
lawr. Penderfynodd dreulio'r prynhawn ym Mae Colwyn.

— 3 —

'Be ydi'r cerddad sydd arnat ti, Eunice?' holodd Brian.

'Aflonydd ydw i, ia?'

'Ia, braidd.'

'Mi wyddost amdana i. Dydw i rioed wedi bod yn un dda
am aros yn llonydd. Mi fydda Jones Maths yn arfar bygwth
i fod o am 'y nghlymu i'n sownd wrth y ddesg.'

Wedi 'laru yr oedd hi, wrth gwrs. Doedd dim disgwyl i
ddynes fywiog fel Eunice allu goddef caethiwed fel hyn am
oriau bwygilydd. Fe ddylai geisio ei pherswadio i fynd allan
am wynt bach, neu hyd yn oed i'r pictiwrs am awr neu ddwy,
i symud ei meddwl. Ond roedd pob munud hebddi fel awr.
Cawsai ail bwl nos Lun ond rhwystrodd Eunice rhag galw'r
doctor. Erbyn meddwl, roedd hynny'n hunanol. Gwanhau
yr oedd o bob dydd ac ar Eunice y byddai'r gofal i gyd. Ond
gwyddai Brian beth fyddai dedfryd y doctor. Gwnaethai
hynny'n gwbwl eglur pan alwodd dros wythnos yn ôl. Roedd
Eunice allan o'r ystafell ar y pryd ac awgrymodd Doctor Puw
eu bod yn cadw'n dawel, rhag ei dychryn. 'Nid fod angan
dychryn o gwbwl,' meddai. 'Ond fe wyddoch sut mae merched.'
Ond ni wyddai Brian. Dwy ferch a adnabu erioed—ei fam
ac Eunice. Aethai ei fam drwy fywyd fel corwynt gan beri i
bopeth blygu yn ei llwybr. Dwrdiai a rhegai yn yr iaith a
ddaethai efo hi o Iwerddon a phan fyddai ei dad yn feddw
lonydd âi i'w nôl a'i daflu dros ei hysgwydd fel sachaid o datws.
Fo, Brian, oedd bach y nyth, wedi'i genhedlu pan oedd ei dad
yn marw uwchben ei draed, a threuliodd ei fam weddill ei

hoes yn bygwth melltith ar ben unrhyw un a feiddiai gam-drin ei bachgen tlawd hi. Ni welsai ddeigryn yn ei llygaid erioed, nac yn llygaid Eunice chwaith, hyd yn ddiweddar. A'i phryder amdano fo oedd wedi achosi'r rheini. Os câi bwl arall byddai'n rhaid iddo ddilyn cyngor Doctor Puw, er mwyn Eunice. Ond roedd meddwl am ei gadael yn ei sigo'n fwy na'r un boen a gawsai erioed.

'Lle wyt ti'n mynd rŵan ?'
'Mae'n rhaid imi bicio i'r siop cyn iddi gau.'
'Fyddi di ddim yn hir ?'
'Na fydda, dim eiliad hwy nag sydd raid.'

Nid i'r siop yr aeth Eunice, ond ar ei hunion i Swyddfa'r Cyngor a cherdded, heb ganiatâd ac heb gnocio, i mewn i ystafell y Swyddog Iechyd. Yfed ei de yr oedd hwnnw a bu ond y dim iddo â thagu arno.

'Rydw i wedi bod yn eich aros chi.'
'Mae hi wedi bod fel lladd nadroedd yma.'
Syllodd Eunice yn awgrymog ar y baned te.
'Dyma'r banad gynta imi ers brecwast.'
'Fe ddaru chi addo.'
'Deud wnes i y gwnawn i fy ngora.'
'Mae ngŵr i'n gwaethygu bob dydd.'
'Fedra i 'neud dim ynglŷn â hynny mae arna i ofn. Gwaith i'r doctor ydi peth felly.'
'A'ch gwaith chi ydi mynd ar ôl yr achos. Mae'r tamprwydd 'na ar gerddad, does dim byd sicrach. A neithiwr mi fedrwn glywad y llygod yn cnoi'u ffordd drwy'r parwydydd. Ydach chi am aros nes eu bod nhw'n heidio drwy nhŷ i ? '
'Mi ddo i draw dydd Merchar nesa.'
'Ydach chi'n addo ?'
'Mi wna i ngor . . .'
'Addewid ydw i i eisia. Mi wna i'ch enw chi'n fwd, fel na feiddiwch chi ddangos eich wynab yn y dre 'ma.'

Ac efo'r bygythiad hwnnw gadawodd Eunice y swyddfa. Teimlai ei bod wedi gwneud stem dda o waith. Galwodd yn y siop bapurau am lyfr cowbois clawr meddal y gallai ei ddarllen i Brian fesul tipyn yn ystod y gyda'r nosau. Roedd o wrth ei fodd yn ei gwrando hi'n darllen, yn dynwared lleisiau ac yn gwneud effeithiau sŵn. 'Ar y teledu y dylat ti fod, Eun.' meddai.

Galwodd arno o'r cyntedd ond ni ddaeth ateb. Mae'n rhaid ei fod yn cysgu. Dringodd y grisiau ac aeth i mewn i'r ystafell wely ar flaenau'i thraed rhag aflonyddu arno. Gorweddai ar draws y gwely, fel petai wedi ceisio codi ohono. Roedd ei wyneb fel y galchen ac yn ymddangos yn wynnach fyth gan fod y cwrlid y gorweddai arno wedi'i staenio â gwaed. Ceisiodd Eunice ei godi'n ôl ar y gwely ond er ei fod mor ysgafn câi drafferth i'w symud. Byddai'n rhaid iddi gael help. Fe âi i nôl Dei Ellis ond nid oedd am gael y ddynes yna'n prowla o gwmpas y lle. Yr unig ddewis arall oedd Richard Powell, a chymryd ei fod o gwmpas yr adeg yma o'r dydd. Er mor gas ganddi ei olwg ni allai fforddio bod yn fisi rŵan.

Roedd Richard adref yn cael ei de pan alwodd Eunice. Ei wraig atebodd y drws. Cofiodd Eunice ddisgrifiad Gwen Ellis o'r llafnau o lygaid. Roedd hi'n iawn, ac ni fyddai Eunice wedi aros yno eiliad yn hwy oni bai ei bod hi'n y fath enbydrwydd. Ond nid oedd ganddi gŵyn am Richard. Gadawodd ei de ac aeth efo hi. Cododd Brian yn ôl i'w wely fel petai'n blentyn a'i helpu hi i roi cwrlid glân drosto. Daethai Brian ato'i hun erbyn hynny er bod ei siarad yn floesg ac yn anodd ei ddeall. 'Eisia'r doctor mae o,' meddai Richard. 'Mi â i i'w nôl o rŵan.' Rhoddodd Eunice rif Doctor Puw iddo. Dychwelodd cyn pen dim a'r cyfan wedi ei setlo. Mynnodd gael gwneud paned iddi a safodd uwch ei phen i wneud yn siŵr ei bod yn ei yfed yn boeth.

'Wn i ddim sut ydach chi mor glên efo fi a finna wedi bod mor filan.'

'Pryd ?'

'Pan ddaru chi alw yma, ar ran Mrs. Lloyd.'

'Galw ar fy rhan fy hun wnes i 'tae hi'n mynd i hynny. Ond does dim achos i chi boeni, rydw i'n hen gyfarwydd â chael pobol yn clepian drysa arna i.'

'Ond ro'n i'n anghwrtais a chitha wedi galw i holi am Brian.'

'Twt, poenus oeddach chi. Be fydd hi rŵan ?'

'Sanatoriwm mae'n debyg, am wythnosa os nad misoedd. Dyna oedd i ofn mawr o. Dim ond gobeithio nad ydi hi'n rhy hwyr.'

' Maen nhw'n gallu gneud gwyrthia heddiw.'

A byddai angen gwyrth i roi bywyd yn ôl yn y corff a welsai ar y gwely. Wrth iddo helpu Eunice i'w godi gallodd deimlo ei bron yn erbyn ei fraich. Bu'n rhaid iddo ei gosbi ei hun rhag ei chyffwrdd. Câi'r un drafferth rŵan. Roedd ei phryder wedi ei thyneru. Gwasgodd ei ddyrnau. Ara deg oedd piau hi—aros nes y byddai ei hangen hi am gysur yn fwy nag oedd o heno, pan fyddai'r unigrwydd yn drech na'i gofid.

Ni welai Eunice ddim ond tosturi yn y llygaid gleision. Roedd hi wedi camfarnu'r dyn, fel yr oedd eraill wedi ei gamfarnu mae'n siŵr.

' Gobeithio na fydd eich gwraig ddim dicach.'

' Am be ?'

' Am fy mod i wedi mynd â'ch amsar chi.'

' Fy amsar i ydi o.'

Go damio hi, yn ei atgoffa o Lena rŵan. Pwy fyddai'n meddwl y gwnâi ati i'w fradychu o fel'na i'w ferch ei hun ? Dyna fesur maint ei chasineb tuag ato. Fe ddylai fod wedi dal yn ei herbyn a mynnu cadw at y trefniadau a wnaethai efo Cit. Ond i b'le'r âi petai hi'n ei droi allan ? Nid oedd Cit yn debygol o agor ei drws iddo. Fe wnaethai hynny'n eitha clir. Roedd o wedi ei siomi yn honno, hefyd. Nid oedd fawr o werth mewn dynes oedd yn byw mewn arswyd dyn nad oedd bellach ond llun mewn ffrâm. Ac roedd hi mor blagus o resymol, yn disgwyl iddo fyw gweddill ei oes ar waddol un diwrnod. Roedd ganddo dipyn mwy i fynd na hi. Ac roedd ganddo'i anghenion hefyd, yn fwy fyth rŵan ei fod wedi mynd â'i gêr i lofft Gwyneth. Ni fyddai ar honno ei hangen bellach. Yr hen dreipan fach, yn cymryd arni fod mor foesol. Mae'n debyg mai yn y clwb y byddai hithau oni bai fod yna bilsen handi ar gael heddiw. Biti ar y cythral na fyddai honno ar fynd yn y pumdegau. Ond ni fyddai'r un bilsen wedi rhwystro Lena rhag cael ei ffordd ei hun. Roedd o wedi gofalu bob amser fod ganddo stoc barod o daclau atal cenhedlu. Lena oedd wedi mynnu fod pethau felly'n dwyn y rhamant o'r caru. Pa ramant oedd yna, mewn difri, yn y bustachu chwyslyd yn fflat Doris ?

O, do, fe gawsai Lena ei ffordd. Ond roedd o wedi ildio iddi am y tro olaf. Hi fyddai ar ei cholled. Fe gaent rannu

bwrdd gyhyd ag y gallent oddef ei gilydd ond ni rannai ei
gwely hi byth eto. Ei wely o, ran'ny. Fo oedd wedi ei brynu,
a gweddill y dodrefn hefyd. Ond fe gâi Lena eu cadw. Lle
bynnag yr âi, a phryd bynnag, ni fwriadai fynd ag un dim o
Finafon i'w ganlyn. Ond cyn iddo fynd roedd yna rai pethau
angen sylw. Ac nid y lleiaf o'r rheini oedd y ferch a eisteddai
rŵan o fewn cyrraedd llaw iddo. Ond cadw'i ddwylo iddo'i
hun a wnaeth Richard Powell, am y tro.

— I —

Er bod rhai pobl yn dal allan fod rhin iachusol i wynt y
môr nid oedd Mati erioed wedi gallu derbyn hynny. Ond
roedd un peth yn sicr—bu'r diwrnod ym Mae Colwyn yn un
o'r rhai mwyaf bendithiol a gawsai erioed. Byddai'n haws
ganddi hi gredu mai ei dicter tuag at Gwyneth oedd yn gyf-
rifol am ei lwyddiant. Hwnnw oedd wedi ei gyrru hi ar gerdded
drwy'r prynhawn heb deimlo dim oddi wrth ei thraed. Cawsai'r
eneth hwyl ar bigo beiau. Efallai ei bod hi'n iawn i raddau ac
mai meddyliau bach, crebachlyd oedd ganddyn nhw a llond
llwy yn ddigon ar y tro. Ond roedden nhw wedi cael mwy na'u
siâr o wermod yn honno. Be wyddai geneth oedd wedi ei
breintio ag ymennydd a thlysni ac wedi cael ffordd darmac
i'w cherdded am boen byw pobl heb na gallu na harddwch ;
rhai fu'n cerdded ffordd drol ar hyd eu hoes ?

Dyna Katie Lloyd, wedi ei chaethiwo i'w thŷ gan Pharisead
o ddyn oedd bellach wedi bod o flaen ei well a'i gael yn brin,
siawns, a Madge Parry, wedi ei chlymu ei hun wrth ei 'cham-
gymeriad bach' ac wedi talu amdano ar ei ganfed. A'i
Lena hithau, a Richard, yn gaeth i'r llwon wnaethon nhw
ugain mlynedd yn ôl. Ond tybed nad oedden nhw i gyd yn
well allan yn eu caethiwed nag y bydden nhw o gael eu traed
yn rhydd ? Sawl un ohonyn nhw allai ddechrau o'r newydd
yng nghanol peryglon dieithr ? Yno, ym Minafon, y daethon
nhw i adnabod eu hofnau ac i ddysgu dygymod â'u colledion.
Wedi gwrthod yr oedd Gwyneth, nid wedi colli, ac wedi gwneud
yn siŵr cyn gwrthod fod ganddi rywbeth arall wrth gefn.

Dirgelwch llwyr oedd ei chorff iddi hi pan briododd Arthur
a bwnglera caru y buon nhw am flynyddoedd, yn twyllo'i
gilydd eu bod wedi'u bodloni, yn hytrach na brifo teimladau.
Yna, wedi i'r plant fynd i'w ffyrdd eu hunain, daethai newid
mawr dros eu caru. Mynegiant teimlad oedd o bellach, nid
moddion cenhedlu. Fe aethon nhw i arbrofi mwy, y naill yn
chwilio dirgelion y llall a phob darganfyddiad bach yn hyfryd-
wch ynddo'i hun. Ond fe wyddai merched heddiw bopeth oedd

i'w wybod am eu cyrff, a hynny'n glinigol oer. A fedren nhw ddim aros i dywallt y cyfan allan, yn bendramwnwgl, fel petai rhywun yn dal basged negesau â'i phen i lawr. A be oedd yn fwy naturiol wedyn na bod eisiau prowla ym masged rhywun arall ?

Ond efallai nad oedd dim newydd yn hynny ran'ny. Rhyw hanes go od oedd 'na i Lena a Richard yn ôl yn y pumdegau. Roedd hi'n rhyfeddod fod Richard wedi gallu dal cyn hired. I Lena yr âi'r clod am hynny, debyg, os nad oedd yn Richard ryw synnwyr cyfrifoldeb oedd wedi ei gadw tra roedd Gwyneth o gwmpas. Go brin fod yr un tad wedi chwarae mwy efo'i blentyn. Âi â hi i ddringo a nofio a physgota. Gallai Mati gofio amser pan na ellid gyrru pin rhyngddyn nhw. Roedd Lena ar fai yn troi'r eneth yn erbyn ei thad. Rhyfedd na fyddai ei hunanfalchder wedi ei hatal hi. Mae'n rhaid ei bod hi ym mhen ei thennyn.

A dyna Glyn wedyn. Roedd yna agos i flwyddyn bellach er pan alwodd i'w gweld, yn llawn cynlluniau am ymfudo. Canada, efallai, roedd yna bosibiliadau mawr yn y wlad honno. Mae'n amlwg ei fod mewn helbul, adref ac efo'i fusnes, ond ni chymerai mo'r byd â chyfaddef hynny. Er y gallai Mati gyfri ar fysedd un llaw sawl tro y bu Clare ym Minafon ac er na fu hynny'n boen iddi, roedd ei chydymdeimlad i gyd efo hi. Ni chawsai neb erioed well cychwyn na Glyn. Roedd hi'n anodd credu sut y gallai neb fod wedi gwneud llanast o fusnes oedd eisoes wedi cael ei draed 'dano. Ond byddai Glyn bob amser yn anelu'n rhy uchel a'i amcanion yn ormod i'w allu. Roedd o wedi mynnu cael set Mecano un Nadolig— yr orau a'r fwyaf. Tynnodd y cyfan allan ar lawr y gegin a mynd ati'n wyllt i lunio'r craen oedd ar dudalen olaf y llyfr cyfarwyddiadau. ' Dechreua efo'r ferfa ar y dudalan gynta,' meddai Arthur. Bu Glyn wrthi'n ddygn am awr. Yna, heb unrhyw rybudd, gafaelodd yn y ffrâm simsan a'i thaflu â holl nerth braich yn erbyn y wal nes bod y darnau dur a'r sgriws yn chwalu i bobman.

Ymhen misoedd wedyn, wrth iddi dynnu'r dodrefn allan i'r glanhau gwanwynol, daethai Mati o hyd i ddarnau rhydlyd o'r Mecano. Wedi iddi geisio'u glanhau aethai â nhw i'w cadw i'r bocs oedd erbyn hynny'n segur ar ben y wardrob.

'Cofia'r Brenin Bruce a'r pry copyn,' meddai Arthur, pan ildiai Glyn wedi'r methiant cyntaf. Ond syrthiai ei gyngor ar glustiau byddar. Ni allai feio Clare am droi tu min. Hi oedd wedi erfyn ar ei thad i roi cyfle i Glyn. Ac nid ei bai hi oedd o ei bod wedi ei geni â llwy aur yn ei cheg. Efallai . . . petai yno blentyn. Ond ni allodd plentyn Lena a Richard wneud dim i dynhau'r cwlwm rhyngddyn nhw. A pheth annheg oedd defnyddio plentyn.

Be oedd yn mynd i ddigwydd i'r hogyn bach drws nesa 'na ? Cael ei fagu'n glos gan ei nain i feddwl, fel ei dad, fod ganddo'r hawl i ddefnyddio pobl i'w bwrpas ei hun ? Nid oedd Pat wedi holi dim yn ei gylch. Byddai'r darlun ohoni'n sefyll yn y drws ac yn dweud—'fedra i ddim diodda'r babi 'na' —yn aros efo hi am byth. A hithau'n honni ei bod wedi hoffi ei phlant. Petai'n onest byddai wedi newid y gair 'hoffi' i 'dioddef.' Tybed nad oedd hynny o gariad oedd ynddi wedi ei sianelu ar gyfer Arthur ? Neu tybed a oedd ei thosturi wedi ei lyncu yn ystod y blynyddoedd cynnar rheini wrth iddi wylio trueni ei thad a hunanaberth ei mam ? Beth bynnag y rheswm, roedd yn rhaid iddi dderbyn peth o'r bai am oerni ei merch a gwendid ei mab.

Ond heddiw, â'r cryfder newydd ynddi, gallai wynebu ei methiannau a sylweddoli nad oedd ganddi ddim i'w gynnig i Lena a Glyn fel iawn am fethu eu caru. Ond gallai eraill fanteisio ar ei chamgymeriadau hi ; rhai a ddaethai ar ei gofyn a chael eu siomi. Efallai fod diffyg ar ei llygaid hi a Gwyneth—hi, yn fyr ei golwg, yn methu gweld allan a Gwyneth a'i golwg ymhell, yn methu gweld i mewn. Aethai cyfrifoldeb Gwyneth â hi o Finafon ; roedd ei chyfrifoldeb hi yn ei chadw yma. Ond o leiaf roedd hi wedi ceisio gweld allan ; wedi gwneud ymdrech i geisio deall cymhellion Gwyneth ac wedi addo credu ynddi. Ac roedd hi'n para i gredu, ar waethaf popeth. Byddai'n dda ganddi petai'r eneth wedi ceisio gweld i mewn a deall gwewyr meddwl Emma o gael ei gwrthod a pharodrwydd Pat i gael ei sathru. A hyd yn oed lunio rhyw esgus, waeth pa mor dila, dros ei thad. Fe ddylai wybod fod terfynau Minafon yn rhy gyfyng i Richard. Er bod yr hyn a wnaethai Lena'n greulon, roedd i Gwyneth gefnu ar ei thad yn greulonach. A Richard druan oedd i dderbyn pwysau'r bai i gyd. Nid

fod hynny i'w weld yn amharu arno mewn unrhyw ffordd.
Cawsai gip arno ddoe yn mynd heibio i'r tŷ, yn llond ei groen
a'i ben yn uchel. ' Ac yn gelwydd i gyd. ' Lle clywsai hi
hynna ? Gan Gwyneth, debyg, yn ôl yn nyddiau ysgol.
Trugaradd mawr, doedd 'na ond dwy flynedd er pan oedd hi'n
eistedd arholiadau lefel A ac yn galw yma iddi hi ei phrofi.
Roedd hi wedi dysgu peth wmbredd yn sgîl Gwyneth ddechrau'r
haf hwnnw. Y llinell ddaeth i'w chof hi rŵan—sôn am Ha
Bach Mihangel yr oedd hi, os oedd hi'n cofio'n iawn. Roedd
y darn yn dweud rhywbeth am dwyllo byw. Fe fuon nhw
wrthi'n dadlau am hydoedd—Gwyneth yn mynnu mai anferth
o gelwydd oedd bywyd i gyd a hithau'n dal allan fod y gwir
yn siŵr o drechu yn y pen draw. ' Ond pwy sy'n cyrraedd y
pen draw, byth ?' holodd Gwyneth. Hithau'n gwylltio ac yn
dweud ei bod hi'n ddigon buan i Gwyneth siarad a be wyddai hi
am fyw, a rhyw hen ystrydebau felly.
Roedd bywyd wedi bod fel llyn llefrith yn ddiweddar ; dim
byd yn digwydd ; pob diwrnod yn union yr un fath. Felly
roedd hi wedi bod ym Minafon erioed ran'ny, er bod Gwen
Ellis wedi gwneud ei gorau glas i gael fflamau allan o gols fwy
nag unwaith. Ond roedd yna ryw anniddigrwydd ar gerdded
yma ers tro bellach ac mae'n debyg fod ei theulu hi mor gyfrifol
am hynny â neb.
Yn ystod y dyddiau diwethaf rhoesai Mati ei hun ar brawf—
nid y Mati a ddaethai yma o'r cwt sinc na'r Mati fu'n byw i
Arthur—ond y Mati fu'n bodoli yma wedi ei farw, yn magu'i
briwiau ac yn aros iddyn nhw wella ohonynt eu hunain. Roedd
hi wedi credu mai dyna oedd yr ateb ; gadael i amser ei siapio
hi. Ond sut oedd yn bosibl iddi gryfhau ? Nid oedd neb erioed
wedi magu nerth wrth osgoi. Cleisiau oedd yn caledu pobl.
Aethai i weld Pat i'r ysbyty neithiwr. Roedd hi wedi ysgri-
fennu i'r chwaer gynted ag y cafodd hi gefnogaeth Doctor Puw.
Bu'n o hir cyn cael gafael arno. Roedd galw mawr amdano'n
ôl pob golwg ; pobl wedi sylweddoli ei werth reit siŵr. Gwelsai
ei gar ym Minafon ddwywaith yn ddiweddar, wrth dŷ Eunice
Murphy. Clywsai si yn y dref ddoe eu bod nhw wedi mynd â'r
gŵr i sanatoriwm Bryn Mawr. Dim rhyfedd fod y ddynes mor
oeraidd bell. A hithau wedi bod mor barod i weld bai arni.
Byddai'n rhaid iddi alw i'w gweld cyn pen yr wythnos.

Cwynai'r Sister fod yr ysbyty'n llawn a bod arnyn nhw angen lle Pat. Addawodd hithau y byddai ganddi rywbeth i'w gynnig rhag blaen. Bu'n aros y postmon yn eiddgar bore heddiw, gan gredu'n siŵr y deuai gair o Gaerdydd. Ond byddai'n rhaid iddi wynebu'r Sister yn waglaw eto heno. Un ateb oedd—cael Pat yma ati. Roedd y drws nesa'n wag a Les a'r babi wedi symud at ei rieni. Byddai'n rhaid iddi ddod â'r fatres i lawr o'r llofft gefn i'w chrasu o flaen y tân. Nid oedd fawr o waith arni gan ei bod hi'n ei symud o un gwely i'r llall bob hyn a hyn i'w chadw'n demprus, rhag ofn. Rhag ofn beth, dyn a ŵyr, os nad oedd hi'n rhyw ddirgel gredu mai yma y deuai Glyn, yn groes i'r graen, pan âi pethau'n rhy boeth iddo. Ta waeth, roedd y chwarae draffts rhwng dau wely wedi ateb ei bwrpas.

Ond cyn iddi ddechrau rhoi sylw i'r gwely roedd am alw i weld Emma Harris. Ni welsai mohoni wedi'r bore hwnnw yr aethai i Fae Colwyn, er iddi gael cip arni ar y stryd fawr yn mynd â'i thrwyn yn yr awyr o gwmpas ei busnes. Roedd rhywbeth addawol iawn yn ei hosgo, o leiaf.

Roedd hi'n smwcian glaw ond gan nad oedd ond ychydig gamau rhwng y ddau dŷ ni thrafferthodd Mati wisgo'i chôt. Pan agorodd Emma'r drws iddi sylwodd ar y mat sychu traed mawr oedd yn cyrraedd o un pared i'r llall. Gallai dyngu nad oedd yno pan alwodd fore Sadwrn. Sychodd ei thraed yn egnïol. Safodd Emma yn ei gwylio. Nid oedd Mati ond yn disgwyl iddi ei gorfodi i dynnu ei hesgidiau.

Arweiniodd Emma hi i'r gegin. Hon oedd y gegin a gofiai pan ddaethai Arthur a hithau yma a chael yr hen ŵr fel brenin yng nghanol ei eiddo. Nid oedd dim wedi ei esgeuluso, fel petai Emma wedi bod yn ymddiheuro'n llaes i'r cyfan am ddial ei llid arnyn nhw.

' Wel, Emma, mae ganddoch chi le del yma.'

' Oes.'

' Wedi galw i ddiolch am y te yr ydw i.'

' Gawsoch chi flas arno fo ?'

' Do, wir, ac yn dal i gael blas. 'Chydig iawn sydd i angan ar y tro, yntê ?'

' Prynu'n dda ; prynu unwaith.'

' Eich mam ?'

178

' Nace, fi. Ond mae o'n wir.'

' Mae'n debyg i fod o. Ond mi gewch waith perswadio pobol.'

' Â i ddim i drio, wir.'

' Fe ddaru chi lwyddo i 'mherswadio i, beth bynnag.'

' Ac fe roesoch chitha hwb i minna.'

' Ro'n i'n ofni mod i wedi gneud llanast o betha.'

' Am 'y mod i wedi diflannu fel gwnes i ?'

' Ia, debyg.'

' Ro'n i ar fai. Ond roedd hi'n haws dianc ar y pryd. Wyddwn i ddim fedrwn i 'dach chi'n gweld.'

' Fedrach chi be, Emma ?'

' Gneud fel roeddach chi'n deud.'

'Trugaradd mawr, be ddeudis i, deudwch ? Rydw i wedi bod yn trio cofio.'

' Deud y bydda'n rhaid imi newid, ar gyfar beth sydd i ddwad.'

' Roedd o'n ddeud mawr.'

' Oedd. Ac yn fy nychryn i. Ond roedd o'n rhwbath i gydio ynddo fo. Doedd gen i ddim byd 'dach chi'n gweld, dim byd ond y tŷ, a be oedd hwnnw da imi ?'

Cofiodd Mati amdani ei hun yn eistedd yn yr iard gefn ac yn gwrando'r llais cyfarwydd yn dweud—' Be wna i efo'r blydi tŷ, heb Arthur ?'

' A'r tŷ oedd y peth dwytha oeddach chi i eisia ar y pryd.'

Syllodd Emma arni, mewn syndod.

' Dyna'n union sut o'n i'n teimlo. Mi 'dach chi'n ddeallus, Mati.'

' Ddaru chi i regi o ?'

' I'r cymyla, a theimlo'n chwys doman o gwilydd wedyn. Mi allwn i fod wedi i dynnu'n ddarna â nwylo'n hun fel ro'n i'n teimlo ar y pryd.'

' A rŵan, hwn ydi'ch cysur chi ?'

' Ia,' gyda'r un syndod. 'Mi 'dw i wedi bod wrthi'n i lanhau o o'i gwr. A fory mi 'dw i am ddechra papuro. Mi 'dw i wedi bod allan yn prynu papur. Mi gewch i weld o mewn dau funud. Panad gynta.'

' Na, fedra i ddim rŵan.'

Be 'di'r brys ?'

' Mi wyddoch am Pat ?'

' Pwy ?'

' Drws nesa.'

' O, honno. Dyna ydi i henw hi, ia ?'

' Mae hi'n yr ysbyty. Wedi colli'r babi.'

' Be oedd yn bod arno fo ?'

' Nid Robert. Un arall, oedd hi'n i ddisgwyl.'

' Ond babi ydi'r llall, yntê ? Does gan rai pobol ddim rheolaeth. Dim rhyfadd fod y byd 'ma'n mynd a'i ben iddo.'

' Dydi petha ddim yn rhy dda rhyngddi a'i gŵr. Mae o wedi mynd â'r babi i dŷ i fam.'

' Ro'n i'n meddwl i bod hi'n ddistaw yma.'

' Dydi o ddim yn sôn am i chymryd hi'n ôl.'

' O, diar, on'd oes 'na helynt efo pobol ifanc heddiw.'

' Rydw i am i chymryd hi ata i am sbel, i gryfhau. Does ganddi hi unlla arall i fynd. Mi 'dw i wedi sgwennu at i chwaer yng Nghaerdydd, ond does 'na ddim atab. '

' Ydach chi'n meddwl eich bod chi'n gneud yn ddoeth ?'

' Nag ydw, falla. Ond mi 'dw i wedi hen flino ar 'neud petha doeth.'

' Finna hefyd, Mati. Ac mi 'dw i am wario fel ffŵl ar y tŷ 'ma—papur, paent, dodrefn newydd. I be aiff rhywun i gadw'i arian ? Dim ond colli 'u gwerth maen nhw, p'run bynnag.'

' Be 'newch chi am waith ?'

' Dydw i ddim ar frys. Mi fedra i ymdaro'n iawn ar yr hyn sydd gen i am sbel. Ac os daw hi i'r gwaetha mi fedra i gael lle mewn siop. Mae fy ngwell i wedi bod y tu ôl i gowntar.'

Roedd hi wedi colli'r lliw afiach o'i hwyneb ac yn edrych, os rhywbeth, yn bechadurus o iach. Ac i feddwl ei bod hi, Mati, wedi bod yn moedro'i phen yn ei chylch ac wedi andwyo siwrnai trên o'i herwydd. A rŵan dyma hi ar ei huchelfannau heb fod angen na newid aer na gwynt môr. Ond dyna oedd hi eisiau, ia ddim ? Dyna dd'wedodd hi wrth Gwyneth—ei bod hi am weld Emma Harris yn codi'i dau fys ar Jones Davies. Ac fe allai hon godi ei dau fys ar y byd yn ei gyfanrwydd yn ôl ei golwg hi rŵan. Ond ni allai Mati yn ei byw gael gwared â'r siom oedd yn pigo ynddi, fel draenen mewn bys. Be oedd hi'n ei ddisgwyl, mewn difri ? Fe gawsai ei briwsion o glod. Roedd

Emma wedi cyfaddef mai hi a roesai hwb iddi, ac wedi ei galw'n ddeallus.

' Ddowch chi draw i gael tamaid o swpar efo fi ?' holodd Emma.

' Na, ddim diolch. Wn i ddim pryd i ddisgwyl Pat.'

' Chi ŵyr. Rywdro eto falla.'

Falla ddim. Nid oedd ganddi fawr o awydd dod yma i wrando ar Emma yn rwdlan ynglŷn â'r tŷ ac yn ei hatgoffa o'i brwdfrydedd hi ac Arthur efo pethau tebyg. Edmygodd y papur, heb ei hoffi. Nid oedd angen dweud dim ac Emma ei hun yn dotio cymaint.

' Mi 'dw i am ddechra yn y llofft gefn a gweithio drwy'r tŷ,' meddai.

Ni fyddai waeth gan Mati petai'n dechrau yn y cwt glo ddim. Teimlai'n ddi-ffrwt, fel petai Emma wedi gwrthod anrheg ganddi ac yn ei gorfodi i'w gymryd yn ôl. Hithau'n gwybod na fyddai ei gynnwys o unrhyw werth i neb arall.

Pan adawodd y tŷ roedd y smwc glaw wedi troi'n genlli ac roedd hi'n diferyd erbyn iddi gyrraedd ei thŷ ei hun. Agorodd ddrws y portico a rhuthro i mewn â'i phen yn gyntaf heb sylwi fod rhywun yn sefyll yno. Teimlodd fagl ambarel yn ei chornio yn nhwll ei stumog a chododd ei phen i weld merch yn sefyll yno ; merch yn ei hugeiniau diweddar a sglein gofal arni o'i chorun i'w sawdl.

' Chi ydi Mrs. Hughes ?'

' Mati Huws ydw i, ia.'

' Elizabeth Peters ydw i.'

' Ddylwn i'ch nabod chi ?'

' Wedi galw ynglŷn â Pat yr ydw i. Fe ddaru chi sgrifennu imi.'

' Do, siŵr. Ro'n i'n meddwl fod yr enw'n gyfarwydd. Chi ydi chwaer Pat.'

' Hanner chwaer.'

Hen ddweud gwirion, meddyliodd Mati. Ac ni ellid cael gair mwy anaddas i ddisgrifio hon. Arweiniodd hi i'r tŷ ac i'r ystafell eistedd. Cynigiodd iddi dynnu ei chôt ond ni fwriadai aros, meddai hi. Gwrthododd gadair esmwyth a dewis

un galed gan eistedd fel petai'n cynnal pentwr o lyfrau anwele-
dig ar ei chorun.

' Rydw i'n deall i chi gael dipyn o helynt efo Pat.'

' Dyna'r argraff rois i ? Do'n i ddim yn bwriadu hynny.'

' Ro'n i wedi gobeithio y bydda hi'n sadio ar ôl priodi.
Mae Leslie yn fachgen mor gyfrifol.'

' Do'n i ddim yn hoffi rhoi'r peth mewn llythyr, ond mi 'dw
i'n credu y dylach chi gael gwybod i fod o wedi'i cham-drin hi.'

' Leslie ?'

' Roedd o wedi'i tharo hi, yn egar. Mae'n bosib mai dyna
pam y collodd hi'r babi. Pan ddaeth hi yma yn oria'r bora
roedd i hwyneb hi'n waed i gyd.'

' A'i stori hi oedd fod Leslie wedi'i tharo hi ?'

' Ia.'

' Ac fe ddaru chi i chredu hi ?'

' Do, siŵr.'

' Nid chi ydi'r gynta iddi i thwyllo. Pan oedd hi'n iau mi
fydda'n i thorri i hun, efo cyllell neu ddarn o wydyr, ac yn
ceisio rhoi allan mai rhywun arall oedd wedi ymosod arni hi.'

' I be gwnâi hi beth felly ?'

' I dynnu sylw ati i hun. Dyna'r unig ffordd oedd ganddi.
Rydach chi wedi sylwi, wrth gwrs, mai 'chydig iawn sydd
gan Pat i frolio'n i gylch. Tynnu ar ôl i mam mae hi—fy llysfam
i. Fe ailbriododd nhad ar funud gwan. 'Pharodd y briodas
ddim yn hir.'

' Ydi'ch tad yn fyw ?'

' Nag ydi. Fe all fod fy llysfam o gwmpas y lle yn rhywle.
Fe adawodd hi Pat i nhad a minnau. Fe wnaethon ni'n gorau
iddi ond yn ofer mae arna i ofn. Ro'n i'n gobeithio 'mod i wedi
clywed i diwedd hi pan briododd hi Leslie. Fe all gyfri i ben-
dithion i fod o wedi cymryd trugaredd arni hi.'

' Mae o'n gwrthod i chymryd hi'n ôl

' Mae'n rhaid dysgu gwers iddi.'

' Gwers ?'

' Rydw i'n cymryd mai rhywbeth yn debyg ydi hi o hyd—
yn gwneud stomp o bopeth mae hi'n i gyffwrdd ac yn rhy
styfnig i gymryd i dysgu. Rydw i'n chwysu wrth feddwl sut
mae hi'n trin y plentyn yna.'

' Dydi o ddim gwaeth.'

'Diolch i Leslie. Wel, mae'n debyg y dylwn i bicio i'w gweld hi, gan fy mod i yma.'

Cododd yn ofalus, gan esmwytho'i sgert, y llyfrau anweledig yn dal yn daclus ar ei chorun. Dyma ddynes na fyddai'n fodlon plygu i neb, meddyliodd Mati. Pat druan, dim rhyfedd fod ei phen hi mor isel.

'Ydach chi am fynd â Pat efo chi heddiw ?'

'I b'le ?'

'Yn ôl i Gaerdydd.'

'Nag ydw wir.'

'Ond ro'n i'n meddwl . . .'

'Mae'n amlwg be oeddech chi'n i feddwl. Mi hoffwn i ddweud, Mrs. Hughes, nad oedd y gŵr a minnau'n hidio dim am dôn eich llythyr chi. Rhyw gasglu yr oedden ni eich bod chi'n i theimlo hi'n ddyletswydd arna i ofalu am Pat.'

'Chi ydi'r unig berthynas sydd ganddi hi, yntê ?'

'Roedd ein tad ni'n digwydd bod yr un, dyna'r cwbwl. Am ein mamau ni, roedd yna gymaint o wahaniaeth rhyngddyn nhw ag sydd yna rhwng y Frenhines Elizabeth a . . . a dynes gwerthu pysgod yn Fleetwood. Mae'r gŵr a minnau wedi ymdrechu, ac yn para i ymdrechu, er mwyn cael cartref y gallwn ni ymfalchïo ynddo fo. Y peth olaf fyddwn i'n dewis ei wneud fyddai rhoi'r cartref hwnnw yng ngofal geneth na fedrai hi ddim gofalu am . . . am doiledau merched.'

'Ond be ddaw ohoni ?'

'Mi fydd yn rhaid iddi fynd yn ôl at i gŵr, wrth gwrs.'

'Ac fe ofynnwch chi iddo fo, i ddarbwyllo fo, ar i rhan hi ?'

'Dydw i ddim yn credu mewn maeddu nwylo, Mrs. Hughes. Na, i busnes hi ydi gofyn, erfyn ran'ny, arno'i chymryd yn ôl. Mae Leslie'n fachgen maddeugar iawn ac rydw i'n siŵr y rhydd o ail gyfle iddi hi. Rŵan, os gwnewch chi f'esgusodi i ?'

'Fe ddangosa i'r ffordd i chi, i'r ysbyty.'

'Does dim angen. Fe ddo i o hyd iddi. Rydw i eisoes wedi mynd â gormod o'ch amser chi.'

Yr hen gath grafog iddi hi, hefyd. Byddai Mati wedi bod yn ei hafiaith yn gwthio'i throed allan yn slei bach wrth iddi gamu'n sidêt dros y trothwy, nes ei bod hi'n llyfu'r cerrig glas. Roedd hi'n hen bryd i hon gael cwymp. Rhyw ddweud gwirion oedd fod balchder yn dwyn ei gwymp. Y rhai gostyngedig a'r rhai gwirion ddiniwed oedd yn cael codymau'n wastad, ac yn cael eu cicio tra roedden nhw ar lawr hefyd. Mae'n rhaid fod gan hon arian. Dwedwch a fynnoch, dyna oedd yn cyfri heddiw. Fedrach chi ddim fforddio rhoi clec ar eich bawd ar neb heb fod ganddoch chi geiniog wrth gefn. Dyna sut yr oedd Emma Harris yn gallu bod mor dalog rŵan. Ond dyna Gwyneth wedyn, heb ddwy geiniog i'w rhwbio'n ei gilydd ac mor ffroenuchel â neb. Ifanc a hyderus oedd hi, ran'ny, ac yn perthyn i genhedlaeth oedd am gymryd rŵan a thalu eto gan groesi bysedd yn y cyfamser yr âi ei dyled yn angof.

Aeth Mati i fyny i'r llofft gefn a bu'n clepian drysau a chypyrddau a droriau am sbel. Yna llusgodd y fatres i lawr y grisiau, ei mileindra yn rhoi nerth dwy yn ei breichiau. Fe âi i'r ysbyty heno i hysbysu'r Sister fach gecrus yna y câi ei gwely gwag rhag blaen.

Pan oedd hi wrthi'n chwilio am gynfasau yn y gist ddillad digwyddodd edrych drwy'r ffenestr a gwelodd Emma Harris yn bustachu heibio efo dau ganiad mawr o baent, un ym mhob llaw. Buan iawn y diflannai ei ffortiwn fach hi fel hyn. Ond waeth iddi wario'i chynilion ar bapur a phaent nag ar daith goffi i Landudno. O leiaf byddai effaith rheini'n para dipyn hwy na blas y coffi. Ond be oedd hi'n bwriadu ei wneud ar ôl gorffen ? Eistedd ar ei thin yn edmygu ei gwaith am weddill ei hoes ? Byddai'n rhaid iddi droi allan rywbryd. Roedd hi'n anodd dychmygu Emma y tu ôl i gownter, yn cael ei gorfodi i gyfaddef mai'r cwsmer oedd yn iawn. Sut y gallai hi ymatal rhag dweud—' Prynu'n rhad ; prynu eilwaith ' a'u beirniadu am eu diffyg chwaeth ? Na, roedd Emma wedi cael ei ffordd ei hun yn rhy hir i fod yn fuddsoddiad da i gyflogydd.

Rhoddodd Mati bwniad ffyrnig i'r tân. Neidiodd colsyn ohono, yn beryglus o agos at y fatres. Cythrodd amdano a'i godi rhwng ei bys a'i bawd. Tynnodd poen y llosg ddŵr i'w llygaid. Gallai'n hawdd fod wedi ildio i'r boen a'i gollwng ei hun i gadair am y gyda'r nos. Ond roedd ganddi nod i gyrraedd ato cyn nos ac nid oedd mymryn o losg ar fys yn werth sylw.

Wrth iddi ddychwel o'r siop-gwnewch-o'ch-hun tybiodd
Emma iddi weld symudiad o gwmpas drws ffrynt Madge Parry,
ond ni chaniatâi pwysau'r tuniau paent iddi gymryd hoe i
graffu. Erbyn iddi fynd â'r tuniau drwodd i'r cefn a chwmanu'n
ei hôl roedd rhif saith mor ddifywyd ag erioed. Ond roedd
rhywun wrth giât y drws nesaf, yn cael sgwrs go ddifrifol efo
Eunice Murphy yn ôl fel roedd pennau a dwylo'r ddau yn
symud. Fe allen nhw fod yn ffraeo reit hawdd. Dylai adnabod
y dyn. Arferai alw'n y swyddfa weithiau. Ni allai ddwyn ei
enw i gof ond cofiodd ei fod a wnelo rywbeth â'r Cyngor.
Rhyw gŵyn oedd gan Eunice Murphy, debyg. Roedd golwg
cwynwreg arni. Wnâi neb dro gwael â hi heb orfod dioddef am
hynny. Mor wahanol iddi hi, yn cymryd ei thaflu heb geisio
taro'n ôl. Ond dal ar ei hurddas oedd orau. Ni fyddai dim
yn eu lladd nhw'n fwy na'i gweld hi'n cerdded y stryd â'i phen
yn uchel. Ac roedd hi wedi gwneud ati i'w cherdded yn ystod
y dyddiau diwethaf, yn arbennig heibio i'r swyddfa. Daethai
llythyr oddi wrth y Jones Davies ieuengaf ddoe yn dweud ei
fod yn gresynu iddi adael mor swta a bod croeso iddi ddychwel
yno hyd ddiwedd y mis os oedd ei hiechyd yn caniatáu. Torr-
odd y llythyr i fyny'n ddarnau mân a'u gollwng i lawr y pan—
y lle mwyaf sarhaus y gallai feddwl amdano.

Roedd Emma'n iawn—cŵyn oedd gan Eunice Murphy ;
yr un gŵyn ag arfer. Ac mae'n debyg mai ffraeo yr oedden nhw,
efo Eunice yn ymosod a'r Swyddog Iechyd yn ceisio ei amddi-
ffyn ei hun.

' Pam na fedrwch chi ?' holodd Eunice.

' Byddwch yn rhesymol. Does gen i ddim hawl i droi neb
allan o'i dŷ.'

' Fe welsoch chi'r budreddi . . . a'r tamprwydd ?'

' Do. Ond mae'n rhaid imi ddeud na fedrwn i weld fawr
o'i le ar yr ystafelloedd cefn.'

' Does a wnelo fi ddim â rheini. O'r ffrynt mae'r tamprwydd
yn dwad. Welsoch chi'r hogyn 'na ?'

' Do—y creadur diniwad.'

' Ddim mor ddiniwad. Mi 'dach chi'n cytuno y dyla fo gael gofal ?'

' Ydw mewn ffordd, ond . . .'

' Ond be ?'

' Wel, mae 'na ffordd arall o edrych arni. I fam sy'n i ddeall o.'

' Dydi honno ddim yn gyfrifol i hun.'

' Roedd hi'n fy nharo i fel dynas gall iawn.'

' Sut y medar hi fod yn gall, wedi'i chau i hun yn y tŷ 'na ?'

' Mae hi *yn* mynd allan.'

' Ydi, yn y nos, fel llofrudd. Pam yn y nos, meddach chi ?'

' I gael llonydd, ddyliwn.'

' A dydach chi am 'neud dim, felly ?'

' Mi wna i hynny fedra i. Mi ro i'r achos gerbron y Pwyllgor Iechyd. Mae o i fyny iddyn nhw wedyn.'

' Hynny o ddeud sydd ganddoch chi ?'

' Ia, mae arna i ofn.'

' O, mae'ch swydd chi'n un sâl. A be ydw i i 'neud yn y cyfamsar ?'

' Fedrwch chi 'neud dim byd ond disgwyl.'

Disgwyl, ia, yn y lle estron yma, yn y tŷ del oedd yn mynd i fod yn gartref delfrydol. Disgwyl tra roedd y tamprwydd yn sleifio drwy'r waliau a'r llygod yn cnoi drwy'r parwydydd. Disgwyl am air oddi wrth Brian, neu air yn ei gylch ; disgwyl am y cyfle o gael mynd i'w weld unwaith y mis, ar draws gwlad, a gorfod ei adael wedi awr neu ddwy i ddieithriaid oedd wedi caledu i farwolaeth. Disgwyl, ddiwrnod ar ôl diwrnod, am ryw lygedyn o oleuni, o rywle. Ond yr oedd ganddi un cysur. Deuai pob munud o ddisgwyl ag awr ei dial yn nes. A phan gyrhaeddai'r awr honno byddai'r holl aros blinderus wedi ateb ei bwrpas.

— 3 —

Cyn i Mati gael cyfle i droi i'r ward fach daeth nyrs ati i ddweud fod Sister Owen am ei gweld. Pan aeth i'r ystafell roedd Doctor Puw yno yn ogystal â'r Sister.

Parodd Sister Owen iddi eistedd a thywalltodd baned o goffi iddi o'r jwg oedd ar y bwrdd.

186

' Doctor Puw oedd am eich cael chi yma,' meddai, mewn llais oedd yn awgrymu na fynnai hi ei chwmni. ' Mae o'n teimlo y dylach chi gael gwybod be sy'n digwydd gan eich bod chi wedi gneud cymaint efo'r eneth 'na.'

' Chydig iawn ydw i wedi i 'neud efo hi. Does 'na fawr er pan ddaethon nhw i Finafon.'

' Os ca i dorri i mewn,' meddai Doctor Puw. ' Meddwl yr o'n i, Mati, fod ganddoch chi ddiddordeb yn Pat.'

' O, oes, mae gen i.'

' Mi wyddoch fod i chwaer hi wedi bod yma heddiw ?'

' Hanner chwaer'—oddi wrth y Sister.

' Gwn. Mi fuo acw hefyd.'

' Geneth neis iawn.' Y Sister eto.

' Dydi'r hyn ddaru hi ddim yn neis iawn.'

Anwybyddodd y Sister hyn ac meddai—

' Fedra Mrs. Peters byth fod wedi gneud efo'r eneth 'na. Mae 'na waith trin arni hi, wyddoch chi. Mae hi'n *hysterical* iawn ar adegau.'

' *Hysterical* fyddach chitha 'taech chi'n cael eich curo gan eich gŵr.'

Syllodd Doctor Puw yn rhybuddiol ar Mati. Cymrodd hithau loches yn ei chwpan goffi. Roedd hwnnw cyn sured â'r un a'i rhoesai iddi. Ceisiodd roi ei sylw i'r hyn oedd gan Doctor Puw i'w ddweud. Sôn yr oedd o ei fod am anfon Pat i ysbyty arbennig lle câi driniaeth i'w nerfau a help i'w pharatoi ei hun ar gyfer cymryd ei lle mewn cymdeithas.

' Ond mi fedrwn i 'neud hynny,' meddai Mati.

' Chi ?' arthiodd Sister Owen.

' Ia. Mae pob dim yn barod gen i. Mi fedar Pat gael y llofft gefn. Mi 'dw i wedi bod yn crasu'r fatras ers oria. Mi ofala i i bod hi'n cael pob chwara teg.'

' Mi fydda'n ormod o ofal arnat ti, Mati.'

' Na fydda ddim. Ac mae hi'n fy nabod i. Ata i y daeth hi yn i thrwbwl.'

' Ond mae arni hi angan triniaeth gan arbenigwyr.'

' Yr hyn sydd ar Pat i angan ydi cariad a gofal ; rhywun i boeni yn i chylch hi ac i'w chanmol hi.'

' Ac fe wnaet ti hynny i gyd, Mati, mi wn i hynny. Ond mae meddwl yr hogan fach wedi drysu, ti'n gweld—ŵyr hi ddim be mae hi'n i ddeud a dydi hi ddim yn rhy siŵr be sydd wedi digwydd iddi.'

'Fe wyddoch gystal â finna be ddigwyddodd. Fo ddaru i churo hi.'

'Mae hi'n gwadu hynny rŵan.'

'Ydi, siŵr, er mwyn i arbad o.'

'Ac mae hi'n cyfadda iddi fod yn esgeulus o'r babi.'

'Ond fuo hi ddim. Rydach chitha wedi troi yn i herbyn hi.'

'Ddylach chi ddim siarad fel'na efo'r doctor,' meddai Sister Owen, yn siort.

'O, meindiwch eich busnas. Rhwng Doctor Puw a finna mae hyn. Wel, ydach chi ?'

'Naddo, 'mach i.'

'Ond rydach chi *yn* meddwl mai deud celwydd yr oedd hi bora Sadwrn.'

'Nag ydw, ddim yn hollol.'

'Be ydi ystyr peth felly ?'

'Mi 'dw i'n meddwl falla i bod hi'n tynnu dipyn ar i dychymyg.'

'Does ganddi hi ddim dychymyg. Fedra hi ddim deud celwydd i'w harbad i hun. Dydach chitha ddim gwell na'r gweddill ohonyn nhw—o blaid y cryfa o hyd. Mae hi gymaint haws cicio'r un sydd ar lawr.'

Cododd Mati'n wyllt a rhuthrodd allan o'r ystafell. Clywodd sŵn llestri'n syrthio. Mae'n rhaid mai hi oedd wedi eu taflu. Pan oedd wrth giât yr ysbyty tybiodd iddi glywed Doctor Puw yn galw arni o un o'r ffenestri. Roedd hi wedi gorffen efo fo am byth. Dyn oedd wedi cael yr enw o helpu rhai mewn trybini yn dewis anfon Pat o'i chynefin i le nad oedd o'n ddim ond seilam efo enw neis, lle câi ei thrin fel un â choll arni yn hytrach na geneth ddiniwed oedd wedi cael cam. O, oedd, roedd hi wedi darllen am lefydd felly ac am bobol oedd wedi eu cadw yno ar hyd eu hoes am nad oedd ar neb eu heisiau nhw. Ac am ei fod o rŵan yn rhy hen a diamynedd i foddran roedd o am gael ei gwared hi ; ei gwthio o'r neilltu i gael ei hanghofio. Mae'n debyg mai ofn Leslie oedd arno a'i bod hi'n haws cadw heddwch drwy ddial ar y dieuog.

Tuthiodd Mati i fyny Stryd y Bont ac ar ei hyll ar draws y stryd fawr. Ar gornel Minafon cyfarfu ag Emma Harris, yn cario rholiau o bapur wal fel bacbib o dan ei chesail. Safodd yn llwybr Mati a'i gorfodi i aros.

'Mynd â rhain yn ôl,' meddai. 'Dydi'r papur ddim yn mynd efo'r paent.'

Wrth weld Mati mor dawedog, meddai—

'Be sydd, Mati ? Ydach chi'n sâl ?'

'Wedi llosgi 'mys yr ydw i.'

'Tewch. Rhowch fenyn arno fo.'

Ac aeth ymlaen am y stryd fawr dan fwmian canu.

PENNOD 14

DYDD GWENER, MEHEFIN Y 23AIN

— I —

Derbyniodd Lena ei hail lythyr dienw yn gynnar fore Gwener. Mae'n rhaid ei fod wedi ei ollwng drwy'r twll llythyrau y noson gynt. Roedd conglau'r amlen yn wlyb lle roedd y glaw wedi chwipio o dan y drws yn ystod y nos. Heb godi yr oedd Richard. Âi'n hwyrach arno'n codi bob dydd. Dyn a ŵyr ar be roedden nhw'n mynd i fyw os oedd am ddal ymlaen fel hyn. Bu Lena'n holi yn y banc ynglŷn â'u cyfri a chael ei fod wedi disgyn i'w hanner. Mae'n amlwg ei fod wedi gwario arian fel y dŵr ar yr eneth yna.

Daethai gwraig i fyny ati wrth siop Boots ganol yr wythnos a dechrau ei blagardio yng nghlyw pawb. Nid oedd yn adnabod y wraig ond cymerodd yn ganiataol mai mam yr eneth oedd hi. Roedd hi wedi camgymryd, oherwydd siarsiodd y wraig hi i gadw Richard draw oddi wrth ei gŵr.

' Dyma'r tro cynta imi wybod fod gan Richard ddiddordeb mewn dynion,' meddai Lena, yn oeraidd.

Aethai'r wraig ymlaen i gyhuddo Richard o fod wedi hudo ei gŵr i hel diod a gadael iddo beryglu'i fywyd wrth lyw car. Nid yn unig hynny, ond roedd o wedi siarad yn fudur ac amharchus efo hi.

' Mi 'dw i'n siŵr na ddaru o mo'ch treisio chi,' meddai Lena. ' Mi fydda hynny'n gofyn gormod, hyd yn oed gan Richard.'

Rhoesai hynny gaead ar ei phiser hi. Camodd gwraig arall o'r gynulleidfa gwrandawyr at Lena a dweud—' Mi wnaethoch chi'n iawn efo'r hen jadan. Mi 'dw i am i chi wybod y gallwch chi ddibynnu arna i i sefyll efo chi.'

Ond y peth olaf oedd ar Lena ei eisiau oedd ei chynnig ei hun yn wrthrych tosturi i'r cyhoedd. Ni fu arni erioed angen eu cefnogaeth ar ddim. Go brin y deuai'r wraig yna ar ei gwarthaf eto, ond yr oedd eraill. Synnai nad oedd mam yr eneth a wnaethai'r fath dwll ym mhoced Richard wedi galw i'w gweld. Os deuai, fe wnâi iddi lyfu'r llwch. Nid er mwyn Richard, o, na, ond er ei mwyn ei hun. Ni allai byth ddygymod â'r gwarth o'i chael ei hun yn gocyn hitio cyhoeddus a chael pobl yn dal ei chôt iddi. A gorfod dioddef nid yn unig yr ymosodiad yng nghlyw pawb ond y sisial wrth iddi basio a'r wynebau chwilfrydig. A rŵan, hyn—y geiriau sarhaus ar bapur. Roedd y llythyr hwn yn ffyrnicach a'r ensyniadau tua'i ddiwedd yn newydd iddi er y dylai fod wedi amau. Ond roedd hi wedi cymryd fod y rhybudd a roesai i Richard wedi cael effaith ac na feiddiai dramgwyddo ymhellach. Roedd o'n rhy hoff o'i gysuron i fentro cael ei droi allan. A rŵan fod Margaret wedi cael llond bol arno roedd y drws hwnnw a'i fymryn trugaredd wedi ei gloi'n ei erbyn.

Gwnaeth Lena'r hyn a wnaethai efo'r llythyr cyntaf— ei roi yn llaw y Rhingyll Davies. Sicrhaodd yntau hi eu bod yn gweithredu ar ei hawgrym ac nad oedd angen iddi boeni. Sylwodd y Rhingyll ar y cleisiau duon o dan ei llygaid a thyngodd lw iddo'i hun y mynnai gael gafael ar awdur y llythyrau enllibus ar y cyfle cyntaf.

Ond bychan oedd cyfraniad y llythyrau dienw at y cleisiau o dan lygaid Lena Powell. Ni chawsai Lena erioed ei llorio gan boen meddwl. Roedd ganddi ei dulliau ei hun o gael ei wared. Ond roedd hi'n ddiymadferth yn wyneb y boen arall. Aethai'r tabledi aspirin yn hollol ddi-fudd. Pan gynigiodd y Rhingyll Davies gadair iddi nid cynnwrf oedd yn dal ar ei hanadl, fel y tybiai ef, ond y siwrnai fer rhwng ei thŷ a Swyddfa'r Heddlu. Cymerai pob tasg fach o gwmpas y tŷ ddwbl yr amser a gymerai ychydig fisoedd yn ôl ac roedd hyd yn oed tynnu llwch wedi mynd yn dreth.

Wrth iddi fynd heibio i dŷ'r doctor, bu ond y dim iddi â throi i mewn. Ond pan alwodd yno, ar funud gwan, rywdro yn ystod yr amser y bu Richard i ffwrdd, y cyfan a gawsai gan Doctor Rees oedd pigiad yn ei bys a thabledi a wnâi iddi gysgu uwchben ei thraed. Efallai mai ei hoed oedd yn dal i fyny â hi ac mai peth dwl oedd disgwyl gallu chwipio o gwmpas ei gwaith fel y byddai.

Pan gyrhaeddodd y tŷ roedd Richard wedi codi ac yn stwna o gwmpas y gegin yn ei beijamas.

' Wyt ti ddim yn meddwl y dylat ti wisgo ?' holodd Lena.

' I be ?'

' Mae pawb arall o gwmpas 'u gwaith ers hydoedd.'

' Mae gen i ddiwrnod i ffwrdd heddiw.'

' Un arall ?'

' Mi 'dw i wedi bod yn gweithio'n galad drwy'r wythnos.'

' Dwyt ti ddim wedi gweithio diwrnod llawn rhwng y dyddia i gyd.'

' Wedi bod yn cadw tag arna i, wyt ti ?'

' Nid fi ydi'r unig un. Mae'r lle 'ma'n llawn o lygaid wyddost ti.'

' Ond does gan neb lygaid i'w cymharu â dy rai di, yn nagoes 'nghariad i—llygaid cudyll, yn hofran yn yr awyr, yn barod i ddisgyn ar i ysglyfaeth yn ddirybudd.'

' Ti ydi'r 'sglyfaeth mae'n debyg.'

' Yn ôl yr ystyr rois i i'r gair, ia.'

' Mi wyddost pa ystyr mae pobol ffor'ma'n i roi iddo fo ?'

' O, gwn.'

' Mae o'n ddisgrifiad eitha addas, ydi o ddim ?'

' Falla i fod o. Ond mae'r ystyr arall yn fwy addas.'

' Teimlo dy fod ti wedi cael cam wyt ti ?'

' Ia.'

' Gen i ?'

' Pwy arall ?'

' A be ydw i wedi'i 'neud, felly ?'

' Mi fydda—be ydw i heb i 'neud—yn gwestiwn tecach.'

' Olreit, mi ofynna i hwnnw 'ta. '

' Dwyt ti rioed wedi gallu rhoi'r hyn oedd arna i i angan imi.'

' Be oedd hwnnw ?'

' Y peth mae rhywun yn i ddisgwyl mewn priodas.'

' Ffyddlondeb ?'

' Na, nid am hynny ro'n i'n meddwl.'

' Ro'n i'n ama braidd. Fedrat ti ddim yn hawdd ofyn hynny, er dy fod ti wedi'i gael o. Be arall mae rhywun yn i ddisgwyl mewn priodas? Bwyd yn i bryd, rhyw rheolaidd ? Oes gen ti gŵyn ar hynny ? '

' Nagoes.'

' Os na allwn i dy fodloni di, pam gythral na allat ti fod wedi mynd yn ddigon pell i chwilio am ragor ?'

' Nid chwilio am ryw yr o'n i.'

' Ond be ?'

' Cariad falla—cnesrwydd, cydymdeimlad . . .'

' Ac mae'r rheini i'w cael yn rhif chwech Minafon debyg ?'

' Wn i ddim am be wyt ti'n sôn.'

' Na wyddost ? Fedri di ddim gwadu iti fod yno.'

' Hi ddaeth yma i ofyn help, pan oedd Brian yn sâl. Roeddat ti yma. Mi gwelist ti hi.'

' O, do, mi gwelis i hi. A sawl tro wyt ti wedi bod yno wedyn ?'

' Deirgwaith, ar y mwya, yn holi am Brian. Yli, Lena, dydw i ddim wedi cyffwrdd ynddi hi.'

' Ers pryd wyt ti wedi gallu cadw dy ddwylo i ti dy hun ? Lle buoch chi wrthi—yn y gwely lle roedd i gŵr hi'n poeri gwaed ?'

' Nace, ar y llawr, yn erbyn y wal, yn hongian o'r blydi to. Be ddiawl wyt ti'n i feddwl ydw i ?'

' Mi wyt ti eisoes wedi dangos be wyt ti.'

' Ond fedrat ti ddim aros i gael dy bump arna i, yn na fedrat ? Gan Dduw na faswn i wedi gwrando ar mam a Margaret ac wedi mynnu iti gael gwarad â'r babi. A titha i'w ganlyn o.'

' Hi. Hi oedd y babi. Dy aur melyn mawr di. Wyt ti'n cofio fel y byddat ti'n gofyn—Hogan pwy ? Ac yn gwenu fel giât pan fydda hi'n atab—Hogan dad bob tamad. A rŵan mae hi wedi dy werthu di i lawr y draen.'

Syllodd Richard arni. O, roedd hi'n hagr, ac yn hen cyn ei hamser. Cymharodd y gwefusau gwelwon â'r gwefusau cochion, llawn yr ysai am eu cusanu neithiwr. Llithrodd ei lygaid i lawr y corff main a chofio ymchwydd y bronnau yn erbyn y blows coch. Roedd o wedi ei herian fod coch yn arwydd perygl, ond ei herian o bellter a lled bwrdd rhyngddyn nhw. Gwyddai fod ei gam nesaf yn dibynnu ar ei hymateb hi. Petai'n brathu'n ôl byddai hynny'n rhybudd i gadw pellter, neu hyd yn oed i gilio'n gyfan gwbl—nid oedd am wastraffu rhagor o amser arni. Ond ni wnaethai ond codi ei haeliau a hynny'n bryfoclyd iawn. Rhoddodd hynny hyder ynddo a mentrodd roi pigiad dryw o gusan iddi wrth adael. Nefoedd fawr, roedd hi'n ddrwg arno neithiwr, mor ddrwg nes iddo chwarae â'r syniad o fynd i mewn at Lena. Ond yn lle hynny aethai at yr afon a smocio fel corn simnai am awr i gadw'r gwybed i ffwrdd. Arhosodd

yno nes ei fod yn oer a thamp ac wedi colli ei awch. Diolch
i'r drefn mai dyna ddigwyddodd. Ni allai byth ei gwrthsefyll
hi rŵan petai wedi treulio'r nos efo hi.

'Os nad oes gen ti ragor i'w ddeud mi 'dw i'n meddwl yr
â i i siafio.'

'Mi 'dw i am iti addo cadw draw oddi wrth Eunice Murphy.'

'Mi liciwn i allu dy blesio di, ond fedra i ddim ti'n gweld.
Mi 'dw i eisoes wedi addo i Brian y cadwa i lygad ar Eunice
tra mae o i ffwrdd. Fedar rhywun ddim mynd yn ôl ar i
addewid i ddyn gwael.'

'Be ydan ni'n mynd i 'neud, Richard ?'

'Mi gei di benderfynu. Dim ond iti ddeud y gair ac mi â i.'

'Fe allat fynd, mor hawdd â hynny ?'

'Rydw i wedi cael un cynnig arni, yn do ?'

'Fydd 'na ddim dod yn ôl tro nesa.'

'O, na. Dydw i ddim digon o Gymro i gredu yn y trydydd
cynnig. Mi adawa i betha i ti. Gan mai dy syniad di oedd y
briodas dydi o ddim ond yn deg iti gael y cyfla i gydnabod
syniad mor anffodus oedd o.'

'Oes 'na ddim dewis arall ?'

'Os medri di feddwl am un, gora oll.'

'Falla y gallwn ni achub rwbath ohoni hi.'

'Gad imi wybod os doi di ar draws rwbath sy'n werth i
achub.'

Roedd o wedi ei gadael. Be oedd ar ei phen hi'n awgrymu
y gallen nhw ddal ymlaen a hithau eisoes wedi penderfynu
mai gwahanu oedd yr unig ateb ? Ond hyd yn oed rŵan, a'i
chasineb tuag ato yn ferw o'i mewn, yr oedd arni ei eisiau, fwy
nag erioed. Gallai fod wedi ei thaflu ei hun i'w freichiau ar y
cymhelliad lleiaf. Ond ni allai adael i wendid ei chorff gael y
gorau arni. Roedd Richard wedi ei sathru a'i sarhau, a hynny
yng ngŵydd pawb. Onibai am y blinder yma byddai wedi
gwneud iddo grynu, erfyn am ei maddeuant, addo'r byd iddi.
Ond nid oedd ganddi owns o nerth yn weddill, dim digon i
groesi'r gegin i estyn y botel aspirins hyd yn oed. Safodd lle'r
oedd hi, â'i phwysau yn erbyn y sinc. Rhedodd ias fel dŵr
rhew i lawr ei meingefn. Ac roedd hi'n ddigon cyfarwydd â'r
ias erbyn hyn i allu rhoi enw arno.

Gorffwyso yr oedd Gwen Ellis, a hynny'n braf wedi dyddiau o waith dygn, pan glywodd gnoc ar y drws. Rhywun yn gwerthu tocynnau raffl reit siŵr—dyna oedd yr haint rŵan. Anaml y clywid am neb yn ennill dim. Roedd 'na rywbeth reit amheus yn y busnes i gyd. Fe fu hi ar un adeg yn prynu tocynnau raffl wrth y dwsinau ac yn cyfri'r cywion cyn iddyn nhw ddeor. Ond ni ddaethai dim i'w rhan hi erioed heb iddi orfod gweithio amdano. A dyna oedd y ffordd iawn o fynd o gwmpas pethau, hefyd. Sut bydda Wmffra Jones yn dweud ? ' Na ro dy arian ar usuriaeth.' Roedd yr arian oedd ganddi yn y tun y tu ôl i'r wardrob wedi ei gael yn onest drwy'i dyfalbarhad a'i hunan-aberth hi. Rhoesai heibio'r syniad o gael gwely bach bellach. Fe âi'r arian, a rhagor ato, i dalu am wyliau i Dei a hithau wrth y môr. Y broblem fwyaf fyddai cael Dei i symud. Dyna lle byddai'n eistedd, noson ar ôl noson, rhyngddi a'r ffenestr, a'i wyneb fel wythnos wlyb, yn cymryd arno ddarllen yr hen lyfr chwarelwrs 'na. Ni ddaethai ar ei gofyn wedi'r helynt. Disgwyl iddi hi droi ato fo, debyg, a'i chynnig ei hun iddo. Hy, byddai ei wallt yn nefi blŵ cyn y gwnâi hi hynny.

Roedd y gwerthwyr tocynnau yn daerach nag arfer. O, wel, nid oedd dim i'w wneud ond mynd yno a rhoi ar ddeall iddyn nhw pam roedd hi'n gwrthod. Roedd pobl mor barod i ddannod crintachrwydd. ' Egwyddor, 'dach chi'n gweld—na ro dy arian ar usuriaeth.' Byddai hynny'n taro adra os oeddan nhw'n bobl capal.

Dyn oedd yn y drws ; boneddwr o ddyn hefyd—un allai fforddio gwisgo'i siwt ddydd Sul ar ddiwrnod gwaith. Ac nid siwt oddi ar y peg mo hon chwaith.

' Wedi galw i weld Mr. Ellis yr ydw i.'

' O, ia.'

' Yma mae o'n byw, ynte—Mr. David Ellis ?'

Dylai hithau fod wedi galw Dei yn David. Roedd 'na fwy o urddas yn yr enw. Dyna'r dyn Pŵal 'na'n cael ei alw'n Richard heb haeddu dim gwell na Dic.

' Ia, tad. Allan mae o.'

' Fydd o'n hir ?'

' Ddyla fo ddim bod. Mi 'dw i'n i ddisgwyl o ers hannar awr. Prysur ydyn nhw efo'r fisitors debyg.'

' Falla y ca i i aros o ?'

' Croeso. Dowch i mewn.'

Be oedd a wnelo hwn â Dei, tybed ? Rhywun wedi cymryd ffansi at ei waith, debyg, ac wedi dod yma i ganmol. Roedd hi'n hen bryd iddo gael ei werthfawrogi. Cawsai amryw o bobl y dref anrhydeddau am lai. Roedd llun yn *Tafod Bro* mis Mai o'r Doctor Puw 'na'n cael anrheg o siec am 'ei waith da.' Be oedd yn dda mewn bod eisiau llenwi'r dref efo drwg-weithredwyr ? Gwneud sioe er mwyn cael sylw, am ei fod o'n fethiant efo popeth arall. Be fydda siec yn dda i ddyn oedd yn rhy ddotus i allu cynnig meddyginiaeth i dipyn o boen mewn cefn ? A dyna Dei, oedd yn grefftwr heb ei ail, heb erioed gael ei lun yn *Tafod Bro*. Hyd yn oed pan oedd hanes Y Rhosydd yno doedd dim golwg o Dei. Ond roedd golwg dyn yn gwybod ei feddwl ar hwn ; un fyddai'n adnabod crefft ac yn ei chyd-nabod.

' Sut mae Mr. Ellis erbyn hyn ?'

' Siort ora.'

' Mae'n dda gen i glywad. Mi fydd yn ôl efo ni rhag blaen, felly ?'

' Yn ôl ?'

' Mi ddylwn fod wedi 'nghyflwyno fy hun. Hywel Morris—rheolwr Y Rhosydd.'

' I chi mae Dei yn gweithio, felly ?'

' Ia. A chrefftwr dan gamp ydi o hefyd.'

' Pam na chafodd o i lun yn *Tafod Bro* 'ta ?'

' Doedd dim posib dod o hyd iddo fo. Mi 'dw i'n ama mai wedi mynd i guddio rhag y tynnwr llunia roedd o. Dydi Mr. Ellis ddim yn rhy hoff o ryw ffwdan fel'na fel gwyddoch chi.'

' Mi 'dach chi'n lwcus ohono fo.'

' Yn lwcus iawn. Ac mae hi wedi bod yn gollad hebddo fo'r dyddia dwytha 'ma. Ydach chi'n credu y bydd o wedi gwella'n ddigon da i ddod yn ôl ddydd Llun ?'

' Ond dydi o ddim yn sâl.'

' Mi 'dw i'n siŵr na fydda David Ellis yn chwarae triwant heb fod ganddo fo reswm.'

' Dydi o ddim wedi bod at i waith ? Ers pryd ?'

'Welson ni mo'no fo'r wythnos yma. Fe adawodd nodyn imi nos Wener yn deud na fydda fo i mewn. Mi gymris yn ganiataol mai cwyno roedd o.'

'Ond mae o wedi bod yn cychwyn i'w waith, fel arfar, ac yn dwad adra 'r un amsar.'

'Welson ni mo'no fo.'

'Oes 'na helynt wedi bod ?'

'Ddim rhyngon ni beth bynnag. Does 'na rioed air croes wedi bod rhyngon ni. Oes 'na rwbath yn i boeni o ?'

'Be alla fod ?'

'Mae o wedi bod yn dawelach nag arfar, yn ddiweddar. Mae'n siŵr eich bod chi wedi sylwi.'

Be oedd o'n geisio'i awgrymu ? 'Ddim rhyngon ni beth bynnag' : 'Mae'n siŵr eich bod chi wedi sylwi.' Roedd o gystal â dweud, felly, fod rhyw fai arni hi. Tybed nad oedd y Katie Lloyd 'na wedi bod yn lledaenu'i gwenwyn y tu draw i libart Minafon. Sioe o ddyn oedd hwn, hefyd, a'i sglein i gyd ar yr wyneb. Petai yna rywfaint o ddyn ynddo byddai wedi gwneud yn siŵr fod Dei yn cael lle o barch yn Y Rhosydd. Fe âi ei gog chwarel yn ffliwt heb Dei. Dyna oedd yn ei gorddi mae'n debyg.

'Falla nad oedd o am i chi wybod i fod o'n cwyno.'

'Mi 'dw i wedi byw efo fo am ddeugian mlynadd. Does 'na ddim byd nad ydw i'n i wybod am Dei. Mae hi'n galad hebddo fo, meddach chi ?'

'Ydi wir.'

'Fyddach chi'n fodlon deud hynny wrtho fo, i'w wynab ?'

'Wrth gwrs.'

'Ac mi 'newch rwbath yn i ffordd o 'dw i'n siŵr ?'

'Unrhyw beth sydd o fewn fy ngallu i.'

'Fydda ysgrif yn *Tafod Bro* ddim yn syniad drwg. A llun neu ddau.'

'Ar bob cyfri.'

'Mi 'dw i am i Dei gael bob chwara teg.'

'Mae o'n ffodus iawn o gael gwraig mor ystyriol.'

'Mae crefftwyr fel Dei yn brin iawn fel 'dw i'n dallt.'

'Ydyn, yn brin iawn.'

'Os gofalwch chi i fod o'n cael i le, a'i barch, mi ro i ngair i chi y bydd o'n ôl fora Llun.'

197

' 'Newch chi wir ? '

' Gadewch chi o i mi.'

Heb sylweddoli'i gyfrifoldeb yr oedd y dyn, mae'n amlwg. Ond fe ddylai sylweddoli ac yntau mewn safle o awdurdod. Roedd 'na ormod o hen feistri o gwmpas y lle, yn fythol barod i bwyntio bys ac yn amharod iawn i roi gair o glod i neb. Gwenwyn—dyna oedd wrth wraidd y cwbwl wrth gwrs. Go brin y gallai'r Morris 'ma drin llechen i arbed ei fywyd er mai fo fyddai'r cyntaf i weld bai. Ond roedd hi wedi agor ei lygaid heddiw i weld gwerth Dei ac i sylweddoli y byddai'n rhaid iddo wneud rhywbeth ar fyrder os oedd am gadw'i grefftwr a'i gog chwarel. ' Gwraig ystyriol '—dyna oedd o wedi ei galw hi. Ac i feddwl ei bod wedi cael ei lablo'n ddynas ddrwg gan ei gŵr ei hun. Ond fe gâi wybod pan gyrhaeddai adref fel yr oedd hi wedi talu da am ddrwg. Fe wnâi iddo gywilyddio am fod mor barod i gredu gair y sarff yn ei herbyn hi. A sôn am honno—oedd hi ar ei thor bellach, tybed ? Roedd hi'n siŵr o fod yn o agos i'r llawr. Un ddyrnod fach arall, er mwyn gwneud yn berffaith siŵr ei bod hi'n cael ei haeddiant.

— 3 —

Gorffwyso yr oedd Mati, hithau, y prynhawn Gwener hwnnw, ond ymhell o fod yn braf. Bu wrthi'r bore yn llusgo'r fatres yn ôl i fyny'r grisiau. Roedd edrych arni wedi mynd yn boen. Heb ei chythral i'w helpu roedd pwysau'r fatres fel plwm a theimlai wedi ymlâdd. Digon hawdd i Mr. Lloyd, y gweinidog, frygywthan yn ddoeth ar destunau fel—' Yn gymaint â'i wneuthur ohonoch ' neu ' Câr dy gymydog fel ti dy hun. ' Be wnaech chi os oedd y cymydog yn eich gwrthod ? Be wedyn ? Nid oedd ganddi hi hyder Gwyneth i wthio'i anrhegion ar bobl wedi iddyn nhw eu gwrthod. ' Dal ymlaen wna inna hefyd,' meddai Gwyneth, pan soniodd hi am y dyn hwnnw yn ei bulpud ar brom Bae Colwyn ers talwm. ' Fyddwn i ddim yn trafferthu efo chi,' meddai hwnnw, yn Saesneg, ' oni bai fy mod i'n credu eich bod chi'n werth eich hachub.' Sut oedd o'n gobeithio gallu achub pobl oedd wedi dod ar wyliau i anghofio poenau ? Ond efallai mai dyna'r amser gorau i'w rhwydo nhw ran'ny, pan oedd eu meddyliau'n agored i ddylanwadau estron a'u traed yn rhydd o'r gefynnau oedd yn dal arnyn nhw. Doedd wybod faint o bobl oedd wedi eu hennill felly. Cofiai iddi hi deimlo'n annifyr sawl tro wedi iddi ei glywed ac iddi wneud ymdrech i fod yn glên efo Anti, y ddynes fwyaf anhygar a wisgodd esgid erioed.

Be fyddai'n digwydd pan ddeuai rhai tebyg i'r dyn hwnnw ar eu sgawt o gwmpas Trefeini ? Be oedd wedi digwydd, sawl tro ? Drysau'n cael eu clepian yn eu hwynebau, os oedden nhw'n cael eu hagor o gwbwl ; ambell un yn prynu cylchgrawn ac yn cynnau tân efo fo trannoeth, heb ei agor ; pawb yn grinjian o gael dieithryn yn eu holi ynglŷn â chyflwr eu hen-eidiau ac yn meiddio awgrymu eu bod nhw'n golledig. A beth petai Gwyneth wedi mynd o gwmpas efo'i chenadwri hi ? ' Pwy ydi hogan Dic Pŵal i ddeud wrthon ni be i 'neud ?' : ' Dydi hi prin allan o'i chlytia ' : ' Mi fasa'n rheitiach iddi forol ati yn y Colej 'na ' : ' Mi 'dw i gystal Cymraes â hi bob tamad ond fedrwn ni ddim byw heb y Saeson.'

Dim rhyfedd nad oedd Gwyneth am drafferthu efo nhw. Taro'i phen yn erbyn y wal yr oedd hithau, hefyd. Doedd yna 'r un ohonyn nhw'n werth ei achub. Roedd Gwyneth wedi dweud mai peth annoeth oedd aros yn yr un lle yn hir. Fe ddylai fod wedi symud pan gollodd hi Arthur. Mati Cwt Sinc fyddai hi yma am byth ; fe wnâi Gwen Ellis yn siŵr o hynny. Ac roedd peth wmbredd o'r baw fyddai pobl yn ei daflu at Lena a Richard yn bownd o syrthio arni hi. Efallai ei bod hi wedi methu caru'i phlant ond roedd eu dieithrwch heddiw'n ddigon o dâl am hynny heb iddi orfod cymryd ei tharo efo'r un brws â nhw. Ond doedd hi ddim yn rhy hwyr eto iddi godi ei phac a gadael iddyn nhw stiwio yn eu lob-sgows eu hunain. Doedd ar yr un ohonyn nhw ei hangen hi, roedd hynny'n eglur. Byddai'n loes gadael y tŷ a meddwl am ddieithriaid yn mynd ati i'w ailwampio. Ond tŷ fyddai hi'n ei adael wedi'r cyfan, nid cartref, ac ni fynnai hi wneud duw o'i thŷ fel y gwnaethai Emma Harris.

Clywodd rhywun yn gweiddi ' iw hw ' o'r iard gefn. Soniwch am y diafol . . . Emma Harris oedd yno, yn baent o'i gwallt i flaenau'i hesgidiau. Amneidiodd ar Mati drwy'r ffenestr ac aeth hithau allan ati.

' Wedi bod yn peintio,' meddai hi.

' Tewch.'

' Mi 'dw i am i chi weld y llofft. Newydd orffan rŵan.'

Ni chafodd Mati gyfle i'w gwrthod. Roedd Emma wedi ei
llusgo i'w chanlyn drwy'r giât, ar hyd y pwt ffordd rhwng y
ddau dŷ, i libart rhif tri ac i'r llofft. Roedd arwydd ' paent
gwlyb ' ar y drws.

' Rhag ofn imi anghofio,' meddai Emma, a chwerthin yn
wirion.

Roedd y llofft yn ddi-fai ond i rywun beidio craffu. Sylwodd
Mati fod un stribed o'r papur â'i ben i lawr, a hynny'n blwmp
ar ganol y pared mwyaf amlwg. Roedd y paent wedi rhedeg ar
y drws ac wedi tasgu ar gwareli'r ffenestr. Ond pwy arall
oedd yn mynd i sylwi ? A phwy oedd yn mynd i falio ?

' Mi 'dw i'n meddwl 'y mod i wedi cael hwyl go dda arni,'
meddai Emma, yn bles.

' Mae hi wedi altro, ydi wir.'

Dweud gwirion, o sylweddoli na fu erioed yn y llofft o'r
blaen.

' Mi 'dach chi wedi cael gwaith, Emma.'

' Mi 'dw i wedi mwynhau pob eiliad. Dowch i lawr, mae
gen i banad yn barod inni.'

Wrth iddyn nhw yfed y te holodd Emma—

' Ydi'r enath wedi cyrraedd ?'

' Pa enath ?'

' Y beth drws nesa 'ma.'

' Na, fydd hi ddim yn dwad. Mae hi'n cael i symud i ysbyty
arall, i gael triniaeth at i nerfa.'

' Gora oll. Falla mai traffarth gaech chi efo hi. Be oedd hi
'dwch ?'

' Be 'dach chi'n i feddwl ?'

' I theulu hi. Dim posib 'u bod nhw lawar o gop.'

' Mae'i chwaer hi, a gŵr honno, yn darlithio yn rhyw goleg
tua Caerdydd 'na.'

' Tewch da chi.'

' Ond dydyn nhw mo'i heisia hi.'

' Fedra i ddim gweld bai arnyn nhw. Mae'n rhaid iddyn
nhw feddwl am 'u safla. Fydda'r hogan fach 'na, pob parch
iddi hi, fawr o gaffaeliad i neb.'

' Mi fyddwn i wedi agor fy nghartra iddi hi.'

Cartra rŵan, ia ? Ond dyna fyddai petai wedi cael ei gynnig i Pat.

' Dydi o ddim yn talu i fod rhy ffeind. Ylwch fel y ces i 'mrifo ar ôl rhoi cymaint. Mwya'n y byd rowch chi i bobol lleia'n y byd o barch gewch chi. Ac mae parch yn bwysig, Mati. '

' Parch pwy 'dwch ?'

' Hunan-barch 'te ? Mi 'newch chi rwbath ohoni ond i chi feithrin hunan-barch ac urddas. Ond dysgu padar i berson yr ydw i rŵan, yntê ?'

Gwenodd yn glên ar Mati. Ceisiodd hithau wenu'n ôl ond er mai ymdrech dila oedd hi ni sylwodd Emma. Roedd hi'n rhy brysur ar y pryd yn mesur waliau'r gegin efo'i llygaid i gyfri sawl rholyn papur fyddai arni ei angen.

' Fedra i ddim aros i gael dechra ar y gegin 'ma,' meddai.

Ysai Mati am gael dweud wrthi am beidio rhuthro ac am ymestyn y gwaith i'w eithaf gan ddal arno cyhyd ag y gallai. Ond i be ? Ni wnâi Emma ond dilyn ei mympwy, fel erioed.

' Ond y llofft ffrynt sy'n dod nesa,' ychwanegodd Emma.

Cododd a dechreuodd glirio'r llestri. Daliodd Mati ar yr awgrym a'i hesgusodi ei hun. Dychwelodd i'w thŷ i geisio penderfynu beth fyddai'r cam nesaf.

— 4 —

Cawsai Eunice Murphy ddau newydd y bore hwnnw—nid newyddion da, yn hollol, ond rhai addawol iawn serch hynny. Daethai llythyr oddi wrth y Swyddog Iechyd yn ei sicrhau ei fod yn gwneud ei orau glas i brysuro pethau, a llythyr oddi wrth Brian yn dweud fod y doctor yn bles iawn arno a'i fod yn cael codi i gadair ryw ben bob dydd. Rhoddodd y ddau newydd sbardun yn Eunice i fynd ati i dacluso tŷ nad oedd fawr o angen ei dacluso. Ond llwyddodd y prysurdeb a siwrnai i'r siop i lenwi'r diwrnod ac roedd hynny ynddo'i hun yn wrhydri. Erbyn y min nos roedd y cyfan wedi ei orffen a'r tŷ fel pin mewn papur. Roedd hi hyd yn oed wedi mentro i'r ystafell eistedd a chael nad oedd newid ym maint na siâp y clwt tamprwydd. Rhoddodd hynny gysur nid bychan iddi er nad oedd am gael ei thwyllo i godi ei gobeithion. Gweithio'n dawel yr oedd y tamprwydd, fel burum mewn blawd, ac nid oedd hyn ond hoe dros dro.

Wedi iddi orffen efo'r tŷ aeth ati i roi sylw iddi ei hun. Roedd hi wedi sylwi, wrth iddi lanhau'r drych yn y cyntedd, fod gofal a blinder yr wythnosau diwethaf wedi gadael eu hôl arni. Bu'n golchi ei gwallt ac yn ei osod yn ofalus a rhoddodd sylw arbennig i'w chroen, oedd wedi mynd yn byg o fod dan do gyhyd. Aeth drwy gynnwys y wardrob a'u trio amdani, fesul un. Braidd yn dynn oedd pob dim—effaith yr holl eistedd efo Brian. Roedd yno rai pethau y dylid eu taflu ond byddai'n dda iddi wrthyn nhw rŵan. Bu'n ystyried y posibilrwydd o chwilio am waith ond doedd wybod pryd y câi Brian ddod adref a byddai arno angen gofal cyson. Byddai clywed ei bod hi'n troi allan i weithio yn ei friwio ac yn ei wneud yn fwy ymwybodol o'i wendid a'i anallu ei hun.

Roedd gobaith y câi ei weld yr wythnos nesaf. Bu Richard yn holi o gwmpas a chael fod yna ddyn o'r dref yn y sanatoriwm a bod ei deulu'n bwriadu mynd i'w weld ddydd Mercher. Addawsai Richard holi ymhellach. Roedd o wedi bod yn dda wrthi. Nid oedd dim yn ormod ganddo. Ac i feddwl fod pobl wedi gallu bod mor filain a gwrthod gwaith yr oedden nhw eisoes wedi ei addo, dim ond am ei fod o wedi digwydd colli'i droed unwaith. Roedd Richard wedi cyfaddef y cwbwl, yma ar lawr y tŷ, ac wedi bod mor barod i syrthio ar ei fai, er cyn lleied oedd hwnnw. A doedd ei wraig ddim help, byth yn colli cyfle i roi proc slei iddo er ei bod hi wedi ei dderbyn yn ôl yn ddiolchgar ddigon. Hyd y gallai hi gasglu, dynes rynllyd iawn oedd Lena Powell er bod Richard yn rhy driw i ddweud gair yn ei herbyn.

Byddai wedi bod yn o chwith iddi hi hebddo, beth bynnag. Roedd o mor hwyliog, er ei bod hi'n amau weithiau ei fod o'n greadur unig iawn, yn y bôn. A dyna'r ferch, y Gwyneth 'na, wedi gadael ei chartref a mynd i ganlyn criw o rai gwylltion oedd yn ymhyfrydu mewn torri'r gyfraith ; gadael heb gymaint â dweud ta-ta wrtho fo. Mae'n siŵr fod hynny wedi ei frifo i'r byw. Ac eto, roedd o mor barod i ddal 'danyn nhw, yn union fel Brian. Roedd hi'n lwcus o fod wedi cael gŵr a ffrind oedd mor awyddus i weld gorau pobl.

Dewisodd sgert o las tywyll oedd yn cuddio'i chluniau ond yn pwysleisio rhannau mwyaf siapus ei chorff, a'r flows goch y bu Richard yn ei hedmygu. Efallai y deuai draw cyn nos a châi ddangos llythyr Brian iddo. Nid oedd wedi sôn am ei hymweliad â'r Swyddog Iechyd. Byddai Richard yn pryderu pe gwyddai am y tamprwydd a'r llygod yn y waliau ac nid oedd am roi rhagor o boen arno. Ond gwyddai y byddai'n rhannu ei rhyddhad o wybod fod Brian yn dechrau cryfhau. Addawsai ddod yma i warchod o dro i dro er mwyn iddi hi gael seibiant. Roedd hi'n sicr y byddai'r ddau yn bennaf ffrindiau cyn pen dim.

Eisteddodd i wylio'r teledu. Roedd y set yn hen ac yn flin ar lygaid. Roedd hi wedi bwriadu prynu un newydd at y gaeaf ond byddai'n rhaid gwneud hebddi rŵan. Er iddi eistedd yn hir ni ddaeth Richard. Teimlai'n siomedig, er nad oedd wedi addo galw. Byddai'n rhaid iddi sylweddoli fod ganddo ei waith a'i alwadau a'i fod eisoes wedi rhoi'n helaeth o'i amser iddi hi a Brian. Roedd o'n siŵr o alw ryw ben yfory. Yfory, hefyd, byddai'n ysgrifennu llythyr maith at Brian yn sôn am yr holl bethau difyr fydden nhw'n eu gwneud wedi iddo wella a dod yn ôl ati.

PENNOD 15

DYDD SADWRN, MEHEFIN Y 24AIN

— I —

Bu Gwen Ellis yn dilyn ei gŵr o gwmpas y tŷ drwy gydol y bore Sadwrn. Daethai adref yn hwyr nos Wener a phan geisiodd ei holi ni chawsai ddim ond—'Mi gawn siarad yn y bora.' Ond nid oedd dichon gwneud pen na chynffon o'r atebion swta a gâi i'w chwestiynau.

'Lle buoch chi, Dei ?'

'Yn y Queens, fel arfar.'

'Nid neithiwr—bob dydd, pan oeddach chi fod wrth eich gwaith.'

'Mi wyddoch, felly ?'

'Mi fuo Mr. Morris yma'n holi amdanoch chi.'

'Hywel Morris ?'

'Rheolwr Y Rhosydd, medda fo.'

'Ia, fo ydi'r rheolwr.'

'Roedd o'n meddwl eich bod chi'n sâl.'

'Oedd o ?'

'Be arall oedd o i'w feddwl ?'

'Ia ran'ny.'

'Mi rois i lond i getyn o. Mae'n hen bryd iddyn nhw sylweddoli.'

'Be ?'

'Gymaint maen nhw'n i ddibynnu arnoch chi. Lle caen nhw grefftwr arall fel chi ?'

'Mi gân un.'

'Ond fydd dim angan. Mi gewch dipyn mwy o barch pan ewch chi'n ôl.'

'Dydw i ddim yn mynd yn ôl.'

'Mi 'dw i wedi addo y byddwch chi yno bora Llun, dim ond iddyn nhw ofalu eich bod chi'n cael eich lle.'

'Mi gân i gadw fo.'

'Ond mi 'dw i wedi trefnu eich bod chi'n cael eich hanas a'ch llun yn *Tafod Bro*.'

'Mae hi'n rhy hwyr, Gwen.'

' Be 'dach chi'n i feddwl—rhy hwyr ? Mae ganddoch chi
ddeng mlynadd i fynd.'

' Mi 'dw i wedi rhoi'r gora iddi. Mi gân wybod bora 'ma,
os oes 'na goel ar y post.'

' A be 'dach chi'n bwriadu i 'neud, felly ?'

' Mynd ar y dôl nes y ca i rwbath. Mi 'dw i'n dallt fod
Bob Pen'rallt yn riteirio toc. Mae arna i flys trio am i le fo.'

' Yn edrych ar ôl y parc ?'

' Ia.'

' Be 'newch chi mewn parc ? Wyddoch chi affliw o ddim am
dyfu bloda.'

' Mi fedrwn ddysgu.'

' Yn eich oed chi ?'

' Falla'ch bod chi'n iawn. Mae hi wedi darfod arnon ni, i
ddysgu na dim arall.'

' Peidiwch â dechra'r hen lol 'na eto. Ewch chi'n ôl bora
Llun a dangos iddyn nhw gan bwy mae'r llaw ucha. Mae'r
Morris 'na'n crynu yn i sgidia ofn eich colli chi.'

' Â i byth yn ôl yno.'

' Fuon nhw'n gas efo chi ?'

' Naddo, ddim. Pawb ar delera iawn.'

' Pam 'ta ?'

' Fedra i ddim diodda rhagor.'

' Diodda be ?'

' Y lle.'

' Y chwaral ?'

' Nid yn y chwaral yr ydw i.'

' Be ydi'r lle ond chwaral ?'

' Sham.'

' Ond ylwch braf ydi hi arnoch chi yn cael dangos eich
hun i betha diarth.'

' Mi ddeuda i wrthoch chi be liciwn i i 'neud efo nhw.'

' Be ?'

' Taflu'r cerrig a'r arfa atyn nhw.'

' Bobol annwyl, pam ?'

' Rhythu maen nhw.'

' I hynny maen nhw yno. Be arall maen nhw'n i 'neud ?'

' Gofyn cwestiyna dwl.'

' Felly gwnan nhw ddysgu. Ac mi ddylach fod yn falch eich bod chi'n gallu 'u hatab nhw. Rwbath arall ?'

' Maen nhw'n mynnu rhoi da da imi, fel tasan nhw'n rhoi cnau i fwnci mewn sŵ.'

' Ac mi 'dach chi'n teimlo fel taflu cerrig atyn nhw am 'u bod nhw'n cynnig da da i chi ? Chlywis i'r fath lol yn 'y mywyd. Mi 'dw i wedi bod yn meddwl, Dei—y siop greffta newydd 'na yn y dre roddodd y syniad imi—be tasan ni'n clirio'r cwt allan ac yn prynu byncar i'r glo ?'

' I be ?'

' Wel, i chi 'neud petha ynddo fo siŵr iawn.'

' Pa betha ?'

' Efo llechi—petha dal catia, pedola, clocia ac ati. Mi fedrach 'neud ffortiwn fach. 'Do'n i ddim wedi bwriadu deud rŵan, ond mae gen i syrpreis i chi. Mi 'dw i wedi bod yn cadw pob dima sbâr, ers tro byd. Roedd gen i gynllunia ar 'u cyfar nhw, ond mi cewch chi nhw, i gyd, er mwyn cael eich cefn atoch efo'r gwaith newydd.'

' Waeth i chi heb, Gwen.'

' Be 'dach chi'n i feddwl ?'

' Dydw i byth eisia cyffwrdd llechan eto.'

' Ond mi 'dw i wedi addo i'r Morris 'na.'

' Fedrwch chi ddim addo dros rywun arall.'

' Mi 'dach chi'n filan ynglŷn â'r pres.'

' Pa bres ?'

' Rheini ydw i wedi'u cynilo. Aethoch chi ddim yn brin.'

' Eich pres chi ydyn nhw, Gwen. Gnewch be fynnwch chi efo nhw.'

' Am 'u gwario nhw ar wylia ro'n i.'

' Ewch ar wylia 'ta.'

Roedd o am gael ei gwared. A hithau wedi gwneud cymaint ar ei ran. Dim gair o ddiolch hyd yn oed. A dim gair o eglurhad lle roedd o wedi bod yn hel ei draed pan ddylai fod yn gweithio. Hen dric dan din oedd hwnna. Lle roedd o wedi bod yn stelcian ? Mae'n rhaid ei fod wedi cael lle da ar y naw.

Dechreuodd ei holi wedyn, yn ystod y prynhawn.

' Yn cerddad,' meddai.

' Cerddad i b'le ?'

'O gwmpas. Ac eistedd weithiau yn y parc.' A gwlychu at ei groen, debyg. Na, y llyfrgell pan fyddai hi'n glawio, yn darllen y papurau. Roedd hi wedi bod yn wythnos ddifyr. A be oedd o wedi'i ddweud wrth y Morris 'na, a'r lleill yn Y Rhosydd ? Roedd o wedi egluro'r cwbwl, yn y llythyr.

'Egluro be ?'

Ni chawsai air ganddo wedyn. Cuddiodd ei hun y tu ôl i'w lyfr—yr un hen lyfr chwarelwrs. A phan ddechreuodd Gwen brocio wedyn aeth i'r lle chwech a chloi arno ei hun am awr. Roedd hi rhwng dau feddwl mynd i weld y doctor yn ei gylch. Ond beth petai Doctor Puw yno a hithau heb droi i fyny i'r ysbyty ? P'run bynnag, be fedrai'r un doctor ei wneud i ladd gwenwyn meddwl ? O, roedd gan y Katie Lloyd 'na fwy i ateb drosto o hyd. Roedd hi'n hen bryd iddi daro'r ddyrnod olaf a roddai'r sarff yn soled ar ei thor.

— 2 —

Treuliodd Eunice y prynhawn yn ysgrifennu i Brian. Aeth drwy bad cyfan o bapur ysgrifennu. Roedd o mor bwysig ei bod hi'n cael y geiriau iawn ac na fyddai yn y llythyr ddim i dramgwyddo Brian. Byddai'n hawdd llithro'n ddifeddwl a dweud rhywbeth fyddai'n ddraen mewn cnawd mor dendar. Ceisiodd gadw'n ysgafn a sôn am sawl tro trwstan a fu yn nhŷ'r hen wraig ond pan ddarllenodd dros y rhan hwnnw o'r llythyr teimlodd ei fod yn rhy wamal. Rhwygodd y tudalennau a dechrau wedyn. Eisiau dweud yr oedd hi nad y digwyddiadau oedd yn bwysig ond y ffaith mai nhw eu dau oedd piau'r cyfan ac nad oedd i neb arall ran yn y cofio. Ond edrychai'r geiriau'n oer ac amhersonol ar bapur a châi'r teimlad ei bod wedi eu darllen yn rhywle o'r blaen.

Roedd hi'n anoddach fyth sôn am y dyfodol. Gan fod y dref yn ddieithr iddi ni wyddai fawr am ei phosibiliadau ac i ba gyfeiriad bynnag yr edrychai roedd yno riwiau i'w hwynebu. Bodlonodd ar sôn am fin nosau gaeaf, yma yn eu cartref, a'r drws wedi ei gau ar bawb, ond Richard. Soniodd lawer am Richard—y ffrind gorau a gawson nhw erioed—fel roedd pobl yn troi eu cefnau arno ac yntau, fel Brian ei hun, mor barod i faddau'r cyfan. Addawsai Richard fynd â nhw am dro yn ei fan cyn diwedd yr haf i weld y pentref lle'r arferai fynd ar ei wyliau yn blentyn a lle roedd rhyw ffermwr haerllug dro'n ôl wedi ei rwystro rhag cerdded llwybrau yr oedd ganddo hawl arnyn nhw. Disgwyl Richard draw yr oedd hi rŵan, efo gwybodaeth am y trefniadau at ddydd Mercher. Fe adawai'r amlen yn agored er mwyn cael ychwanegu pwt. Amgylchynodd y dudalen olaf â chroesau bach taclus, ddwsinau ohonyn nhw i gyd. Nid oedd Brian wedi ei chusanu ers wythnosau. Ofn iddi ddal annwyd oddi wrtho. Ni chawsai neb erioed ŵr mor feddylgar.

Wrth iddi blygu'r llythyr i'w roi'n yr amlen sylwodd Eunice fod y feiro wedi gollwng inc ar hyd ei bysedd. Gwelodd, pan aeth i'r ystafell ymolchi, ei bod wedi rhwbio'r inc hyd ei hwyneb hefyd. Wrthi'n ceisio ei sgrwbio i ffwrdd yr oedd hi pan glywodd Richard yn dod i'r tŷ ac yn gweiddi arni o'r cyntedd. Galwodd arno i fynd i'r gegin. Pan oedd hi wrthi'n gwisgo clywodd sŵn llestri ; Richard yn paratoi paned mae'n debyg. Fel roedd hi'n deall pethau, nid oedd fawr o groeso iddo yn ei gegin ei hun. Ond fe gâi ryddid hon pryd y mynnai.

Aeth drwodd i'r llofft ffrynt i nôl sgert o'r wardrob. Roedd yr un las yn grychiadau i gyd wedi'r eistedd ofer neithiwr. Plygu i roi ei choesau yn y sgert yr oedd hi pan ddaliwyd ei llygad gan y cysgod a ymestynnai o ganol y wal i'r gornel rhwng y llofft ffrynt a'r llofft gefn. Brysiodd yno. Gwthiodd fys allan yn ofnus a chyffwrdd â'r cysgod. Glynodd ei bys wrtho. Nid oedd modd ei gamgymryd. Tamprwydd oedd o, nid ar gerdded y tro hwn ond ar garlam. Nid oedd ganddi obaith ei atal.

Dechreuodd grynu'n ddilywodraeth. Aeth ar ei phengliniau ar lawr wrth y wal a lapio'i breichiau amdani ei hun i geisio cadw gwres. Gallai deimlo'r tamprwydd yn drydan yn ei bysedd, yn dringo'i breichiau ac yn cau am ei llwnc. Nid yn ei thŷ yn unig yr oedd y tamprwydd, ond ynddi hi. Siglodd yn ôl a blaen ar ei sodlau a dweud, drosodd a throsodd—' Be wna i rŵan ; be wna i rŵan ?'—ei llais yn codi'n uwch bob cynnig. Ni chlywodd sŵn traed Richard ar y grisiau a'r landin. Roedd o yn y llofft ac yn penlinio wrth ei hochr cyn iddi sylweddoli.

' Eunice, be sy 'mach i ? Pam roeddat ti'n gweiddi fel'na ?'
Amneidiodd ei phen i gyfeiriad y tamprwydd.

' Be sy 'na ? Wela i ddim byd.'

' Hwnna, ar y wal.'

Gwyrodd Richard ymlaen.

' Na, peidiwch â'i gyffwrdd o. Mae o'n afiach. Hwnna sydd wedi andwyo Brian.'

Clywsai Richard am rai mewn gwendid yn gweld pob math o ddrychiolaethau. Ond roedd hi'n edrych yn iawn—yn well nag iawn yn y bais ddu gwta 'na. Y nefoedd fawr, be haru'r ddynas yn gwthio'i hewinedd i'w gnawd, fel cath wyllt ?

' Be ydi o, Eunice ?'

' Y tamprwydd.'

' Cysgod ydi hwnna.'

' Na, tamprwydd ydi o.'

' Os wyt ti'n deud. Ond dwyt ti ddim am adael i fymryn o damprwydd dy gael di lawr, siawns, a titha wedi dwad drwy gymaint.'

' Nid mymryn ydi o. Mae'r walia'n llawn ohono fo, i fyny ac i lawr grisia. Ac mae o'n symud am y cefn. Fydd gen i ddim cartra ar ôl.'

' Cadw dy lais lawr 'nghariad i neu mi fydd pobol y lle'n rhuthro yma i weld be sy'n digwydd.'

' Dydi o ddim ots gen i. Arnyn nhw mae'r bai yn gadael llonydd iddyn nhw.'

O'r arswyd, pwy oedd y ' nhw ' a'r ' nhw ' yma ? Am be aflwydd roedd hi'n sôn ? Doedd fawr ots ganddo yntau pwy ddeuai i wybod ei fod yma—roedd ei enw'n fwd eisoes. Ond roedd hwn yn gyfle rhy dda i'w golli.

' Yli, dechra o'r dechra imi gael dallt.'

Eglurodd Eunice ei hun, yn garbwl ar y dechrau. Yna, cynhesodd i'w stori. Llaciodd ei gafael ar Richard a manteisiodd yntau ar y cyfle i roi ei fraich amdani a'i thynnu ato. Wedi iddi orffen, meddai Richard—

' Pam na fasat ti'n deud wrtha i cyn hyn, y ffwlpan fách wirion ?'

' Do'n i ddim eisia'ch poeni chi.'

' Wyt ti'n meddwl y byddwn i'n gadael i damprwydd fy mhoeni i ?'

' Nid chi sy'n gorfod byw efo fo.'

Teimlodd hi'n llithro o'i afael. Go damio, byddai'n rhaid iddo wneud iawn am hynna, rhag blaen.

' Fyddwn i ddim yn poeni, am y gallwn i i setlo fo.'

' Fedar neb i setlo fo.'

' Dwyt ti ddim yn nabod Ben.'

' Pwy ?'

' Mêt imi. Big Ben ydi'r enw arno fo yn Trefeini 'ma. Fydda hyn ond fel chwara plant i Ben. Wyddost ti am y rhes tai yn y topia, reit wrth odra'r Doman Fawr ?'

Ysgydwodd Eunice ei phen.

' Mi â i â chdi i fyny i'w gweld nhw. Roeddan nhw'n berwi o damprwydd, wedi'u gadael yn wag am flynyddoedd a phobol a phlant y topia wedi gweld 'u gwyn ar bob darn o goed a gwydyr a llechan. Mi brynodd Ben y cwbwl am nesa peth i ddim a'u gneud nhw i fyny gyda'r nosa. Mi helpis i dipyn arno fo efo'r gwaith coed. A wedyn mi gwerthodd nhw i Saeson, fel tai ha. Ŵyr neb faint o elw ddaru o. '

' Ond roedd y llyfr ges i o'r llyfrgell yn deud fod tamprwydd y peth anodda i gael i warad.'

' Twt, fedri di ddim credu llyfra. Pobol sydd wedi methu gneud dim ohoni sy'n 'u sgwennu nhw. Mae'r lleill yn rhy brysur yn gneud.'

Edrychodd Eunice arno am y tro cyntaf. Sylwodd Richard fod ei llygaid yn llaith ond roedd hi'n brwydro i gadw'r dagrau'n ôl. Duw mawr, roedd hi'n beth ddel, a gafael iawn arni, nid fel Lena yn esgyrn i gyd. Ond byddai'n talu iddo fod yn amyneddgar. Cythral o beth fyddai boddi yn ymyl y lan.

' Mi ga i afael ar Ben iti.'

' Pryd ?'

' Fory, efo lwc.'

' Falla na ddaw o ddim—i fod o'n rhy brysur.'

' Mi ddaw. Mae arno fo ffafr neu ddwy imi. Wyt ti'n meddwl y medri di godi rŵan ? Fydda i ddim yn licio gweld neb ar lawr.'

Pan gododd Eunice ar ei thraed gallai weld y llofft yn chwyrlïo o'i chwmpas a byddai wedi syrthio oni bai fod ei phwysau ar Richard.

' Hei, wyt ti wedi'i dal hi, d'wad ?'

' Penstandod.'

' Y gwely ydi dy le di. Tyd.'

Arweiniodd hi at y gwely a'i rhoi i orwedd gan dynnu'r cwrlid yn ysgafn drosti.

' Ro'n i wedi gneud coffi inni. Mi â i i'w nôl o.'

' Na, peidiwch â ngadael i.'

' Mi arhosa i os deudi di "ti" wrtha i.'

' Mi fydda hynny'n hyfdra arna i.'

' Eunice fach, mi gei fod mor hy ag y mynni di efo fi.'

Gwthiodd ei law o dan y cwrlid i chwilio am ei llaw hi. Os oedd hi'n tynnu'n ôl rŵan, dyna ben arni. Byddai'n rhaid iddo hel ei draed oddi yma cyn colli ei hunanfeddiant yn llwyr. Ond roedd ei llaw yn symud i'w gyfarfod ac yn llithro i'w afael. Daliodd hi'n llonydd am rai eiliadau, yna'i chodi at ei wefusau. Cusanodd y bysedd yn ysgafn fesul un a'i godi ei hun ar y gwely nes ei fod yn gorwedd efo hi. Teimlodd ei llaw'n chwalu drwy'i wallt, yn araf i ddechrau, yna'n daerach, a'i bysedd yn clymu am y cudynnau llaes efo'i war. Duw mawr, nid oedd troi'n ôl i fod rŵan. Roedd cyffyrddiad ei bysedd yn dweud mor huawdl â geiriau fod arni ei eisiau.

Roedd teimlad oer i'w gwefusau, fel petai wedi bod yn sefyll yn hir yn y cysgodion. Dechreuodd Richard eu mwytho, eu sugno a'u gollwng, sugno, gollwng, nes eu bod yn chwyddo ac yn cynhesu. Gallai ei theimlo'n ysgytio mymryn wrth iddo lithro'i phais oddi ar ei hysgwyddau a rhyddhau'i bronnau. Sugnodd y tethi caled a'u gwasgu rhwng ei ddannedd nes ei bod hi'n gwingo. Ceisiodd ei thynnu ei hun yn rhydd ond roedd ei bwysau arni. Clywodd ei llais o'r pellter yn erfyn arno'i gadael. Blydi merchad—yn cymryd y cwbwl ac yn rhoi dim. Ond fe gâi'r bits fach roi. Bychan o dâl oedd hyn am yr oll yr oedd o wedi'i wneud ar ei rhan hi. A doedd hi ddim mor ddiniwed nad oedd hi'n gwybod beth oedd ar ei feddwl. Roedd hithau wedi gwneud ei siâr o gymell. Syniad pwy oedd hyn— y gwely cyfleus a'r corff hanner noeth ? A'r sterics gwneud ynghylch mymryn o damprwydd ? O, oedd, roedd hi wedi cyfrannu'n helaeth at y sefyllfa. A rŵan roedd hi'n cael traed oerion ac yn disgwyl iddo fo ildio iddi. Efallai y byddai rhyw gog chwarae felly'n dderbyniol gan Brian ond nid esgus o ddyn oedd o ac nid can dŵr yn unig oedd ganddo rhwng ei goesau. Roedd hi wedi cael gormod o'i ffordd ei hun. Fe wnâi les iddi wybod beth oedd gan ddyn i'w gynnig. Pechod oedd gwastraffu corff fel ei hun hi ar un na allai byth gynnal codiad, a chymryd y gallai gael un o gwbwl.

Roedd hi'n gwaethygu arno ac ni allai ddal allan lawer yn hwy. Os nad oedd cydweithrediad i'w gael nid oedd dim amdani ond dangos iddi pwy oedd y mistar. Ac felly y cymrodd o hi, yn wyllt a chwbwl ddi-hid o'i phrotest a'r dagrau oedd yn llifo erbyn hynny. Yna, wedi'i fodloni, cododd, taclusodd ei ddillad, ac aeth i lawr i'r gegin i wneud rhagor o goffi.

Pan ddychwelodd i'r llofft roedd Eunice yn dal yn y gwely ac wedi tynnu'r dillad i fyny at ei gên. Cadwodd ei hwyneb ar dro oddi wrtho. Eisteddodd Richard ar yr erchwyn ac yfed y coffi ar ei dalcen. Ni wnâi Eunice osgo symud.

' Ŷf dy goffi, neu mi fydd hwn eto fel dŵr pwll. Mae o'n ddrud ar y diawl i'w wastraffu.'

Roedd golwg hagr arni wedi'r crio. Nid oedd fawr o le i ddagrau wedi bod yng ngharu Richard erioed er ei fod wedi gwneud mwy na'i siâr o grio tu mewn fwy nag unwaith. Dyma'r tro cyntaf erioed iddo ei orfodi ei hun ar unrhyw ferch. Roedden nhw'n fwy na pharod i agor eu coesau, fel arfer. Ac i'w cau nhw wedyn, ran'ny. Erbyn meddwl, dyma'r tro cyntaf hefyd iddo fo fod yr un i godi a gadael.

' Y coffi, Eunice.'

Cymerodd hithau'r gwpan, yn ufudd. Ia, dyma'r ffordd. Rhoesai ormod o benrhyddid i Lena, o'r dechrau. Dim rhyfedd ei fod yn y fath strach efo hi.

' Ŷf o—rŵan.'

' Fedra i ddim.'

' Wrth gwrs y medri di. Mi wyt ti angan nerth ar ôl hynna.'

Cododd Richard y gwpan at ei gwefusau a'i gorfodi i yfed. Gwyliodd ei hwyneb a sylwodd fod rhagor o ddagrau ar ddianc allan. Tynnodd ei fys ar hyd ei hamrannau.

' Does dim angan rheina.'

' Be ydan ni wedi'i 'neud, Richard ?'

' Defnyddio'n gilydd, am dipyn o gysur.'

' Ond doedd ganddon ni ddim hawl.'

' Pwy sy'n deud ?'

' Dydw i rioed wedi bod yn anffyddlon i Brian o'r blaen.'

' Rwyt ti'n haeddu medal. Yli, does 'na neb ddim gwaeth.

Ac mi 'dan ni'n dau lawar gwell. Dim cwest rŵan, 'na hogan dda.'

' Ond . . .'

' Roedd arnon ni angan hynna, y ddau ohonon ni. Does wnelo fo ddim â neb arall. Ac mi fydd petha'n well tro nesa.'

' Fydd 'na ddim tro nesa.'

' Na fydd ?'

Cymerodd y gwpan oddi arni a'i rhoi ar y bwrdd wrth y gwely. Plygodd drosti a'i chusanu, yn araf ac yn hir. Yna, caethiwodd ei hwyneb rhwng ei ddwylo a sibrwd—

' Deud hynna eto, Eunice. Deud na fydd 'na'r un tro nesa.'

Gallai weld ei gwefusau'n gweithio.

' Be wyt ti'n i ddeud ?'

' Dim. Dim byd.'

' Does 'na ddim byd i'w ddeud, yn nagoes, Eunice ?'

' Nagoes—dim.'

' Mi fydda i'n ôl nos fory, 'r un amsar. Cysga di rŵan.'

Oriau'n ddiweddarach, pan gododd Eunice i'r gegin, gwelodd fod ei llythyr i Brian wedi diflannu. Mae'n rhaid fod Richard wedi mynd â fo i'w bostio. A hithau wedi anghofio holi ynglŷn â dydd Mercher. Ond gorau oll, ran'ny. Ni allai wynebu Brian rŵan. Byddai'n rhaid iddi anfon pwt arall i ddweud fod y trefniadau wedi newid. Fe gâi hwnnw yr un pryd â'r llythyr ond iddi ei bostio'n y bore.

Eisteddodd Eunice yn y gegin yn hwyr i'r nos yn ceisio rhoi trefn ar feddyliau nas profodd eu tebyg erioed, a methu'n druenus. Yna, aeth i'w gwely i ddisgwyl, yn eiddgar ar ei gwaethaf, am fin nos trannoeth.

— 3 —

Gallai Katie Lloyd gyfri'r oriau dedwydd a dreuliasai yn rhif pump Minafon ar fysedd un llaw. A go brin y gellid cyfri rheini, hyd yn oed, yn ddedwydd. Oriau tawel, efallai ; yr oriau rheini pan deimlai ar delerau eithaf â hi ei hun ; pan oedd hi'n sicr mai Harri oedd yn iawn. Gallai fwndelu gweddill oriau'r deugain mlynedd at ei gilydd. 'R arswyd, roedd hynna'n ddweud mawr. Deugain mlynedd heb yr un uchafbwynt ; dim ond cerdded yr hen wastad undonog hwnnw, ymlaen ac ymlaen, heb gyrraedd unman. Sut oedd hi wedi gallu goddef y fath fyw ? Nid byw mohono, ran'ny, ond bodoli. Roedd hi wedi anghofio beth oedd byw nes i Richard fynd â hi i Lanelan.

Ddoe, wrth iddi estyn ei dillad i'w golchi, daeth ar draws y pâr sanau a wisgai'r diwrnod hwnnw. Roedd staen gwair arnyn nhw, lle roedd hi wedi penlinio i wthio o dan y ffens. Penderfynodd eu gadael heb eu golchi, rhag ofn y byddai arni angen prawf nad breuddwyd oedd y diwrnod hwnnw. Diwrnod i fyw ar ei waddol, meddai hi wrth Richard. Gwyddai na fyddai ef byth yn derbyn hynny. Ceisio ei hargyhoeddi ei hun yr oedd hi. Ond roedd hi wedi bod yn ffŵl i feddwl y gallai fwynhau diwrnod felly heb orfod talu amdano. Onid oedd pob pechod yn dwyn ei gosb ? A phechod oedd dad-wneud gwaith deugain mlynedd. Roedd pwy bynnag roddodd y ddau lythyr ffiaidd drwy'i drws yn berffaith iawn. Ond peth ysgytiol oedd ei weld felly, ar ddu a gwyn, a sylweddoli'r casineb oedd wrth ei wraidd. Mae'n wir na fu erioed yn hapus, yma ym Minafon, ond ni fu tristwch chwaith, dim ond rhyw fud boen, fel y ddannodd. Rŵan, roedd y tristwch yn cau fel feis amdani. Roedd hi fel yr hen wraig honno a aethai i'w chwpwrdd i chwilio am asgwrn i'w chi, a'i gael yn wag, ond mai chwilio am gynhaliaeth iddi ei hun yr oedd hi. Byddai'n rhaid iddi ei gorfodi ei hun i godi o'r gwely ac wynebu'r diwrnod. Temtasiwn oedd gorwedd yno, heb damaid na llymaid—ei lladd ei hun yn ara bach. Ond peth sarhaus fyddai marw felly, yn ei gwendid a'i budreddi.

Y nos Sadwrn honno eisteddai Katie Lloyd wrth ei thân. ' Mae ganddoch chi le clyd yma,' meddai Richard. ' Digon shabi ydi o mae arna i ofn.' ' Ond cartrefol.' Syllodd Katie Lloyd yn feirniadol o gwmpas yr ystafell. Oedd, roedd hi yn gartrefol yr olwg, a'r llestri ar ddresal nain yn dal golau'r tân. Y nefoedd fawr, pam na allai hi fodloni ar heneiddio'n urddasol, barchus ? Wedi'r cyfan, hi oedd wedi troi tu min ar Gwen Ellis, ac ar Richard wedyn.

Bodiodd y gadwen a wisgai am ei gwddw. Sant Christopher, a gariodd y cog bach ar ei ysgwyddau dros yr afon. ' Fuo gen i rioed ffydd mewn seintia,' meddai Richard. Taro'n ôl yr oedd o, wrth gwrs, am ei bod hi wedi ei wrthod. Ond beth arall fedrai hi ei wneud ? Eiddo Lena oedd Richard ac roedd ganddyn nhw'u bywydau o'u blaenau. Nid fel hi, oedd wedi darfod byw—wedi darfod cyn dechrau. Roedd hi wedi symud y gadair lle'r eisteddodd Richard—cadair Harri—i ben pella'r ystafell gan ei bod hi, bob tro yr eisteddai yma, yn ei weld o ynddi a'r llygaid gleision wedi cleisio drostyn. 'Mi 'dach chi'n annioddefol o resymol,' meddai. Wrth gwrs ei bod hi. Cawsai'r ysgol orau bosibl. A'r unig beth i'w wneud rŵan oedd ang-hofio'r trip i Lanelan, dileu llais Richard o'i chof, a rhygnu ymlaen, orau y medrai.

Pan oedd hi wrthi'n rhesymu felly â hi ei hun, clywodd sŵn o'r drws nesaf, rhyw oernadu aflafar fel petai rhywun mewn poen. Gobeithio'r annwyl nad oedd y ddynes fach 'na wedi cael newydd drwg am ei gŵr. Dylai fod wedi galw i'w gweld ond nid oedd arni awydd torri gair â'r un adyn byw. Ond ni allai ei hanwybyddu hi rŵan. Ar godi yr oedd hi pan glywodd sŵn traed ar y grisiau am y pared â hi a llais yn galw. Ni allai ddal y geiriau ond fe adwaenai'r llais. Onid oedd hwnnw wedi bod yn canu yn ei chof fel tiwn gron ers dyddiau ?

Gollyngodd ei hun yn ôl i'r gadair. Roedd cynnwys y llythyr yn wir, felly. Roedd hi wedi anwybyddu'r rhan honno, gan feddwl mai ymgais fwriadol oedd o i droi cyllell yn y briw. Ond roedd Richard yno, am y pared â hi. Richard, oedd wedi sôn am 'eneidiau cytûn' ac wedi ei galw hi'n 'rhyfeddod o ddynas'. Roedd ei hymdrech i fod yn rhesymol, i wneud yr hyn oedd yn iawn, i fygu ei dyheadau ei hun, wedi bod yn gwbwl ofer. Nid efo'i wraig yr oedd Richard ond efo Eunice Murphy, a gŵr honno'n dihoeni mewn ysbyty. Roedd o wedi ei sarhau hi. Nid oedd y diwrnod hwnnw, eu diwrnod nhw, yn golygu dim iddo. Ffŵl oedd hi, hen wraig ddwl yn ei hail-blentyndod, mor barod i dderbyn a chredu.

Roedd y sŵn o'r drws nesaf wedi tawelu. I fyny'r grisiau yr oedden nhw o hyd, Eunice Murphy a'r Richard yr oedd hi wedi ymddiried ei chyfrinachau iddo ac wedi caniatáu iddo ei galw'n Cit. Cythrodd Katie Lloyd am y gadwen a'i rhwygo oddi ar ei gwddw. Yna, yn araf fwriadol, fe'i taflodd i lygad y tân.

DYDD LLUN, MEHEFIN Y 26AIN

— I —

Wrthi'n paratoi brecwast hwyr iddi ei hun yr oedd Mati pan alwodd Doctor Puw. Nid oedd wedi bwriadu ei alw i mewn ond roedd heibio iddi cyn iddi allu dweud gair.

' Ogla da,' meddai.

' Cig moch.'

' Mi wyt ti'n byw'n fras.'

' Waeth imi hynny ddim,' yn sur. ' Gymrwch chi banad ?'

' I'r dim.'

' 'Steddwch. Mi ddo i ag un drwodd i chi.'

' Na, mi ddo i i'r gegin atat ti.'

' Byta di,' meddai, wrth weld Mati yn rhoi ei phlât yn y popty.

' Na, mi fedra i 'neud hynny wedyn. Â i ddim i'ch cadw chi.'

' Dydw i ddim ar frys. Mae Doctor Rees yn i ôl.'

' O.'

' Mi wyt ti'n dal yn filan efo fi.'

' Nag ydw i, tad. Chi ydi'r doctor.'

' Mati, yli, fedrat ti byth fod wedi gneud efo hi.'

' Che's i ddim cyfla i drio.'

' Dydi'r hogan fach ddim o gwmpas i phetha. Traffarth gaet ti. A be tasa fo, i gŵr hi, yn dwad i wybod ?'

' Does gen i mo'i ofn o.'

' Dydi o ddim yn un i'w groesi.'

' Fe ddylach chi wybod.'

' Doedd dim galw am hynna.'

' Nag oedd, mae'n siŵr. Byd ar y naw ydi hwn, yntê ?'

' Rhwbath yn debyg ydi o wedi bod erioed 'sti.'

' Amheus gen i. Ac mae'r Minafon 'ma yn un o'r llefydd gwaetha.'

' Mi wyt ti â dy lach yn arw arno fo.'

' Mi 'dw i am symud odd'ma.'

' I b'le, felly ?'

' Be wn i i b'le ? Rwla, ddigon pell.'

' Be sydd wedi dy ddarfu di ? Y busnas 'ma efo'r drws nesa ?'

' Hynny, a phob dim arall.'

' Mi wyt ti'n well dy le yma.'

' Tybad ?'

' O leia, mi wyt ti ymysg dy gydnabod.   Ac mae gen ti dy deulu.'

' Hy, rheini.'

' Ac mae hi felly, ydi ?'

' Ydi, mae hi.   Does ar yr un ohonyn nhw f'eisia i.'

' Hunandosturi rŵan.'

Nid hwn oedd y Doctor Puw a gofiai hi, mor ddeallus ac mor barod i gydymdeimlo.   Roedd henaint wedi ei galedu a'i oeri. Beth oedd ei fusnes yma p'run bynnag ?   Roedd popeth wedi'i setlo rhyngddyn nhw yn yr ysbyty.

' Does 'na neb arall yn debygol o dosturio wrtha i.'

' Sut mae Lena ?'

' Mm ? Iawn am wn i.   Dydw i ddim wedi'i gweld hi ers dyddia.'

' Ydi hi wedi bod yn cwyno ?'

' Mae hi'n gneud i siâr o hynny.   Gweld bai ar bawb ond arni'i hun.'

' Cwyno iddi'i hun—i hiechyd ?'

' Nag ydi.   Pam ?'

' Dod ar draws rwbath wnes i—mewn ffeil yn y syrjeri 'cw. Roedd hi wedi bod yn gweld Doctor Rees chydig o wythnosa'n ôl.'

' Oedd hi ?'

' Yli, Mati, dydi o ddim o musnas i bellach, ond mi 'dw i'n meddwl y dylat ti gael gwybod.'

' Gwybod be ?'

' Mae hi'n enath wael.   Ydi, gwael iawn.'

' Lena ?'

' Ia.'

' Pam ?   Be sydd o'i le arni hi ?'

' Fedra fo ddim bod fawr gwaeth.'

' Nid . . . cansar ?'

Nodiodd Doctor Puw ei ben.

' Roedd o wedi cymryd sampl o'i gwaed hi i'w yrru i'r Lab.

Ond ddaeth hi ddim yn i hôl ti'n gweld. Meddwl ro'n i . . .
falla y gelli di i pherswadio hi.'

' Oes 'na rwbath fedrwch chi i 'neud ?'

' Mi fedrwn drio, 'sti, a gobeithio'r gora, yntê ?'

' Ond dydach chi ddim yn obeithiol iawn ?'

' Nag ydw, Mati, dydw i ddim. Mae arna i ofn i bod hi
wedi'i gadael hi'n rhy hwyr.'

' Ond . . . ydi hi'n gwybod ?'

' Falla. Wn i ddim. Ond mae'n siŵr gen i i bod hi'n diodda'n
arw.'

' Mi ddylwn . . .'

' Paid ti â beio dy hun, rŵan. Doeddat ti ddim i wybod.'

' Ond mi ddylwn fod wedi sylwi. Mae o'n beth rhyfadd,
wyddoch chi, ond dydan ni ddim wedi edrych i wyneba'n
gilydd, edrych yn iawn, felly, a gweld, ers 'd wn i ddim pryd.'

' Anamal y bydd pobol yn edrych ac yn gweld.'

' Ond mae hi'n ferch imi. Nefoedd fawr, mi fuo'n rhan
ohona i ar un adag.'

Sut aflwydd y gallai hi eistedd yma yn sipian ei the ? Dylai
fod ar ei thraed yn sgrechian, gweiddi, ei chystwyo ei hun.
Mae'n rhaid fod rhywbeth mawr o'i le arni, ac wedi bod erioed.

' Fedras i rioed mo'i charu hi na Glyn. Dyna i chi beth
ffiaidd i'w ddeud.'

' Nid ti ydi'r unig un, dim ond dy fod ti'n onestach na'r
rhelyw.'

' A dydw i'n teimlo dim, o wybod i bod hi'n marw uwchben
i thraed.'

' Ddim rŵan, falla. Roedd o'n sioc iti.'

' Nag oedd, ddim. Dyna o'n i'n i ddeud—dydw i'n teimlo
dim.'

' Mi fydd arni hi dy angan di, Mati.'

' Fy angan *i* ?'

' B'le mae o rŵan ?'

' Richard ?'

' Ia. Ydi o'n ôl ?'

' O, ydi, mae o'n ôl.'

' A sut mae petha ?'

' Be wn i ? Fi fydda'r ola i wybod.'

' A'r ferch ? '

' Wn i ddim b'le mae hi. Go brin y daw hi'n ôl, byth.'
' Wyt ti'n meddwl y medri di ddarbwyllo Lena i fynd i
mewn i'r ysbyty ?'
' Dydi hi rioed wedi gwrando arna i ar un dim.'
' Gora po gynta inni i chael hi i mewn.'
Go damio, roedd o fel mul. Pa hawl oedd ganddo i ddod
yma a thaflu'r cyfrifoldeb ar ei hysgwyddau hi ? Roedd hi
wedi magu'i phlant, orau y medrai. Am ba hyd yr oedd yn
rhaid iddi eu cario ?
' Mi 'dach chi'n gweld bai arna i ?'
' Ydw 'mach i.'
' Wyddoch chi ddim am y peth.'
' Na. Mae o i fyny i ti rŵan.'
' Ydi siŵr. I fyny i mi. Dyna chi'n iawn—wedi cael gwarad
â'ch cyfrifoldab.'
' Mati.'
' Ro'n i wedi penderfynu symud odd'ma—chwilio am le
bach reit daclus, digon i un, a dechra o'r newydd mewn lle
diarth. Anghofio'r stomp wnes i o fagu 'mhlant a'r stomp maen
nhw wedi'i 'neud o'u bywyda. Ydach chi ddim yn meddwl
'mod i'n haeddu hynny ?'
' Wyt, mi wyt ti'n i haeddu o.'
' Pam na cha i lonydd 'ta ? I be oeddach chi eisia dwad
yma i mhoenydio i ?'
' Mae'n ddrwg gen i, Mati, ond achub bywyda ydi musnas
i wedi bod erioed. Mae hi'n anodd tynnu cast o hen geffyl.
Mi â i rŵan. Mi wyddost lle i nghael i os bydd arnat ti f'angan
i.'
Gadawodd iddo fynd, heb ei hebrwng at y drws hyd yn oed.
A hithau wedi meddwl erioed fod Doctor Puw y nobliaf o
ddynion. Bron nad oedd hi wedi ei ystyried yn dduw ar un
adeg, neu'n sant, o leiaf. Ond nid oedd y fath beth â sant yn
bod. Dynol oedd pawb, dynol a gwan, yn fythol barod i daflu'r
cyfrifoldeb ar rywun arall. Pa ddewis oedd o wedi ei roi iddi ?
Petai'n ei anwybyddu byddai Lena ar ei chydwybod am byth.
Ond nid ei chyfrifoldeb hi oedd Lena bellach, siŵr iawn. Cyfrif-
oldeb Richard oedd hi—Richard benchwiban, hogyn mawr
wedi gordyfu, yn chwerthin ei ffordd drwy fywyd. Roedd hi'n
hen bryd iddo dyfu i fyny a sylweddoli nad chwarae plant oedd

priodas. Y llwon rheini wnaeth o—fe gâi eu gweithredu rŵan,
cyn ei bod hi'n rhy hwyr.

Cododd Mati, yn simsan, ac aeth allan i'r ffordd gefn. Roedd
hi'n wyliau a chriw o blant yn chwarae cuddio rhwng y biniau
lludw. Galwodd ar un ohonynt a pheri iddo fynd i chwilio am
Richard.

' Lle mae o ? ' holodd hwnnw, yn gyndyn.

' Wn i ddim b'le mae o, wir. Holwch o gwmpas.'

Bu ond y dim i'r plentyn wrthod, nes iddi hi ddweud—

' Does gen i ddim pres arna rŵan. Mi gewch chi rwbath
pan ddowch chi'n ôl.'

Gyda hynny o addewid, cychwynnodd y plentyn dan lusgo'i
draed a'i holl osgo'n dweud—fel hyn yr â i bob cam.

— 2 —

Aeth hanner awr a rhagor heibio cyn i Richard gyrraedd.
Daeth y bachgen at y drws i'w ganlyn a chipiodd y darn deg o
law Mati heb gymaint â diolch.

' Be ydi'r ffwdan ?' holodd Richard, yn surbwch.

' Mi 'dw i eisia siarad efo chi.'

' Rŵan ?'

' Ia, rŵan.'

' Mi 'dw i ar ganol job.'

' Mi gaiff aros.'

' Ydach chi ddim yn meddwl mai fi ydi'r un gora i bender-
fynu hynny ?'

' Nag ydw.'

Tybed oedd hi wedi cael gwynt o'r busnes efo Eunice ?
Nag oedd 'rioed ; nid oedd neb i wybod. Os nad oedd yr hen
fuwch 'na o'r tŷ pen wedi bod yn chwalu tail eto. Ond ni
wyddai honno fwy na'i fod yn galw yn nhŷ'r Murphys. Argl-
wydd mawr, doedd 'na ddim drwg mewn bod yn gymdogol,
siawns. P'run bynnag, ni fu'n agos i'r lle ers nos Sadwrn. Nid
nad oedd ganddo awydd. Uffarn gols, oedd, ond roedd am
adael iddi chwysu dipyn. Bu'n rhy barod i wneud y rhedeg
erioed. Gorau po hwyaf y gallai gadw draw. A'r tro nesa
roedd hi'n mynd i ymateb iddo, nid gorwedd yno fel doli glwt.
Mae'n wir na chawsai fawr o ymarfer efo'r llipryn dyn yna

ond roedd o'n beth greddfol ynddi. Andros o beth oedd llwgu hogan fel'na. Ond fe wnâi iawn am hynny. Roedden nhw'n mynd i gael uffarn o amser da efo'i gilydd, a dim rhyw hen sôn am gariad a lol-mi-lol felly, dim ond dau gorff poeth, parod i'w gilydd. Be aflwydd oedd 'na o'i le yn hynny ?

'Galw yno fel ffrind yr ydw i.'

''Steddwch, Richard.'

'Na, mi 'dw i'n iawn. Ylwch, fedrwch chi mo meio i am fod yn gymdogol, siawns. Mae'n bryd i rywun fod felly yn y twll lle 'ma.'

'Wn i ddim am be 'r ydach chi'n sôn.'

Roedd o wedi rhoi'i droed ynddi rŵan. Mae'n amlwg na wyddai Mati ddim am Eunice. Ond roedd rhywbeth yn ei chorddi.

'Eich cyrn sy'n eich poeni chi, Mati ?'

'Dydi hwn mo'r amsar i wamalu.'

'Be ydi o 'ta ?'

'Amsar i chi ddwad at eich coed.'

'Mi 'dw i wedi bod efo nhw drwy'r bora.'

'Pam gythral na fedrwch chi fod o ddifri, am unwaith ?'

Roedd hi'n gweiddi arno, ar ucha'i llais. A'i hwyneb hi ! ' Dawn i'n clemio, meddyliodd Richard, maen nhw yn debyg, Lena a hi. Ydyn, myn cythral i.

'Wyddoch chi fod Lena'n wael ?'

'Rhyw fymryn o gur pen ac ati. Ar y *change* mae hi dicin i.'

'Dyna'r cwbwl wyddoch chi ?'

'Be sydd 'na i'w wybod ?'

'Ydi hi wedi bod yn . . . yn fwy pigog nag arfar ?'

'Arglwydd mawr, Mati, pryd gwelsoch chi hi yn ddim ond pigog ? A waeth i chi gael gwybod rŵan ddim, mae pob dim drosodd rhwng Lena a fi—yn ffliwt, capwt.'

'Rydach chi am i gadael hi ?'

'Fedrwch chi i gweld hi'n symud a gadael y tŷ ? Ond mi gaiff gadw'r tŷ a phob dim sydd ynddo fo. Y bits uffarn— yn troi fy mhlentyn fy hun yn f'erbyn i.'

'Mae hi'n wael, Richard.'

'Pwy ? Gwyneth ?' yn wyllt.

'Na, na, Lena. Mi fuo Doctor Puw yma gynna. Dydi o'n dal dim gobaith iddi hi.'

' Be ydi o ?'

' Oes raid i chi ofyn ?'

Eisteddodd Richard. Syllodd Mati'n oeraidd arno. Roedd
o'n crynu'n ddilywodraeth. Mae'n debyg y dylai gynnig paned
iddo, o leiaf. Ond roedd hi wedi gorffen ei ddandwn, am byth.

' Be wna i, Mati ?'

' Peidiwch â gofyn i mi.'

' Fedra i ddim aros efo hi.'

' Fedrwch chi mo'i gadael hi, siawns. Ddim rŵan.'

' Ond dydi hynna ddim yn deg.'

' Pwy ydach chi i sôn am degwch ?'

' Nid 'y mai i ydi hyn.'

' Ond rydach chi wedi cyfrannu ato fo. Mi wyddoch sut
mae poen meddwl yn gallu dylanwadu ar gorff rywun.'

' O, na, fedrwch chi mo 'nal i'n gyfrifol. Damio unwaith,
fedrwch chi ddim gneud hynny.'

Roedd o'n nadu, fel ci wedi cael cweir. Unrhyw funud rŵan,
a byddai'n torri allan i grio, yma o'i blaen. Richard Powell,
oedd mor llawn ohono'i hun, mor orlawn o orchest.

' Ond rydw i *yn* eich beio chi. Ac yn fy meio fy hun, hefyd,
dalltwch, am fethu i charu hi . . .'

' Fedar neb i charu hi. Mae hi fel carrag.'

O'r nefoedd, hwn eto. Doedden nhw'n deall dim.

' Ewch odd'ma, Richard.'

' Be ?'

' Ewch allan o nhŷ i.'

' Ond i b'le'r â i ?'

' I b'le mynnoch chi.'

' Â i ddim yn ôl ati hi. Fedra i ddim.'

' Mae hi'n wraig i chi.'

' Fy ngorfodi i i'w phriodi hi ddaru hi.'

' Nid plentyn oeddach chi, Richard—mewn oed, o leia.
A'ch babi chi oedd ynddi hi.'

' Roedd hi'n benderfynol o 'nghael i. Ydach chi ddim yn
deall hynny ?'

' O, ydw, yn deall yn iawn. Ond mi 'dw i hefyd yn credu
mewn llwon priodas. Eich cyfrifoldab chi ydi hi, Richard.'

Bu Richard yn dawel am rai eiliadau. Yna, trodd ati a
dweud, yn ffyrnig—

222

' Celwydd ydi o, yntê ?'

' Celwydd ydi be ?'

' Hyn, ynglŷn â Lena. Rhwbath i nychryn i, i ngorfodi i i aros efo hi. Am uffarn o dric. Mae'n rhaid eich bod chi'n sâl i fyny fan'ma (a tharo'i fys ar ei dalcen.) Feddyliais i rioed y byddach chi'n ymostwng i beth fel'na.'

Roedd o wedi codi, ac yn symud yn wyllt am y drws. Ceisiodd Mati gael gair i mewn ond petai wedi llwyddo go brin y byddai Richard wedi ei chlywed. Roedd fel petai wedi colli arno'i hun yn llwyr. Gwnaeth Mati un ymdrech arall.

' Richard, er mwyn Duw! Mae hi'n marw, yn marw uwch-ben i thraed.'

Ond roedd o'n agor y drws ac yn sefyll yno, yn rhythu arni, heb ei chlywed. Roedd ei lygaid, os rhywbeth, yn lasach nag arfer a'i geg yn gam fel un plentyn wedi pwdu. Sawl tro y cawsai ei thwyllo i dosturio wrtho a maddau'r cyfan ? Ond byth, byth eto.

Roedd o wedi mynd, dyn a ŵyr i b'le, a'r cyfrifoldeb yn ôl ar ei hysgwyddau hi. Petai Arthur yma . . . ond roedd Arthur, hefyd, wedi mynd. Ei rhieni, Arthur, Gwyneth, Richard— pawb wedi mynd a'i gadael. Ei gadael i ddweud wrth ei merch, yr eneth honno a'i hoerni'n ei dychryn, fod ei dyddiau hithau wedi eu mesur.

— 3 —

Pan gododd Eunice i fynd i nôl y bin lludw o'r cefn y nos Lun honno prin y gallai ymlwybro am y drws. Bu'n eistedd yn ei hunfan ers oriau ac roedd ei chymalau wedi cloi. Ni fu allan o'r tŷ ers y nos Sadwrn, rhag ofn i Richard alw. Mae'n rhaid fod rhywbeth wedi ei rwystro nos Sul. Go brin y byddai Richard yn torri'i addewid ar chwarae bach. Bu wrthi drwy'r prynhawn a'r gyda'r nos yn paratoi pryd iddyn nhw'u dau. Aethai'r cyfan yn wastraff. Ni allai feddwl am fwyta wrthi'i hun a ph'run bynnag, roedd hi mor siomedig fel na allai ei stumogi.

Y nos Sadwrn, wedi i Richard ei gadael, a'r bore Sul, roedd hi wedi ei ffieiddio ei hun. Yna'n raddol, ciliodd y teimlad hwnnw a chofiodd eiriau Richard, am hawl ac angen a chysur.

Wedi'r cyfan, roedd hi'n ifanc ac yn gymharol ddel ac roedd ganddi ei chwantau, fel pob merch normal. Sawl tro yr oedd hi wedi gorwedd wrth ochr Brian, yn gwasgu'i dyrnau nes yr âi'r pwl o eisiau heibio ? Nid oedd Brian erioed wedi gallu ei bodloni, hyd yn oed pan oedd ar ei gryfaf. Ond nos Sadwrn, er gwaetha'r boen, gallodd deimlo'r rhyddhad yn llifo drosti. A phetai heb geisio ei wrthsefyll, wedi ildio iddo, symud efo fo . . . Pa well oedd hi o fod wedi ymladd ? Roedd arni ei eisiau, ei eisiau nos Sadwrn, ddoe, rŵan. Roedd ei chorff yn crefu amdano.

Cwmanodd Eunice am y drws cefn. Newydd gofio am y bin yr oedd hi. Petai'n ei adael yno dros nos byddai rhywun yn siŵr o weld ei wyn arno ac ni allai fforddio prynu un newydd. Ewin o leuad oedd yna a chafodd drafferth i ddatgloi'r drws. Nid oedd caead ar y bin. Yr hen blant yna eto. Craffodd amdano a'i weld wedi ei daflu yn erbyn y wal gyferbyn. Wrthi'n plygu i'w godi yr oedd hi pan glywodd sŵn traed y tu cefn iddi. Cyn iddi allu troi disgynnodd llaw fawr dros ei hwyneb gan guddio'i thrwyn a'i cheg. Ceisiodd weiddi, ond ni ddeuai ebwch allan. Yna roedd llaw arall yn crafangu am ei phen ac yn ei llusgo gerfydd ei gwallt am y wal. Brwydrodd â'i holl egni ond yr oedd nerth cawr ym mherchennog y dwylo. Gwelai'r wal yn dod yn nes a'r cerrig pennau llifiad yn gwthio allan ohoni, yn llym ac egar. Yna, wrth i'w phen daro'r wal, unwaith, ddwywaith, deirgwaith, aeth popeth fel y fagddu.

Ar fynd i'w gwely yr oedd Katie Lloyd, wedi cael llond bol ar y diwrnod, pan glywodd gynnwrf o'r cefn. Cathod mae'n debyg, wedi dechrau ar eu prowla nosweithiol. Cawsai ei deffro o gwsg anesmwyth sawl tro yn ddiweddar gan eu hoernadu. O, wel, rŵan oedd yr amser i gael eu gwared. Ni allai fforddio colli'r ychydig gwsg a gâi. Siawns na fyddai llond jwg o ddŵr oer yn effeithiol. Brysiodd i lawr y grisiau ac i'r gegin. Yna, â'r jwg yn ei llaw, agorodd ddrws y cefn mor dawel ag y medrai a symud ar flaenau'i thraed efo'r wal. Roedd y drws cefn i'r stryd yn gilagored, wedi ei adael felly am fod ei sŵn wrth agor a chau yn mynd ar ei nerfau. Pan edrychodd heibio iddo, i chwilio am y cathod, gwelodd ffurf dyn yn ei gwman wrth y wal gyferbyn. Hyd yn oed efo'r ewin o olau ni chafodd unrhyw drafferth i'w adnabod. Galwodd—

' Os, Os Parry—ydach chi'n iawn ? Oes 'na rwbath yn bod ?'

Gwnaeth Os sŵn yn ei wddw, fel anifail wedi ei gornelu, yna rhuthrodd am ei ddrws cefn ei hun a diflannu drwy hwnnw. Roedd Katie Lloyd ar droi'n ôl am y tŷ pan sylwodd fod rhywbeth yn gorwedd ar lawr wrth y wal bellaf. Rhyw hen ddilledyn, efallai, wedi syrthio o un o'r biniau. Neu efallai fod Os wedi colli rhywbeth a'i bod hithau wedi ei ddychryn i ffwrdd. Byddai'n well iddi wneud yn siŵr, rhag ofn iddi lawio yn ystod y nos.

Croesodd Katie Lloyd y darn ffordd yn betrus. 'R arswyd fawr, nid dilledyn oedd o ond rhywbeth byw. Roedd ei llygaid yn dechrau cynefino â'r tywyllwch erbyn hyn a gallai wneud allan mai corff dynol oedd yn gorwedd yno. Ond byddai'n rhaid iddi gael rhagor o olau cyn mentro'n nes. Rhuthrodd i'r tŷ i nôl y fflach a gadwai mewn drôr yn y gegin, rhag ofn i'r trydan fynd i ffwrdd yn ddirybudd a'i gadael yn dal ei dwylo. Rhyw ben pin o olau oedd ar honno, hefyd, ond roedd o'n ddigon i ddangos iddi mai Eunice Murphy a orweddai yno.

' Mrs. Murphy—Katie Lloyd sydd 'ma. Ydach chi'n fy nghlywad i ?'

Ni chafodd unrhyw ymateb. Chwiliodd am arddwrn Eunice. Diolch i'r drefn, roedd hi'n fyw, o leiaf. Roedd golwg mawr ar wyneb yr eneth a'r gwaed yn llifo o doriad yn ei thalcen. Nid oedd ganddi obaith ei symud. Byddai'n rhaid iddi gael help. Ond help gan bwy ? Ni allai feddwl am fynd ar ofyn Richard. A phetai'n galw ar Dei Ellis byddai hithau yno ar ei sodlau, yn llygadu'r cwbwl. Ond pwy arall oedd 'na ? Emma Harris— byddai hi'n siŵr o fod i mewn ac roedd hi'n ddigon doeth i allu dal ei thafod. Hyd yn oed yn ei ffrwcs sylweddolai Katie ddifrifrwch y sefyllfa a'r helynt a allai ddeillio ohoni. Byddai'n rhaid iddi gadw'i phen ; cael amser i feddwl beth oedd orau i'w wneud. A byddai dau ben yn well nag un.

Bu Emma Harris yn o hir cyn dod i'r drws. Cafodd syndod o weld Katie Lloyd yn sefyll yno. Ni fu erioed wrth ei drws o'r blaen.

' Peidiwch â dychryn,' meddai Katie.

Dychryn ? Pam y dylai hi ddychryn ? Roedd hon yn greadures od. Ond pwy na fyddai'n od, wedi treulio oes efo Harri Lloyd.

' Ydach chi am ddwad i mewn ?'

' Na. Ddowch chi efo fi—plîs.'

' Efo chi ?'

' Ia, rŵan, y munud 'ma.'

' I b'le ?'

' Dowch. Plîs.'

' 'Rhoswch imi wisgo fy sgidia.'

' Na,does 'na ddim amsar.'

Be oedd ar ben yr hulpan wirion yn ei llusgo allan i'r nos yn
ei slipars ? Roedd ei bysedd yn brathu i gnawd ei braich wrth
iddi ei thynnu i'w chanlyn dros wyneb anwastad y ffordd gefn.

' Wrth y wal bella.'

' Be ?'

' Wrth y wal bella. 'Drychwch.'

Craffodd Emma i'r gwyll.

' Hen gôt ydi hi, ia ddim ?'

' Na. Eunice Murphy.'

' Pwy ?'

' Eunice Murphy rhif chwech. Mae o wedi mosod arni hi.'

' Pwy ? Pwy sydd wedi mosod ?'

' Hogyn Madge Parry. O'r nefoedd, be 'nawn ni, Emma ?'

Penliniodd Emma wrth ochr y corff llonydd.

' Dowch â gola imi.'

' Mm ?'

' Y gola, ddynas. Fedra i weld dim.'

' Mae golwg mawr arni hi. Be mae o wedi'i 'neud iddi hi ?'

' Mi fydd raid inni i chael hi o fan'ma beth bynnag. Fedrwch
chi afael yn i thraed hi ?'

' Wn i ddim.'

' Wel, mi fydd raid i chi drio. Mi gymra i i sgwydda hi.
Eich tŷ chi ydi'r lle agosa. Rhowch y dorts 'na yn eich pocad
i chi gael eich dwylo'n rhydd. Ara deg rŵan ; mi gyfra i dri.'

Wedi peth wmbredd o fustachu llwyddodd y ddwy i gael
Eunice i'r tŷ a'i rhoi i orwedd ar y setî. Teimlai Katie wedi
ymlâdd. Gollyngodd ei hun yn glewt i'r gadair agosaf at law.

' Does 'na ddim amsar i eistedd rŵan. Sut gwelsoch chi hi?'

' Clywad sŵn o'r cefn wnes i . . . meddwl mai cathod oedd
'na. Mi welis i *o* hefyd.'

' Os ?'

' Ia.'

' Ydach chi'n siŵr mai fo oedd o ?'

' Sut medrwn i i gamgymryd o ? Ia, fo oedd o. Mi gwelis i o'n rhuthro am i dŷ i hun.'

' Falla mai syrthio ddaru hi.'

' Syrthio ?'

' Ia, a'i fod o'n trio i helpu hi, ond eich bod chi wedi i ddychryn o i ffwrdd.'

' Fydda codwm ddim yn gneud hyn o lanast ar neb.'

Roedd yr Emma Harris 'ma'n ceisio cadw arno fo.

Wrth gwrs, erbyn meddwl, on'd oedd hi a Madge Parry yn bennaf ffrindiau ar un adeg.

' Mi 'dw i'n meddwl y dylan ni alw plismon, Emma.'

' Plismon ?'

' Mae'r hogyn yn berig bywyd. Mae'n rhaid i fod o.'

' Does ganddoch chi ddim prawf mai fo ddaru.'

' Mi wyddoch gystal â finna nad effaith codwm ydi hyn.'

' Falla nad ydi hi cynddrwg â'i golwg. Fedrwch chi ferwi teciall ?'

Pwy oedd hon yn ei feddwl oedd hi, yn rhoi ordors iddi yn ei thŷ ei hun ? Clywsai ddigon am Emma Harris, ran'ny, o dro i dro—digon i wybod ei bod wedi arfer cael ei ffordd ei hun a'i bod hi'n rêl hen ferchetan. Biti ar y naw iddi fynd i alw arni o gwbwl.

' Mi fydda i angan digon o wlân cotwm a chlytia glân.'

' Does gen i ddim. A dydw i ddim yn meddwl y dylan ni.'

' Y dylan ni be ?'

' I thrin hi, nes bod y plismon wedi i gweld hi.'

' Mi 'dach chi *yn* deall, unwaith y cawn ni blismon yma, y bydd y cwbwl allan o'n dwylo ni. A fydd 'na ddim diwadd wedyn.'

' Rydach chi yn fy nghredu i—mai'r Os 'na ddaru ?'

' Ydw, rydw i'n eich credu chi. Ond fedra i ddim deall pam. Pam y hi ?'

' Falla i bod hi'n i haeddu hi.'

' Pwy ? Yn haeddu be ?'

' Y ddynas 'ma, yn haeddu cweir.'

' 'R argian fawr, ro'n i'n meddwl eich bod chi'n ddynas capal.'

' Ydw. Wedi bod, o leia.'

' Ac yn gallu deud peth fel'na. Wedi ffraeo yr ydach chi ?'

' Naddo. Dydw i prin yn i nabod hi, nac eisia i nabod hi chwaith. On'd oes 'na olwg powld arni hi ?'

' Ac mi ddaliwch hynny yn i herbyn hi ?'

' Digwydd gwybod rwbath yr ydw i.'

' Wna i ddim pwyso arnoch chi i ddeud.'

' Na, fe ddylach gael gwybod. Richard Powell, drws nesa.'

' Be amdano fo ?'

' Y fo, a hi.'

' A dyna lle mae o'n prowla rŵan ?'

' Dyna'r cwbwl sydd ganddoch chi i'w ddeud ?'

' Ia, mae'n debyg. Waeth gen i i b'le'r aiff o. A fedra i ddim deud fy mod i'n i feio fo am fynd, o nabod Lena Powell. P'run bynnag, dydi o ddim o'n busnas ni, yn nag ydi ? Ein busnas ni ydi trio cymhennu tipyn ar yr enath 'ma. Mae gen i focsiad o betha trin clwyfa yn y tŷ. Mi â i i'w nôl nhw. Gofalwch chi fod 'na ddŵr berw'n barod.'

' Rydach chi wedi penderfynu, felly—peidio deud ?'

' Dyna'r peth doetha, ynte ?'

' Wn i ddim wir.'

Meddwl cythryblus iawn oedd gan Emma Harris wrth iddi frasgamu rhwng tŷ Katie Lloyd a'i thŷ ei hun. Roedd eisiau gras efo pobol. Hen fursan oedd Katie Lloyd, a Harri Lloyd yn byw ymlaen ym mhob osgo a gair o'i heiddo. Be oedd ots petai gan Eunice Murphy hanner dwsin o ddynion ffansi ? Cenfigennus oedd Katie Lloyd, debyg. Cenfigennus, yn ei hoed hi ! Gobeithio'r annwyl nad oedd Os wedi ceisio mynd i'r afael ag Eunice Murphy. Wedi'r cyfan, roedd ganddo gorff dyn, os oedd ei feddwl yn un plentyn. Y nefoedd fawr, i feddwl fod Madge wedi gorfod rhoi ei bywyd yn gyfan gwbl iddo. Pwy oedd tad y creadur, tybed ? Fe allai Madge fod wedi cael ei dewis o ddynion. Ond ni chofiai Emma mohoni'n cymryd diddordeb yn neb. Roedd hi wedi bod yn craffu ar Os o dro i dro wrth iddo honcian heibio i'r tŷ. A weithiau gallai dyngu ei fod yn ei hatgoffa o rywun. P'run bynnag, roedd hi wedi methu'n lân â phwyntio bys at neb. Ond waeth heb â moedro rŵan. Byddai'n rhaid iddi hel ei thraed yn ôl gynted ag y gallai.

Â'r bocs o dan ei chesail cythrodd allan drwy'r drws cefn,
yn syth i lwybr Dei Ellis.

' Mae'n ddrwg gen i,' mwmiodd hwnnw.

' Arna i roedd y bai.'

' Oes 'na rwbath o'i le ?'

' Nagoes. Pam ?'

' Dim ond meddwl.' Ac ymlwybrodd yn ei flaen. Yna, fel
petai'n cael ei gyrru gan rym o'r tu allan iddi ei hun, saethodd
Emma ar ei ôl.

' Mr. Ellis.'

' Ia ?'

' *Mae* 'na rwbath o'i le.'

Dyna hi wedi'i gwneud hi rŵan. Ond roedd hi ym mhen
ei thennyn. Cawsai'r teimlad gynnau mai dilyn ei rheswm
ei hun a wnâi Katie Lloyd, waeth beth ddywedai hi. Byddai
arni angen cefn. Roedd Dei Ellis yn ddyn tawel, doeth. Go
brin y byddai'n dymuno gweld helynt yn dod i ran Madge
Parry. Wedi'r cyfan, roedden nhw'n gymdogion.

' Os Parry.'

' Os ? Be amdano fo ?'

Un munud ymddangosai Dei Ellis yn dawel a digyffro. Y
munud nesaf fflachiai ei lygaid fel mellt drwy'r tywyllwch.

' M . . . mae arna i ofn i fod o . . . y galla fo fod . . .
mewn helynt,' cagiodd Emma.

' Pa fath o helynt ?'

' Eunice Murphy, rhif chwech. Mae o wedi mosod arni
hi . . . i gadael hi'n gorwadd fel marw yn y ffordd gefn.'

' Pwy sy'n deud ?'

' Mi gwelodd Katie Lloyd o. Yn i thŷ hi mae Eunice Murphy
rŵan . . . yn anymwybodol. Mae golwg mawr ar i hwynab hi.'

' Ydi Madge yn gwybod ?'

' Wn i ddim wir. Does 'na neb wedi bod yno, nac yn debygol
o fynd.'

' Mi â i.'

' I b'le ?'

' At Madge.'

' Ond rydw i am i chi ddwad efo fi at Katie Lloyd. Mae hi'n
teimlo mai matar i'r plismyn ydi o.'

' Na,' yn wyllt.

' Dyna o'n inna'n i feddwl. Mi 'dw i wedi bod yn ceisio'i darbwyllo hi, ond mae arna i ofn i bod hi'n ddynas benstiff iawn.'

Roedd Dei Ellis eisoes wedi ei gadael ac yn prysuro am dŷ Katie Lloyd, ei draed yn chwalu'r cerrig mân i bob cyfeiriad. Ac yntau, fel arfer, yn cael trafferth i roi un droed o flaen y llall. Brysiodd Emma ar ei ôl a chyrraedd cegin Katie Lloyd ar ei sodlau. Safai honno fel synbost ar ganol y llawr a thecell yn ei llaw. Syllodd yn gyhuddgar ar Emma.

' Meddwl y gallan ni 'neud efo help,' meddai hithau, yn gloff.

' Na, mi fedrwn ni 'neud yn iawn.'

' Mae Mr. Ellis, hefyd, yn credu mai cadw'r plismyn draw ydi'r peth doetha.'

Rhythodd Katie Lloyd yn herfeiddiol ar Dei Ellis.

' O, ydach chi ?' holodd.

' Ydw, Katie Lloyd.'

' A be wyddoch chi am y peth?'

' Mae Emma Harris yn deud i chi i weld o . . . Os.'

' Do, yn ddigon plaen.'

' Dim ond eich gair chi sydd ganddon ni ar hynny, yntê ?'

' Ydach chi'n awgrymu fy mod i'n deud celwydd ?'

' Dydi'ch llygaid chi ddim ar 'u gora, yn eich oed chi. Ac mae hi'n eitha tywyll heno.'

' Mi gwelis i o. Dydi o ddim ffit i fod yn rhydd.'

' Wnâi Os ddim drwg i neb.'

' Ydach chi ddim yn gweld y ddynas 'ma—y golwg sydd arni hi ? Fo ddaru hyn. Ac mi fedar daro eto. Ein cyfrifoldab ni ydi deud.'

' Ewch chi at y plismyn ac mi wna i'n blydi siŵr na fydd ganddoch chi droed i sefyll arno fo.'

' 'Y mygwth i rŵan, ia ?'

' Ylwch, Katie Lloyd, dydw i ddim eisia helynt. Mi ges i ddigon o mhardduo gan eich gŵr chi tra buo fo—yr hen uffarn bach hunangyfiawn. Finna'r ffŵl ag o'n i yn gadael iddo fo fy sarhau i, heb daro'n ôl. Ond mi 'dw i'n gallach rŵan. Emma, mi 'dw i am i chi ddwad efo fi, at Madge.'

' Na, ddo i ddim yn agos yno.'

'Mae 'na rwbath y dylach chi gael i wybod. Ac mi gewch ddeud wrth hon wedyn, os mynnwch chi. Mi gewch i gyhoeddi o o benna'r tai. Dydi o ddiawl o ots gen i bellach.'

Am y tro cyntaf yn ei bywyd, roedd Emma yn fud. Rhag cwilydd i'r dyn, yn troi tu min fel'na ar Katie Lloyd. Beth bynnag oedd hi, doedd hi ddim yn haeddu hynna. A phrin ei fod o wedi cymryd sylw o Eunice Murphy. Ond roedd ei law ar ei phenelin, yn ei llywio tua'r drws.

'Na, fedra i ddim.'

'Dowch, Emma Harris.'

Ni feiddiai brotestio rhagor. Roedd golwg y dyn yn ei dych- ryn. Edrychodd yn ymbilgar i gyfeiriad Katie Lloyd ond roedd honno â'i phen i lawr. Ildiodd Emma i'r pwysau ar ei phenelin a gadawodd i Dei Ellis ei harwain allan o'r tŷ.

Tywalltodd Katie y dŵr berw i ddysgl a'i glaearu efo mymryn o ddŵr oer. A dyna oedd hi iddyn nhw, ia—dim ond estyniad, digon aneffeithiol, o Harri ? Mor falch fyddai o ddeall hynny. Ac fe ddylai hithau fod yn falch. Roedd Harri'n ddyn da, o, oedd. A pha hawl oedd gan un o wehilion cymdeithas i'w faeddu fel'na ? Wedi bod yn yfed yr oedd Dei Ellis, wrth gwrs. Roedd ei arogl sur yn glynu wrth ei chegin. O'r arswyd, noson ofnadwy oedd hon. Dim rhyfedd nad oedd Harri am iddi gymysgu efo pobol Minafon. A Harri oedd yn iawn, fel arfer. Petai hi ond wedi aros yn ei llofft . . . Ond roedd y drwg wedi ei wneud, a hithau wedi agor ei thŷ, tŷ Harri, i ddiotwyr a . . . a godinebwyr.

Gwasgodd ei dannedd wrth gyffwrdd yn dringar ag wyneb Eunice Murphy. Roedd hi'n dechrau dod ati ei hun. Agorodd gil ei llygad a'i gau yr un munud wrth i Katie drin y briw ar ei thalcen. Roedd angen pwythau ynddo. Byddai'n rhaid ei chael i'r ysbyty. Ond golygai hynny hen holi a stilio. Ac efallai mai galw'r plismyn i mewn wnaen nhw. Ond eu busnes nhw oedd hynny. Cyn gynted ag y deuai Emma'n ôl byddai'n mynnu ei bod yn ffonio'r ysbyty. Nid oedd am gael hon yn ei thŷ eiliad yn hwy nag oedd raid.

Ond pan ddychwelodd Emma nid oedd mewn fit stâd i ffonio na dim arall. Prin ei bod yn gallu sefyll uwchben ei thraed.

' Be sydd rŵan, Emma ?' holodd Katie Lloyd, yn ddiamyn-
edd. Siawns nad oedd hi wedi gorfod dioddef digon am un
noson.

' 'Chredwch chi byth.'

' Mi fedra i gredu unrhyw beth ar ôl heno.'

' Os.'

' Wel, be amdano fo ?'

' I dad o . . . mi wn i pwy ydi i dad o.'

' Be sy wnelo hynny â'r busnas yma ? Ddaru o gyfadda ?
Ydi Madge Parry'n gwybod ?'

' Dei Ellis.'

'Fuo hwnnw fawr o help mi 'dw i'n siŵr. Wn i ddim be oedd
ar eich pen chi yn dwad â fo yma.'

' Dei Ellis . . . fo ydi tad Os.'

' Peidiwch â siarad gwirion.'

' Dyna pam roedd o am i mi fynd efo fo.'

' Fedrwch chi ddim rhoi coel ar ddyn meddw.'

' Doedd o ddim yn feddw. P'run bynnag, Madge i hun
ddwedodd wrtha i. Esgusodwch fi.'

Bustachodd Emma am y cefn. O'r lle y safai, yn trin wyneb
Eunice Murphy, gallai Katie Lloyd ei chlywed yn cyfogi i'r
sinc. Pan drodd ei phen, gwelodd Emma yn pwyso yn erbyn
y ffrâm drws a golwg angau arni.

' Dydi'r peth ddim yn sioc i chi ?' holodd, yn gyhuddgar.

' Alla i ddim deud i fod o. Falla 'mod i wedi ama.'

' Wedi ama ?'

' Wn i ddim. Rhyw deimlad oedd gen i. Ond does 'na
ddim yn gneud synnwyr heno.'

' Roedd o'n sioc i mi beth bynnag.'

' Siŵr o fod. Ac mi welsoch Madge Parry ?'

' Do. Dydi hi wedi newid fawr, Katie Lloyd—wedi henei-
ddio peth, wrth gwrs—ond mae hi cyn ddelad ag y buo hi
erioed. Nefoedd fawr, fe ddaeth y cwbwl yn ôl imi pan welais i
hi. Mi fuo ond y dim imi â disgyn mewn llewyg.'

Roedd golwg legach ar yr eneth, meddyliodd Katie Lloyd.
Rhoddodd hynny nerth newydd ynddi.

' 'Steddwch, Emma. Mi wna i banad i chi.'

' Sut mae hi bellach ?' mewn llais bach.

' Reit dila ydi hi. Mi agorodd i llygad am hannar eiliad. Ond mae arna i ofn y bydd yn rhaid iddi gael pwytha yn hwn.'

' Ysbyty, felly ?'

' Mae hynny'n ddyletswydd arnon ni, Emma. Peidiwch â phoeni—damwain oedd hi, yntê ? Syrthio ddaru hi a tharo'i phen yn y wal.'

' Ac mi 'newch chi dystio i hynny ?'

' Gwnaf, os bydd angan.'

' Diolch i chi, Katie Lloyd . . . diolch o galon i chi. Fedrwn i ddim diodda meddwl am Madge yn gorfod . . .'

' Mae hi'n gwybod am hyn ?'

' Ydi. Roedd Os wedi deud wrthi, yn i ffordd i hun.'

' Ond pam . . . pam yr enath 'ma ?'

' Rhyw helynt ynglŷn â thamprwydd. Roedd Eunice Murphy wedi prepian a dyn o'r Cyngor wedi bod yno yn bygwth 'u troi nhw o'r tŷ a rhoi Os mewn cartra. A dyma'i ffordd o o ddial, debyg. "I ti, mam," medda fo. Mae o'n i haddoli hi, Katie Lloyd.'

' Ydi o'n gwybod mai Dei Ellis ydi i dad o ?'

' Na. O leia, dydi o ddim yn i alw fo'n hynny, drwy drugaradd. Ond mae'r ddau i'w gweld yn glos iawn.'

' Mae Dei Ellis yn arfar galw yno, felly ?'

' Yn ôl ro'n i'n i ddeall, mae o yno rownd y rîl.'

' Ond . . .'

' Gwen Ellis ? Ia, dyna o'n inna'n i feddwl. On'd ydi hi'n gwybod pob dim am bawb.'

' A hyn yn digwydd o dan i thrwyn hi. Mae 'ma le od, Emma.'

' Oes. Ylwch, mae'n ddrwg gen i imi fod mor . . . mor . . . be o'n i 'dwch, pan ddaethoch chi i alw arna i. Fy ffordd i, wyddoch chi, wedi arfar plesio fy hun. Mi 'dw i yn ddiolchgar i chi am beidio galw plismon.'

' Roedd o'r peth doetha, dan yr amgylchiada. Sut mae hi'n edrych rŵan ?'

' Lawar yn well. Mi 'dach chi'n nyrs dan gamp. Ond mi fydd yn rhaid pwytho'r briw 'na. Mi â i i ffonio'r ysbyty.'

' Panad gynta.'

' Na, mi fydda'n well imi fynd.'

' Panad gynta, Emma. 'Rhoswch chi lle rydach chi.'

' Dydw i ddim yn meddwl y do i byth dros heno.'

' Wrth gwrs y dowch chi. Mae'n syndod be fedrwn ni i 'neud pan fydd raid.'

' Mi 'dach chi'n iawn. Ond fydd petha byth yr un fath eto.'

Wrth iddi brysuro o gwmpas y gegin, yn estyn hyn a'r llall, teimlai Katie Lloyd fel y gwnaethai'r diwrnod hwnnw yn Llanelan. ' R argian fawr, fe ddylai heno fod wedi rhoi blynyddoedd ar ei hoes yn hytrach na'u dileu. Gallai dorri allan i ganu, reit hawdd. Canu—a'r holl stomp o'i chwmpas ! Aeth â'r te drwodd.

' Mae ganddoch chi le del yma, Katie Lloyd,' meddai Emma.

' Digon shabi ydi o . . . ond cartrefol.'

' O, ydi, cartrefol iawn. Mi rown i'r byd am gael dresal fel'na.'

' Dresal mam ydi hi, o'r hen gartra. Yfwch chi o'n boeth rŵan. Mi wnaiff les i chi. Mi gewch fynd i ffonio wedyn.'

Aeth Katie at Eunice Murphy a theimlo'i harddwrn.

' Mae'i phyls hi'n cryfhau, Emma.'

' Mae'n dda gen i. Lwcus i bod hi'n enath go solad.'

Syllodd Katie Lloyd ar yr eneth. Dim rhyfedd fod Richard wedi cymryd ffansi ati, meddyliodd. Hyd yn oed rŵan, ar ei gwaethaf, roedd 'na rywbeth yn ddeniadol ynddi. Rhywiol, dyna'r gair. Gair diarth iawn i'r tŷ yma. Ac roedd Richard yn un anodd iawn ei wrthsefyll, fel y gwyddai hi'n dda. Ond roedd hon yn ifanc ac yn llawn bywyd, nid fel hi, wedi gorffen byw. Na, go fflamia, doedd hi ddim wedi gorffen chwaith. Roedd helyntion heno wedi profi fod yna ddigon o fywyd yn weddill ynddi. Beth bynnag oedd pechod yr eneth, roedd hi wedi talu amdano ar ei ganfed, fel hithau. Siawns na chaent symud ymlaen rŵan. Ond roedd Emma Harris yn hollol iawn yn un peth, o leiaf—ni fyddai pethau byth yr un fath ar ôl heno.

DYDD GWENER, MEHEFIN Y 30AIN

— 1 —

Aethai Mati i weld Lena fore Mawrth, yn llawn bwriadau
da. Roedd am geisio perswadio Lena i fynd efo hi at Doctor
Rees. Gallai ddweud iddi sylwi fod golwg wedi blino arni ac
y dylai gael tonig. Cyn dod i'r penderfyniad hwnnw aethai
Mati drwy gawdel o deimladau. Bu'n ceisio crafu yn y gorffen-
nol am oriau diddan gawson nhw fel teulu, ond er pob ymdrech,
Arthur a hithau ddeuai i'r wyneb bob tro, heb blant ar eu
cyfyl. Aeth ati i chwilio mewn drôr am luniau o'r plant yn
fychan ond ni fu fawr elwach. *Roedd* yno luniau ohonyn nhw—
Glyn efo'i fag newydd ar ei ysgwydd a thro annymunol yn ei
wefus a Lena ar ei beic a'i hosgo fel petai'r haul yn codi ac yn
machlud efo hi—ond ni wnaethai'r lluniau ond dyfnhau ei
hanniddigrwydd. Er bod Doctor Puw yn mynnu nad hi oedd
yr unig un i fethu caru ei phlant, roedd Mati'n eitha siŵr na
fu'r un fam erioed mor gwbwl wag o deimlad â hi. Fe ddylai'r
newydd am Lena fod wedi ei sigo hi'n llwyr. Effaith sioc, wir.
Ni allai deimlo dim mwy rŵan ; llai os yn bosibl, wedi'r
profiad a gawsai ddydd Mawrth.

Yn groes i'w harfer, aethai at ddrws y ffrynt. Ar hyd ei
thrwyn y gwahoddodd Lena hi i'r tŷ. Cyn gynted ag oedd
ei throed dros y rhiniog meddai—
' Os mai dwad yma i ddeud "Mi ddeudis i wrthat ti" ydach
chi, mi fedrwch adael rŵan.'
' Be ydw i fod wedi'i 'neud, felly ?'
' Roeddach chi yn erbyn y briodas, o'r dechra.'
' Pa briodas ?'
' Richard a finna, siŵr—pwy arall ?'
' Dydw i ddim yn cofio deud dim.'
' Doedd dim angan deud. Roedd o ddigon eglur. Mi 'dach
chi'n fodlon rŵan, siawns ?'
' Pam dylwn i fod yn fodlon ?'
' Mae o wedi mynd o ddifri tro yma.'
' I b'le ?'

' Waeth gen i i b'le nag at bwy. Mi 'dw i am fynd i weld Jones Davies rhag blaen.'

' Ysgariad ?'

' Ia, siŵr. Mae gen i ddigon o reswm, siawns. Wyddoch chi i fod o wedi bod yn chwara o gwmpas efo Katie Lloyd drws nesa ?'

' Dwyt ti ddim o ddifri ? On'd ydi hi'n drigain oed.'

' Dydi oed yn mennu dim arno fo cyn belled â'u bod nhw'n fodlon agor 'u coesa iddo fo.'

' Lena !'

' Mi 'dw i wedi eich siocio chi, ydw ?'

' Does dim angan bod mor amrwd. P'run bynnag, mae'r peth yn chwerthinllyd—Richard a Katie Lloyd.'

' Ac Eunice Murphy. Hi oedd y ddwytha. Gredwch chi hynna 'ta ?'

' Feiddia fo ddim, yma ym Minafon. Ydi o wedi cyfadda i hyn ?'

' Nag ydi siŵr. Gwadu'r cwbwl, fel arfar.'

' Sut gwyddost ti 'ta ?'

' Cael llythyra wnes i—rhai o'r petha dienw 'na.'

' Fedri di ddim rhoi coel ar rheini.'

' Pam 'dach chi'n cadw arno fo ?'

' Dydw i ddim. Am iti 'neud yn siŵr o dy ffeithia yr ydw i.'

' Ffeithia ia ? Be oeddach chi'n ddisgwyl imi i 'neud ? Torri i mewn i dŷ Eunice Murphy a'u dal nhw wrthi ?'

' Does dim angan siarad fel'na.'

' Ond fel'na yr ydw i'n bwriadu siarad. Roeddach chi'n hoff ohono fo ?'

' O Richard ?'

' Ia.'

' Wel, roedd hi'n anodd peidio.'

' Peidio be ?'

' Cymryd ato fo. Roedd o'n gymaint o blentyn.'

' Hy ! Be oedd o'n i 'neud acw ?'

' Pryd ?'

' Ddoe.'

' Galw ddaru o.'

' Fe ddaru chi alw amdano fo. I be ?'

' Dim byd arbennig.'

' Mi 'dw i'n meddwl fod gen i hawl cael gwybod.'

' Wyt ti ?'

' Be ddeudoch chi wrtho fo ?'

' Deud ?'

' Amdano fo a fi—ein priodas ni. Ddaru chi i annog o i 'ngadael i ?'

' Naddo, siŵr. I be wnawn i beth felly ?'

' Dim ond meddwl, gan eich bod chi mor hoff ohono fo . . .'

' Ond dydw i ddim. Rydw i'n i ffieiddio fo.'

' I ffieiddio fo, ia ? Bron gymaint ag yr ydw i'n eich ffieiddio chi, falla.'

' Be ydw i wedi'i 'neud ?'

' Wyddoch chi ddim.'

' Wel, na wn.'

' Dim ond sefyll efo 'ngŵr a 'mhlentyn yn f'erbyn i a'u hannog nhw i droi 'u cefna arna i.'

' Dydi hynny ddim yn wir.'

' Mi fydda'n well gen i pe baech chi'n gadael—rŵan.'

A gadael ddaru hi. Pa ddewis oedd ganddi ? Cael ei throi allan gan ei merch ei hun, fel yr oedd hi wedi troi Richard allan o'i thŷ hithau. Peri iddo fynd yn ôl at Lena ; dweud mai yno yr oedd ei gyfrifoldeb. A Lena yn ei chyhuddo o fod wedi ei annog i'w gadael. Teimlai Mati fel petai rhywun wedi tynnu ei pherfedd. Nid oedd ganddi owns o nerth yn weddill.

Dal yn ei gwendid yr oedd hi pan alwodd Emma Harris, rywdro fin nos. Gadawodd hi'n sefyll yn y drws.

' Wedi dwad i ddeud am Eunice Murphy,' meddai.

' Be amdani hi ?'

' Mae hi wedi cael damwain. Syrthio ar y ffordd gefn a tharo'i phen yn y wal. Concysion. Yn yr ysbyty mae hi.'

' O, ia ?'

' Mi 'dw i am alw i'w gweld hi heno. Oes ganddoch chi awydd dwad ?'

' Na, ddim diolch.'

' Mae Katie Lloyd am ddwad hefyd.'

' Bobol annwyl, ac mae hi wedi atgyfodi, ydi ?'

' Mm ?'

237

' Ro'n i'n meddwl i bod hi wedi'i chladdu ers talwm.'

' O, na, mae hi'n llawn bywyd. Rydan ni'n dipyn o ffrindia, Katie Lloyd a fi.'

' Ydach chi, wir ?'

' Mae rhywun angan ffrindia.'

' Tybad ? Chreda i byth nad ydi rhywun yn well allan hebddyn nhw.'

Troesai Emma ar ei sawdl a stormio am y giât ac i'r ffordd, heb edrych yn ôl.

Efallai iddi fod braidd yn ffiaidd, erbyn meddwl. Ond felly yr oedd hi'n teimlo ar y pryd. A pham na châi hithau droi tu min weithiau ? Go brin y caech chi neb plaenach nag Emma Harris. A ph'run bynnag, cawsai lond bol arni hi a'i the sbesial a'i thipyn tŷ. A rŵan roedd hi'n hel o gwmpas Katie Lloyd. Be ddaeth â'r ddwy yna ynghyd tybed ? Ta waeth, ran'ny. Roedd iddyn nhw groeso i'w gilydd. Wel, o leiaf, roedd pobol Minafon am wneud yn siŵr fod yr ysbyty yn talu amdani'i hun. Cyn sicred â bod un allan roedd un arall i mewn. Go brin y deuai Les yn ôl yma. Gwerthu'r tŷ wnâi o, debyg. Cymdogion newydd eto, cyn iddi ddod i 'nabod y lleill yn iawn. Ond roedd un peth yn sicir—yno y caen nhw fod, am y pared â hi, pwy bynnag fydden nhw.

Yn magu ei briwiau felly y bu Mati ar hyd yr wythnos. Bu'n rhaid iddi fynd allan i nôl ei thorth a manion eraill bore Iau. Gwelodd Gwen Ellis o hirbell a sgrialodd i'r tŷ. Brynhawn Iau, pan oedd hi wrthi'n ddigon dienaid yn ceisio rhoi rhyw drefn ar ei llofft, digwyddodd edrych drwy'r ffenestr a gweld drws Madge Parry yn llydan agored. Gallai daeru hefyd fod sglein anarferol ar y ffenestri. Roedd yna bŵer rhyfedd ar gerdded, yma ym Minafon. Ond beth oedd hynny iddi hi, bellach ? Byddai'n rhaid iddi ddod i benderfyniad cyn colli ei nerf yn llwyr. Bu'n eistedd wrth y tân yn hwyr i'r nos, yn cael ei thynnu'n grïau rhwng ei dyletswydd tuag at Lena a'i dyhead am wneud rhywbeth o'i bywyd cyn ei bod hi'n rhy hwyr.

Erbyn bore Gwener roedd hi wedi penderfynu rhoi un cynnig arall arni. Petai ymateb Lena yr un â'r dydd Mawrth, dyna'r diwedd. Byddai wedi gwneud ei dyletswydd ac ni allai neb bwyntio bys ati. Câi ryddid wedyn i ddilyn ei llwybr ei hun.

Nid oedd erioed wedi cerdded i mewn i dŷ Lena heb ei chymell. Cnociodd, yn ôl ei harfer, ac aros i Lena ddod i agor iddi. Cnociodd eilwaith, rhag ofn. Mae'n rhaid ei bod hi allan. Pan oedd hi'n croesi'r pwt iard am y ffordd gefn, clywodd guro ysgafn. Syllodd o'i chwmpas ond ni allai weld neb na dim. Ond daeth y curo eto, yn daerach y tro hwn. Deuai o rywle uwch ei phen. Edrychodd i fyny a gwelodd Lena yn ffenestr y llofft. Y munud nesaf, roedd hi wedi diflannu. O, wel, fe wnaethai'n eitha clir ddydd Mawrth nad oedd am ei gweld. Pwysleisio hynny yr oedd hi, debyg, wrth ddangos ei bod yn y tŷ ond yn gwrthod ateb y drws. Ac eto, roedd rhyw-beth rhyfedd yn ei hosgo hi wrth y ffenestr, fel petai'n ymbil am help. Hi oedd yn dychmygu pethau. Ni fyddai Lena byth yn mynd ar ofyn neb. A phetai'n dychwel rŵan, ac yn cael ei gwrthod eto, byddai hynny'n ddraen yn ei chalon am byth. Ond hon oedd yr ymgais olaf. Heddiw, roedd hi'n torri cysyll-tiad â'i theulu, a hwn, o bosibl, fyddai'r tro olaf iddi weld Lena.

Agorodd y drws yn rhwydd ar ei gliced. Synnodd Mati weld golwg mor anniben ar y gegin. Roedd hi wedi diarhebu sawl tro at yr amser a dreuliai Lena yma, yn twtio ac aildwtio, er na feiddiai ddweud dim. Aeth drwy'r gegin i'r ystafell eistedd ac at droed y grisiau. Wrthi'n meddwl beth i'w ddweud yr oedd hi pan glywodd Lena yn galw o'r llofft—

' Chi sydd 'na, mam ?'

Bobol annwyl, roedd y gair ' mam ' yna yn swnio'n ddiarth. Nid oedd Lena wedi ei ddefnyddio er pan oedd hi'n bwt o eneth, reit siŵr, er mawr ryddhad iddi hi.

' Ia, fi sydd 'ma.'

' Fedrwch chi ddwad i fyny ?'

Gorweddai Lena, yn ei dillad, ar y gwely. Roedd popeth ar chwâl o'i chwmpas—y dillad gwely, tyweli, cwpan wedi troi a'r dail te wedi glynu wrth y gobennydd—ac arogl cyfog yn llenwi'r ystafell.

' Sâl ydw i.'

Hyd yn oed rŵan, pan fyddai'r galon galetaf yn toddi gan yr olwg oedd ar y ferch ar y gwely, ni allai Mati deimlo iot o dosturi.

' Ers pryd wyt ti fel'ma ?'

239

' Wn i ddim. Mi hitias i'r gwpan drosodd.'

' Eisia diod wyt ti ?'

' Ia, plîs.'

' Te ?'

' Na, dim ond dŵr.'

' Pryd cest ti fwyd ddwytha ?'

' Fedra i mo'i gadw fo i lawr.'

' Oes gen ti rwbath i'w gymryd ?'

' Dim ond aspirins. Dydyn nhw'n dda i ddim.'

Roedd hi'n amlwg mewn poen ac yn cael trafferth i siarad. Roedd ei gwefusau'n grimp a chleisiau duon o dan ei llygaid. Aeth Mati â'r gwpan drwodd i'r ystafell ymolchi, ei glanhau, a rhoi dŵr glân ynddi. Roedd Lena wedi ei llorio o'r diwedd. Nid ganddi hi, na Richard, na Gwyneth, ond gan y salwch dieflig yma. Lle methodd pawb, roedd hwn wedi llwyddo i'w dofi, gwneud iddi erfyn, ymbil, llyfu'r llwch ; wedi peri iddi ddod ar ei gofyn hi, am y tro cyntaf erioed. Ond roedd hi'n rhy hwyr. Ni allai sefyll efo hi rŵan, yn erbyn y gelyn mwyaf mileinig o'r cwbwl, wedi'r gwrthod a'r dannod a'r cystwyo a fu. Fe wnâi'r hyn oedd yn ddisgwyliedig ganddi ; ei wneud am ei bod hi'n dal yn fam iddi, mewn enw, ac am nad oedd ganddi neb arall.

Ond wrth iddi roi'r gwpan yn nwylo crynedig ei merch sylweddolodd Mati mai Lena oedd piau'r oruchafiaeth, unwaith eto. Roedd hi, wrth gael ei gorfodi i ildio i'w salwch, yn ei gorfodi hithau i ildio ; ildio gobeithion y dyddiau diwethaf ; ei dyhead am gael symud oddi yma a dechrau o'r newydd ar ei liwt ei hun. Yma y byddai hi rŵan, wedi'i dal ym Minafon, fel pry mewn gwe. A byddai'r hen salwch ffiaidd yma, wrth dynnu o nerth Lena, yn tynnu o'i nerth hithau ac yn ei gadael yn ddiymadferth.

' Diolch,' sibrydodd Lena.

Gorweddodd yn ôl, ei gwallt yn chwalu dros y gobennydd. Caeodd ei llygaid. Syllodd Mati arni. Ei merch hi ; ei merch hi ac Arthur. Cofiodd fel y bu iddo ddawnsio o lawenydd pan ddywedodd wrtho ei bod yn disgwyl yr ail fabi. ' Hogan tro nesa,' meddai. Roedd hithau ar ben y byd pan ddeallodd mai merch oedd hi ac Arthur wedi cael ei ddymuniad. Roedden nhw wedi gwneud eu gorau, oedden nhw ddim, ac wedi magu'r ddau cyn ddoethed ag y medren nhw ? Mae'n wir fod Arthur wedi ei rhybuddio, fwy nag unwaith, rhag rhoi gormod i'r ddau, ond roedd hi'n mwynhau rhoi. Pa ddiben oedd yna i'r cyfan ? Ddydd Mawrth, roedd Lena wedi ei chyhuddo o'i chasáu hi. Na, ni allai wneud hynny, petai ond er mwyn Arthur. Diolch na chawsai fyw i weld hyn. 'Mae'n dda gen i fod y plant gen ti,' meddai. Y plant, y tŷ—yn ddim, yn ddim heb Arthur. Roedd y tawelwch yn llethol. Gallai daeru nad oedd neb yn y byd ond Lena a hithau. A hwn fyddai eu byd o hyn allan.

Cychwynnodd Mati am y drws. Teimlai na allai aros yno eiliad yn hwy. Fe âi i lawr i'r gegin i geisio tacluso mymryn. 'Peidiwch â 'ngadael i, plîs,' sibrydodd Lena o'r gwely. Flynyddoedd yn ôl, rhoesai Mati'r byd am fod wedi clywed hynny. Ond rŵan, gwasgai'r geiriau arni a'i dal ; ei dal yn y gwe fyddai'n clymu amdani nes dwyn y cyfan o'i nerth.

— 2 —

Sefyll yn y ciw yn y Becws yr oedd Gwen Ellis pan deimlodd rhywun yn ei phwnio yn ei chefn. Magi Goch, a'i chôt yn agored i ddangos ei hoferôl wen.

'Sut wyt ti, Gwen ?' holodd.

'Mi 'dw i'n iawn.'

'Sut mae dy gefn di'n byhafio rŵan ?' Dros y siop.

Rhythodd Gwen arni.

'Siort ora,' arthiodd.

'Mi oedd Doctor Puw yn chwara *merry hell* a fynta wedi trefnu gwely iti.'

Roedd pennau'n troi a'r mân siarad o'u cwmpas wedi distewi. Pam na allai hi ddal ei hen dafod straegar ?

'Fedra i ddim aros,' cwynodd **Gwen**, a'i heglu hi am y drws.

'Finna chwaith,' ychwanegodd Magi, a'i dilyn allan i'r stryd, gan ddal i barablu.

'Lle ofnadwy sydd ym Minafon 'cw.'

'Pam, felly ?'

'Un arall ohonoch chi i mewn rŵan.'

'Mewn yn b'le ?'

'Yr hospitol, 'te.'

' Pwy, felly ?'

' Wyddost ti ddim ? Mi wyt ti'n llithro, Gwen.'

Yr hen gyrbiban iddi, yn llyfu'i gweflau cochion, wrth ei bodd o weld rhywun yn methu, gan ei bod hi ei hun yn gymaint o fethiant.

' Dydw i ddim wedi bod yn rhy dda.'

' O. Ro'n i'n meddwl iti ddeud dy fod ti'n iawn.'

' Mi rydw i rŵan. Beil, 'na'r cwbwl.'

Ac nid oedd wedi bod yn dda chwaith er pan fu Dei mor anghynnes efo hi. Hen boendod oedd ei gael yn hofran o gwmpas y tŷ ac yn picio i mewn ac allan yn ôl ei fympwy. Cadw llygad arni hi, debyg ; meddwl y byddai'n ei dal yn gwneud rhyw ddrwg. Roedd o wedi cael cythral o ail. Er, roedd hi wedi gorfod rhoi'r gorau i eistedd yn y ffenestr. Ni allai fentro hynny. Roedd yno le annifyr, a Dei fel mudan â'i drwyn yn ei lyfr. Ac yn codi wedyn, yn sydyn reit, fel petai'r bib arno, ac yn ei hel hi i rywle, heb ddweud gair.

' Pwy sy'n sâl, felly ?'

' Y ddynas Murphy 'na. Ond nid sâl ydi hi. Wedi cael codwm, meddan nhw.'

' Pwy nhw ?'

' I ffrindia hi.'

' Pa ffrindia ?'

' Gwraig Harri Lloyd a'r Emma Harris ryfadd 'na. Dydyn nhw fel llaw a manag, y ddwy.'

' Ers pryd ?'

' Be wn i ?' Gwyrodd Magi Goch tuag ati. Roedd hi'n drewi o aroglau salwch. Mae'n rhaid ei bod hi'n fyw o germs.

' Rhyngot ti a fi, fedra i ddim credu mai codwm gafodd hi.'

' Be 'ta ?'

' C-w-e-i-r.'

' Be ?'

' Sut un ydi i gŵr hi ?'

' Brwynan o rwbath. P'run bynnag, mae o i ffwrdd.'

' Mi wn i lle mae o. Yn ddigon pell, yntê ?'

' Wela i.'

' Dwyt ti ddim yn digwydd gwybod ?'

' Mae gen i f'amheuon.'

' Pwy ?'

' Ddylwn i ddim deud.'

' Tyd 'laen. Dydi pobol fel'na ddim gwerth cadw arnyn
nhw.'

' Dic Pŵal.'

' Ond mae o wedi'i heglu hi.'

' Wedi be ?'

' Wedi mynd, a gadael madam. Ffor gwd tro yma. Mae'r
Minafon 'cw'n mynd yn lle comon, Gwen. Lle comon ar y
naw.'

Roedd Magi Goch yn iawn, am unwaith. Brensiach annwyl
—Dic Pŵal wedi gadael ac Eunice Murphy yn yr ysbyty—
dyna be oedd cyd-ddigwyddiad od. Damwain, ia? Mae'n rhaid
eu bod nhw'n meddwl fod rhywun fel pentan. Be oedd a wnelo
Katie Lloyd ac Emma Harris â'r busnes ? Fel llaw a manag,
ia ? Roedd 'na rhyw ddrwg yn y caws. Ond i feddwl ei bod
hi wedi gorfod cael gwybod hyn i gyd gan Magi Goch. Roedd
o'n beth sarhaus. Ar Dei yr oedd y bai, yn hofran o gwmpas
fel aderyn corff ac yn codi beil arni. Onid oedd ganddi hawl i
wybod be oedd yn digwydd o'i chwmpas ?

Wedi iddi gyfrannu o'i gwybodaeth, aeth Magi Goch a'i
gadael. Gwyliodd Gwen hi'n torsythu i fyny'r lôn fach am
dŷ'r doctor. Tybed faint oedd wedi cicio'r bwced er pan aethai
hi y tu ôl i'r ddesg yna ?

Pan ddychwelodd Gwen adref roedd y tŷ'n wag, drwy
drugaredd. Heb wastraffu eiliad, aeth drwodd i'r cefn i chwilio
am feiro. Pan oedd yno tybiodd iddi glywed chwerthin yn
dod o'r drws nesaf. Yr hogyn 'na oedd wrthi, debyg. 'R arswyd,
i feddwl ei bod wedi gorfod dioddef hanner oes o fyw y drws
nesaf i rywbeth hanner pan fel'na a dynes oedd yn codi allan
at y nos, fel tylluan. Roedd hi'n bryd dod â nhw at eu coed,
bob un ohonyn nhw, cyn bod barn yn disgyn ar y lle.

Eisteddodd Gwen Ellis wrth fwrdd y gegin a dechreuodd
ysgrifennu'n llafurus yn y copi bwc a brynasai yn Woolworths.
A dweud y gwir, byddai papur toiled yn ddigon da i'r hyn oedd
ganddi hi mewn golwg. Ac yn gweddu'n well o lawer. Gwth-
iodd ei thafod allan fel yn yr ysgol ers talwm, wrth ganolbwyntio
ar ei thasg. Roedd hi wedi ymgolli cymaint yn ei gwaith fel
na chlywodd Dei yn dod i'r tŷ.

' Be 'dach chi'n i 'neud, Gwen ?'

243

Saethodd ei braich allan i guddio'r papur, fel y gwnâi yn yr ysgol i rwystro hen daclau anonest rhag copïo'i gwaith.

'Dim byd.'

'Roeddach chi'n sgwennu rwbath.'

'Dim byd o werth.'

'Dydach chi rioed wedi dechra sgwennu'ch atgofion ?'

Roedd o'n ei sbeitio hi eto. Pwy fyddai'n meddwl y gallai dyn yr oedd hi wedi gwneud cymaint yn ei ffordd fod mor fileinig ei dafod.

'Gadewch imi i weld o.'

'Na.'

'Dowch, Gwen. Mi 'dan ni'n ŵr a gwraig, on'd ydan ? A does 'na ddim cyfrinacha i fod rhwng gŵr a gwraig.'

'Fi pia fo.'

'A fi pia chitha, er gwell neu er gwaeth. Dowch, Gwen.'

'Na, chewch chi mo'no fo.'

Ond roedd pawen o law fawr, flewog yn disgyn arni ac yn chwipio'i braich o'r neilltu, fel petai'n flewyn.

'I Lena Powell mae hwn. I be 'dach chi eisia sgwennu i Lena Powell ?'

'Rhowch o'n ôl imi.'

Ond roedd Dei yn darllen. Y troeon o'r blaen, bu'n hir yn cynhesu ond heddiw gallodd fwrw iddi efo'r gair cyntaf.

'Be aflwydd . . .'

'Dydi o ddim o'ch busnas chi.'

'Ddim o musnas i ? Nefoedd fawr, mae hyn yn anllad, ddynas, yn . . . yn . . . fudur.'

'Fedrwch chi ddim rhoi gwisg ffansi i fudreddi.'

'Ond mi 'dach chi'n deud . . .'

'Y gwir, Dei. Mi 'dw i'n deud y gwir. Mae'n rhaid i rywun i ddeud o.'

'Hwn ydi'r cynta ?'

Pan na ddaeth ateb, gafaelodd Dei yn ei hysgwydd a'i throi i'w wynebu. Roedd ei fysedd fel cerrig, meddyliodd Gwen . . . hen gerrig amrwd heb eu trin.

'Hwn ydi'r cynta, Gwen ?'

'Naci.'

'Pwy ? Pwy arall ?'

'Y Katie Lloyd 'na. Y berycla o'r cwbwl. Y sarff i hun.'

' Rhywun arall ?'

' Dim ond Lena Powell.'

' Faint ? Faint arall ?'

' Dau . . . tri . . .o, be ydi'r ots ?'

' Wyddoch chi y gallwch chi gael carchar am hyn ?'

' Twt lol, fedrwch chi ddim cael eich cosbi am ddeud y gwir.
Mi 'dw i'n poeni ynglŷn â stâd y lle 'ma, os nad ydi neb arall.
Roedd Minafon yn arfar bod yn lle parchus.'

' Ers faint mae hyn yn mynd ymlaen ?'

' Dydw i ddim yn cofio wir.'

' Ers faint, Gwen ?'

' Wythnos . . . pythefnos.'

' Ond pam ?'

' On'd ydw i wedi deud pam. Mae'n rhaid i rywun.'

' Ac mi 'dach chi'n meddwl fod ganddoch chi hawl i bwyntio
bys ?'

' Wrth gwrs fod gen i. Falla nad ydw i'n twllu capal ond
rydw i'n byw mor agos i'm lle ag sydd bosib.'

' Chi ?'

Pam roedd o'n dweud ' chi ' fel'na, yn y ffordd sarhaus
wawdlyd yna ? Cofiodd Gwen fel y bu iddo ei galw'n ddynes
ddrwg. Mae'n rhaid fod pechod ac anlladrwydd y lle wedi
llifo i'w gyfansoddiad. Roedd o'n un ohonyn nhw, y giwed
oedd yn mynd i ddifetha'i byd hi, yr unig fyd y gwyddai
amdano. Dei . . . ei Dei hi . . . yn un ohonyn nhw, y gelyn-
ion ; y seirff oedd yn hisian ac yn gwthio'u hen dafodau gwen-
wynig allan i geisio ei dinistrio hi. Ia, dyna oedd eu bwriad
nhw . . . ei lladd hi. Byddai'n rhaid iddi fod yn gryf i allu
eu gwrthsefyll.

' Dowch â'r llythyr yna'n ôl imi, Dei.'

' O, na, chewch chi ddim gneud rhagor o ddrwg.'

Nid hwn oedd ei Dei hi . . . y Dei y bu'n rhannu ei byw
efo fo ers deng mlynedd ar hugain ; y Dei a'i cymrodd hi o
Stryd Capal Wesla yn hogan ddiniwed. Ac roedd hi'r un mor
ddiniwed heddiw. Nid hwn oedd y Dei a'i harweiniodd heibio
i'r glaslanciau anystyriol wrth siop Pyrs, a'i ben yn uchel ;
y Dei a'i cariodd hi dros y trothwy ; fu'n crio wrth ei hochr yn
y gwely mawr dwbwl ; y Dei ddaeth â rhosynnau iddi o'r

goeden wrth dalcen y cwt glo. Be oedden nhw wedi'i wneud iddo fo . . . i'w Dei hi ?

'Mae'n ddyletswydd arnon ni sgubo'r lle 'ma'n lân. Ac un o'r petha cynta ddylan ni i 'neud ydi cael gwarad â'r ddau drws nesa 'ma. Seilam ydi i le fo . . . y ddau ohonyn nhw ran'ny.'

'Peidiwch byth â deud hynna eto. Mae Madge Parry yn werth dwsin ohonoch chi.'

'Be ddeudoch chi ?'

'Mi wyddoch yn iawn be ddeudis i.'

'Lle 'dach chi'n mynd ?'

'I erfyn ar eich rhan chi. Er, Duw a ŵyr pam y dylwn i. Dim ond gobeithio y byddan nhw'n drugarog.'

'Pwy ? Am be 'dach chi'n sôn ?'

'Maen nhw'n siŵr o gael allan pwy sy'n gyfrifol. Falla, ond inni ddwad yn lân rŵan, y bydd 'na well gobaith.'

'Dydach chi ddim am fynd at . . . at y plismyn ? Na, chewch chi ddim. Dydw i wedi gneud dim o'i le, Dei. Pwy arall sydd 'na i 'neud ?'

Roedd o'n mynd, a'r copi bwc yn ei law ; yn mynd i'w bradychu hi, fel Jiwdas. Deg darn ar hugain gafodd hwnnw. Be fyddai tâl Dei am ei bradychu hi . . . ei gariad, ei gymar, ei bopeth ers deng mlynedd ar hugain ? Ei grogi ei hun fu diwedd Jiwdas. A phan welai ei gamgymeriad, pan sylweddolai'r hyn yr oedd o wedi'i wneud . . . Byddai'n rhaid iddi ei rwystro. Ond wrth iddi geisio codi gafaelodd yr hen boen yn ei meingefn a saethu i lawr ei chrothau fel cyllyll. Erbyn iddi allu ystwytho'i choesau a chodi o'r gadair, roedd hi'n rhy hwyr iddi allu gwneud dim.

— 3 —

'Fy hun ydw i heno,' meddai Katie Lloyd, a tharo'r botel lemwn ar y cwpwrdd wrth wely Eunice. Ceiniog o newid allan o hanner can ceiniog, a hynny yn y Co-op, siop y werin i fod. Byddai Harri yn gwaredu.

'Roedd Emma wedi addo.'

'Oedd. Ac yn selog am ddwad. Ond mae gen i ofn fod Mati Huws wedi i tharfu hi.'

' Mati Huws ? Ond dydi hi ddim yn arfar . . . '

' Nag ydi. Dan straen, falla.'

' Straen ?'

' Wel, dydi petha ddim yn dda, y drws nesa acw, fel 'dw i'n
deall.'

' Be sydd, felly ?'

' Richard . . . Richard Powell.'

' Ia ?' yn awchus.

' Mae o wedi mynd.'

' Wedi mynd ?'

' Felly maen nhw'n deud. Fod petha wedi dwad i ben.
Ddaw o ddim yn ôl eto meddan nhw. Ond dydi hynny'n sioc
i neb, yn nag ydi ? A falla mai dyma sydd ora, er lles pawb.'

Synnodd Katie ati ei hun yn gallu trin y cyfan mor oeraidd
resymol. Roedd Harri wedi gwneud ei waith yn dda, chwarae
teg iddo. Ac roedd hithau i'w llongyfarch. Fe wnâi i Harri
fod yn falch ohoni, eto. Anghofiodd Katie bopeth am y ferch
yn y gwely. Roedd hi'n ôl yn rhif chwech Minafon, yn eistedd
wrth erchwyn ei gŵr a Harri'n dweud, yn hyglyw, er ei wen-
did—

' Mi fydda i efo chi am byth, Katie.'

Clywodd, o'r pellter, sŵn anghynefin yn gwanu drwy'i
phen. Y munud nesaf roedd geneth fach larts a chocyn o gap
gwyn ar dop ei phen yn sefyll wrth ei hochr ac yn rhythu'n
gyhuddgar arni.

' Be wnaethoch chi iddi hi ?' holodd, yn siarp.

' Be ? I pwy ?'

Ar amrant, cofiodd Katie mai yn yr ysbyty yr oedd hi.
Syllodd tua'r gwely a gwelodd Eunice yn gorwedd fel pe'n
farw, ei hwyneb cyn wynned â'r gobennydd.

' Dydi hi ddim wedi . . . '

' *Relapse*. Wn i ddim be fydd gan Sister i'w ddeud.'

' Wnes i ddim byd iddi hi,' protestiodd Katie.

' Mae'n rhaid eich bod chi wedi deud rwbath. Esgusodwch
fi.'

Tynnodd y nyrs fach y llenni a amgylchynai'r gwely a
gadael Katie Lloyd yn sefyll yn hurt y tu allan. Teimlai lygaid
oerion yn pigo'i gwar a deuai sisial ffyrnig o ben draw'r ward.

'R argian fawr, be oedd wedi digwydd ? Chwalodd yn ei chof.
Am be roedden nhw'n siarad ? Am Richard, wrth gwrs. Dyna
oedd wedi'i tharfu hi. Mae'n rhaid fod ganddi feddwl mawr
ohono.

' Mi fedrwch fynd rŵan,' meddai'r nyrs fach, wrth sgubo
heibio iddi.

' Ond mi liciwn i weld sut mae hi.'

' Mae arna i ofn na fedrwch chi ddim aros yn fan'ma.'

Daeth Katie o hyd i fainc yn y coridor ac eisteddodd ar
honno. Ni allai fynd oddi yma heb weld sut siâp oedd ar yr
eneth. A dyma oedd i'w gael am gario straeon am bobol ?
Harri oedd yn iawn yn hynny, hefyd. ' A fo doeth efe a dau/
Annoeth ni reol enau.' Dim ond gwneud stomp o bethau yr
oedd hi wrth fynd yn groes i Harri.

Daeth y Sister o'i hystafell a bygythiad storm ar ei hwyneb.
Cododd Katie a sefyll yn ei llwybr.

' Sut mae hi ?' holodd.

' Wn i ddim eto. Ar fy ffordd yno yr ydw i.'

' Ydi hi'n ddrwg ?'

' Dydi *relapse* ddim yn beth i chwarae efo fo. Chi oedd efo
hi, yntê ?'

' Ia.'

' Mae hi yn i gwendid. Mae gofyn bod yn ofalus iawn.'

' Wnes i ddim meddwl.'

' Dyna maen nhw i gyd yn i ddeud.'

' Fedra i i gweld hi ?'

' Na fedrwch, wir.'

' Fory 'ta ?'

' Mi fydda'n well peidio.'

' Ond . . .'

' Roedd hi'n gwella'n ddel, wyddoch chi. Fe all hyn i gyrru
hi'n ôl eto.'

' Mae'n wironeddol ddrwg gen i.'

' Ia, wel, braidd yn hwyr ar y dydd ydi hi i hynny, Mrs. . . .'

' Lloyd.'

' Chi ddaeth o hyd iddi, yntê ? Wedi syrthio, meddach chi ?'

' Ia . . . a tharo'i phen.'

' O, ia. Codwm egar.'

' Mae'n rhaid i bod hi. Mae'r hen ffordd gefn acw'n un go

dwyllodrus, yn enwedig yn y nos. Tylla ynddi, a cherrig wedi
disgyn o'r wal. Mae'n hawdd iawn baglu.'
    'Mae'n rhaid i bod hi'n un go wyllt—ar i thraed, felly.'
    'O, ydi, bywiog iawn. Bob amsar ar frys.'
    'Ar frys i fynd adra at i gŵr, debyg ? Richard ydi i enw fo,
yntê ?'
    'Na . . . Brian. Brian Murphy.'
    'O, tewch. Mi fedrwn i daeru du'n wyn mai dyna'r enw
glywais i hi'n i ddeud pan ddaeth hi ati'i hun . . . Richard.
Dim byd tebyg i Brian, yn nag ydi ?'
    'Nag ydi.'
    'Rhyfadd. Ffrind falla ?'
    'Falla. Dydw i ddim yn i nabod hi mor dda â hynny.'
    ''Rhoswch chi rŵan, nid ym Minafon 'cw mae Richard
Powell yn byw ?'
    'Dydi o ddim yno rŵan.'
    'Ond roedd o yno nos Lun ?'
    'Wn i ddim byd o'i hanas o.'
    'Dim ond meddwl. Â i ddim i'ch cadw chi, Mrs. Lloyd.'
Maddeuant, Harri, dim ond am unwaith. Ofynna i byth
eto. Ond roedden ni wedi cytuno, Emma a minnau, i gelu'r
hyn ddigwyddodd nos Lun, er lles pawb. Celu, celu o ŵydd . . .
dydi hynny ddim yn bechod.
    Roedd y Sister fel petai'n amau Richard. Doedd hi rioed
yn awgrymu mai fo . . . nef wen, ni fyddai Richard yn brifo
gwybedyn. Ac eto . . . clywodd Katie lais oer Harri yn gwau
drwy'i phen. Dyn anfoesol . . . wedi gadael ei wraig . . .
yn caru efo dynas arall o fewn tafliad carreg i'w gartref . . .
a chitha, Katie . . . fy ngweddw i . . . wedi'i wahodd o i'r
tŷ . . . fy nghartra i . . . ac wedi mynd i jolihoetio efo fo, fel
hoeden. Ond Harri . . . na, waeth iddi heb. Harri oedd yn
iawn, fel arfer.
    Cerddodd Katie Lloyd yn fân ac yn fuan heibio i dŷ Emma
Harris, lle roedd hi wedi bwriadu galw am sgwrs, a phaned os
oedd hi'n lwcus. Nid oedd gan Harri fawr i'w ddweud wrth y
teulu Harris chwaith. Ond pan gyrhaeddodd ei chegin a chael
fod y tân wedi diffodd a'r lle'n edrych yn rhywbeth ond cartre-
fol, gwyddai na allai aros yno. Gadawodd y tŷ a dilynodd ei
chamau ei hun ar yn ôl.

Newydd ei gadael yr oedd Katie Lloyd. Roedd Emma
wedi dechrau ofni ei bod yn bwriadu aros y nos. Nid oedd
syflyd ar y ddynes. Ac yn hollol ddi-sgwrs ; yn gwybod dim
am ei byd ei hun, heb sôn am y byd y tu allan. Ond beth oedd
i'w ddisgwyl ran'ny a hithau wedi cael ei dysgu i edrych dros y
bryniau pell yn hytrach nag o dan ei thraed ?

'R arswyd, roedd hi wedi blino. Roedd nos Lun wedi
tynnu'r stwffin ohoni. Gweld Madge, am y tro cyntaf ers . . .
faint? . . . un mlynedd ar hugain, reit siŵr. Roedd y peth
yn anhygoel, a'r ddwy'n byw mor agos i'w gilydd. Ond
bu ei nain a'i thaid, ochr ei thad, yn byw ugain mlynedd yn
yr un tŷ heb dorri gair â'i gilydd ac Anti Jane, fyddai'n syrthio
ar ei phengliniau ar y landin mewn lludded, yn mystyn ac yn
cario iddyn nhw. Rhyw ffrae, na wyddai neb ei hachos, fu
dechrau'r cyfan, meddai'i thad, a nain yn cymryd i'w gwely.
Ni roesai taid mo'i droed ar y grisiau byth wedyn. Ond ta
waeth amdanyn nhw, y ddau hen ffŵl penstiff. Ond ai ffyliaid
oedd Madge a hithau, hefyd, yn gwahanu fel'na, heb esgus
ffrae hyd yn oed ? Roedd y blynyddoedd wedi chwipio mynd,
er eu bod nhw'n llusgo digon ar y pryd. Pan welodd Madge,
wedi'r holl amser, rhuthrodd y blynyddoedd yn ôl yn genlli,
a'i thaflu. ' Helo, Emma,' meddai Madge, yn ddigon didaro,
a hithau'n sefyll ar ganol y llawr a'i cheg yn agored fel un
pysgodyn. A'r Os 'na'n gwylio pob symudiad o'i gwman ar
lawr wrth ochr ei fam.

' Mi 'dw i wedi deud drefn wrtho fo,' meddai Madge, ac
anwesu'i ben. ' 'Na ti, mae o drosodd rŵan.'

Ond doedd o ddim drosodd i Eunice Murphy. Dywedodd
Katie Lloyd iddi gael pwl drwg heno. Tybed oedden nhw
wedi gwneud yn iawn ? Wrth gwrs eu bod nhw. Ni allai
byth fod wedi rhoi'r hogyn gwirion 'na yn nwylo'r heddlu.
Ac i feddwl mai Dei, Gwen Ellis, oedd ei dad a'u bod nhw wedi
cadw'n glos fel'na ar hyd y blynyddoedd.

Roedd hi wedi edrych ymlaen cymaint am gael gwella'r
tŷ wrth ei phwysau, ac wedi dechrau mor dda. A rŵan, ni
allai feddwl am afael mewn brws. Dylai fod wedi mynd i'r
ysbyty efo Katie Lloyd heno, petai ond i symud ei meddwl.

Ond roedd Mati Huws wedi ei sigo hi. Pwy fyddai'n credu y gallai honno fod mor greulon ?

Pan glywodd gnoc ar y drws yr eildro'r noson honno, a hithau'n tynnu am ddeg, penderfynodd Emma ei anwybyddu. Ond clywodd lais yn galw'i henw ; llais Dei Ellis. Beth petai Katie Lloyd wedi mynd yn ôl ar ei gair ac wedi prepian ? Talu'n ôl iddi hi am wrthod mynd efo hi heno. Wrth iddi faglu am y drws fflachiodd blynyddoedd Madge a hithau drwy'i chof, fel ar sgrîn, yn un gybolfa o'r chwerthin afreolus na fedrodd gael gafael arno byth wedyn.

Ac yno, yn y drws, safai'r gŵr a roesai fabi siawns i Madge a dryllio'r berthynas honno am byth.

' Wel, be sydd wedi digwydd ?' brathodd Emma.

' Does 'na ddim byd wedi digwydd.'

' Dydi Katie Lloyd ddim wedi . . . ddim wedi mynd at y plismyn ?'

' Go brin y gwnâi hi beth mor annoeth. Mi liciwn i gael gair efo chi, Emma.'

' Na, does ganddoch chi a fi ddim i'w ddeud wrth ein gilydd.'

' Wedi dwad yma ar ran Madge yr ydw i. Fedra i ddwad i mewn ?'

' Mi fydda'n well gen i i chi beidio.'

' Liciwn i ddim i bawb wybod fy negas i. Na chitha chwaith, ddyliwn.'

Sioc fwyaf bywyd Emma, hyd yma, oedd i'r Idris Preis, a fu ar ei liniau yn gofyn iddi ei briodi, ei throi heibio a'i gwneud yn gyff gwawd. Gallai deimlo, hyd heddiw, wasg y wisg briodas yn cau fel gwregys haearn am ei chanol ac yn tynhau, tynhau, yn bygwth ei gwasgu'n sentan. Ond bron iawn na thyngai fod hyn—clywed Dei Ellis yn cyfaddef mai fo oedd tad Os, yn troi'n gïaidd ar Katie Lloyd, a'i weld rŵan yn mynnu ei ffordd i'w thŷ—yn coroni'r cyfan.

' Madge sydd wedi'ch gyrru chi, ia ?'

' Ddim yn hollol.'

' Ond dyna ddeudoch chi.'

' Na, deud wnes i fy mod i'n galw ar i rhan hi. Ŵyr hi ddim fy mod i yma. Ond eisia diolch yr ydw i, drosti hi a finna . . . ac Os.'

Aeth ias oer i lawr asgwrn cefn Emma wrth ei glywed yn

eu cysylltu fel'na—Madge ac yntau ac Os—fel pe baen nhw'n deulu bach clos. Roedd pobol y lle 'ma wedi diarhebu at Richard Powell, ond beth pe baen nhw'n cael gafael ar hyn ?

'Diolch i chi am gadw'n ddistaw, felly.'

'O, ia.'

'Mi fydda'n ddiwadd Madge pe baen nhw'n mynd ag Os oddi arni.'

'Fe ddylan fod wedi mynd â fo oddi arni pan anwyd o.'

'Madge oedd yn mynnu'i gadw fo.'

'Ond doedd hi ddim yn gyfrifol, yn i gwendid. Lle oeddach chi ?'

'Fi ?'

'Chi ydi i dad o, yntê ?'

'Ia, fi ydi i dad o.'

'Lle oeddach chi 'ta ? Pan ddylach chi fod efo Madge, yn rhannu'r baich ?'

'Efo Madge yr o'n i eisia bod, Emma, ond fe ddaru hi fygwth . . . pe bawn i'n datgelu'r cwbwl . . . y bydda hi . . . y bydda hi'n cymryd i bywyd i hun.'

'I'ch arbad chi ?'

'Ia, i f'arbad i.'

'O, mae merchad yn betha gwirion. Ac fe ddaru chitha wrando arni hi ?'

'Do, mwya'r ffŵl imi.'

'Wn i ddim sut yr ydach chi wedi gallu byw yn eich croen ar hyd y blynyddoedd.'

'Dydi o ddim wedi bod yn fyw dedwydd iawn, ar wahân i . . .'

'Nag'di, ddyliwn. A pham y dyla fo fod ?'

'Ia. Pam ?'

'Pa hawl oedd ganddoch chi i ddinistrio'i bywyd hi ?'

'Dim hawl o gwbwl. Ond mae petha'n digwydd . . . petha nad oes ganddon ni reolaeth arnyn nhw . . .'

'Ond y nefoedd fawr, ddyn, roeddach chi gymaint yn hŷn na hi.'

'Roedd hi mor unig.'

'Madge ?'

'Fedrwch chi gofio'n ôl, Emma Harris, wedi i'r hen wraig farw a chitha'n hwylio at briodi ?'

' Wrth gwrs y medra i. Ond wela i ddim fod angan . . .'

' Mi 'dw i'n credu bod. Dydw i ddim yn eich beio chi . . .'

' Chi yn fy meio i ? Hy !'

' Dydw i ddim yn eich beio chi. Mae ar enath eisia bod efo'i chariad . . .'

' Ylwch, Dei Ellis, Madge ddaru ddieithrio. Hi ddaru ngadael i.'

' Dydi Madge ddim yn un am lynu lle nad oes mo'i heisia hi.'

' Be 'dach chi'n drio'i ddeud ?'

' Dim ond egluro, fel roedd petha. Mi fyddwn i'n trio gneud rhyw fymryn yn yr ardd gefn 'cw 'r adag honno ac fe ddaru ni ddechra sgwrsio, Madge a finna, dros glawdd yr ardd, fel mae rhywun. Y ddau ohonon ni'n unig, debyg, ac yn falch o gael clust.'

' A be oedd ymatab Gwen Ellis i hyn ?'

' Wydda hi ddim am y peth. Roedd hi'n rhy brysur efo'i phetha i hun ac fe fuon ni'n ofalus. Do'n i ddim eisia brifo Mrs. Mae hi wedi bod yn dda wrtha i, yn i ffordd i hun. Do'n i ddim eisia brifo neb. Ond fel'na digwyddodd hi.'

' Ac mi 'dach chi'n disgwyl i mi ddeall a madda'r cyfan ?'

' Deall, falla. Roedd Madge yn hoff iawn ohonoch chi, Emma.'

' A finna ohoni hitha. Ond mi fedra fod wedi dwad yn ôl ata i . . . wedi . . . o, mi wyddoch gystal â finna be ddigwyddodd.'

' Mae hi'n enath falch, Emma. A'i balchdar sydd wedi'i chadw hi rhwng pedair wal, nid cwilydd.'

' Ynoch chi mae'r gwendid, dicin i, fod Os fel mae o.'

' Wn i ddim am unrhyw wendid. Ond mae'n bosib eich bod chi'n iawn.'

Syllodd Emma, am y tro cyntaf, ar y dyn a safai o'i blaen. Heb iddi sylweddoli, roedd y Dei Ellis a wthiodd ei ffordd i'w thŷ wedi tawelu a llareiddio fel nad oedd ond cysgod o'r dyn tanllyd a welsai nos Lun ar aelwyd Katie Lloyd. Hwn oedd y Dei Ellis a adwaenai hi ac eraill ; y dyn a gerddai efo'r cloddiau, yn wrthrych peth gwawd a pheth tosturi, am ei fod yn ŵr i Gwen Ellis.

'Ddylwn i ddim fod wedi deud hynna.'

'Roedd ganddoch chi hawl i'w ddeud o. Dyn llwfr ydw i, Emma Harris.'

'Petha llwfr ydan ni i gyd.'

'Ond dydach chi ddim. Ylwch fel daru chi morol ati ar ôl y . . . y chwalfa gawsoch chi. Mi fydda amball i ddynas wedi mynd yn rhacs jibidêrs.'

'Diolch i chi, Dei Ellis.'

'Wel, mi â i 'ta.'

'Alla i ddim deud 'mod i'n deall eto chwaith.'

'Falla . . . mewn amsar.'

'Ia, falla.'

'Ac os gwelwch chi ar eich calon fadda . . .'

'Madda ?'

'I Madge. Dydi o ddim gwahaniaeth amdana i bellach. Falla y gallwch chi . . . bicio draw i'w gweld hi ?'

'O, wn i ddim beth am hynny.'

'Wel, meddyliwch dros y peth. Da bo'ch chi, Emma.'

— 5 —

Cerddodd Dei Ellis dow-dow ar hyd y ffordd gefn a'i ysgwyddau'n grwm. Duw mawr, be oedd i ddigwydd rŵan ? Be allai ddigwydd, ran'ny ? Dim ond pydru 'mlaen fel y gwnaethai ers dros ugain mlynedd, yn mud ddisgwyl y diwrnod hwnnw pan ddeuai daeargryn o rywle annisgwyl. Tybiai'n siŵr nos Lun fod y diwrnod hwnnw wedi cyrraedd ond cawsai bardwn eto, dros dro. Nid oedd yn haeddu'r fath drugaredd. Safodd, a syllu'n hir ar ddau ddrws pellaf Minafon, y ddau wedi eu cau yn ei erbyn. Crwydrodd ei lygaid at y ddwy gliced, y ddwy yn union yr un fath a phantiau ynddyn nhw, lle roedd ei fawd o, a bodiau eraill, wedi gorffwyso. Go brin y gellid cymharu swmp yr oriau a dreuliodd y tu arall i'r ddau ddrws. Ond nid wrth fesur yr oedd cymharu gwerth.

Sodrodd ei fawd yn galed ar un o'r clicedi. Agorodd y drws yn ofalus a'i gau ar ei ôl, yr un mor ofalus. Be roddai heno am allu rhoi clep ar y drws nes y byddai'r sŵn yn atsain drwy Finafon ? A be roddai'n siŵr am gael cerdded drwy

254

Drefeini a'r eneth, a eisteddai yn ei chornel arferol wrth y tân, ar ei fraich ?

Pan ddaeth i'r gegin, cododd ei phen a gwenu arno. Ac fel bob tro y gwelai hi, syrthiodd yr holl boenau oddi ar ei ysgwyddau a'u gadael yn gadarn unwaith eto.

' Mae Os wedi mynd i'w wely. Mi 'dw i'n ofni fod yr hen fusnas 'ma wedi'i ysgwyd o. I 'neud o i mi ddaru o 'sti, Dei.'

' Wn i 'mach i. Ond mae o drosodd rŵan. Sut aeth petha heddiw ?'

' Ddylwn i ddim fod wedi gadael i betha fynd 'sti, ond roedd hi'n haws felly. A feddylias i ddim . . .'

' Mi ddo i i mewn ben bora fory i dy helpu di.'

' Na.'

' Mi 'dw i *yn* dwad.'

' Ond beth am Gwen ?'

' Gad ti Gwen i mi.'

' Sut mae hi ?'

' Wedi sobri. Maen nhw wedi addo peidio bod yn rhy hallt arni ond mi fydd 'na hen fodio. Fedrwn ni ddim osgoi hynny.'

' Gwen druan.'

' Mi fedrwn gicio fy hun am adael iti fynd i'r helynt yma. Ond chei di mo dy boeni eto. Fe gawn ni'r lle i drefn mewn dim a fydd gen neb ddim i'w ddeud wedyn.'

' Mi wyt ti'n dda wrtha i.'

' Yn dda ? Uffarn gols, hogan, sut medri di ddeud hynna a finna wedi gneud y fath stomp o dy fywyd di ?'

' Tyd yma, Dei.'

Symudodd gadair i ymyl ei hun hi a'i thynnu ato ond roedd y fraich goed yn eu gwahanu. Roedd arno eisiau ei theimlo'n ei erbyn, heno yn fwy nag erioed.

' Tyd ar fy nglin i.'

' O, Dei, mi 'dan ni'n rhy hen i beth felly.'

' Fyddwn ni byth yn rhy hen. Tyd.'

Gwasgodd hi ato. Y ffŵl, y blydi ffŵl iddo fo. Dylai fod wedi mynnu mynd â hi ac Os yn ddigon pell o Finafon a Threfeini a'i rhoi hi yn llygad yr haul. Pechod o beth oedd cuddio tlysni fel hwn.

' Arglwydd mawr, mi wyt ti'n beth ddel.'

' O, Dei, be sy'n bod arnat ti heno ?'

' Wedi agor fy llygaid yr ydw i, i weld dy brydferthwch di
a'm twpdra, fy llwfrdra inna. Tyd i ffwrdd efo fi, Madge.'
' I ffwrdd ?'
' Ia. Yn ddigon pell o'r diawl lle 'ma.'
' Beth am Os ?'
' Os hefyd, siŵr. Dwyt ti ddim yn meddwl y byddwn i'n
i adael o ar ôl, wyt ti ?'
' Ond lle'r aen ni ?'
' Be ydi o o bwys b'le ?'
' Ac ar be fyddan ni byw ?'
' Mi fywiwn i ar y gwynt taswn i'n cael bod efo chdi. Ddoi
di ?'
' Wn i ddim 'sti.'
' Ond mi wnei di feddwl am y peth ?'
' Mi 'dw i wedi bod yn meddwl ers un mlynadd ar hugian.'
' Be uffarn ydw i wedi i 'neud i dy haeddu di ? Deud
hynny wrtha i.'
' Hisht rŵan, 'nghariad i.'
Eisteddodd y ddau wrth y tân a'r munudau o dawelwch yn
eu clymu wrth ei gilydd ; munudau i'w rhoi i'w cadw efo'r
oriau prin rheini a roesai ystyr a phwrpas i'r llanast i gyd.

— 6 —

Peth hawdd iawn ydi beio'r elfennau a dweud—' Oni bai
ei bod hi mor boeth, neu mor oer, neu yn glawio gymaint.'
Pwy all brofi nad oes bwrpas amgenach i gawod o law na
chymell pethau i dyfu ? Ac ni all storm, yn ei holl nerth cyntefig,
beidio â'n cyffwrdd wrth fynd heibio. Mae ei chlywed hi'n
rhampio ac yn chwythu bygythion yn siŵr o fod yn chwarae
hafoc â'n tu mewn ni. Ac er bod rhagor rhwng storm a storm,
roedd i honno a ddaethai heibio'r nos Sul, y pedwerydd o
Fehefin, ei grym ei hun.
Wedyn, ymhen wythnosau, y daeth i feddyliau rhai ohonynt
y gallai fod a wnelo'r storm rywbeth â'r cyffro a fu'n eu cerdded
hwy a Minafon yn ystod y mis Mehefin hwnnw. A pheth braf,
wedyn, wedi meddwl, oedd gallu beio'r storm. Wedi'r cyfan,
roedd yn rhaid rhoi'r bai yn rhywle. Ac i'r rhai na allent feio'r
storm, nid oedd dim amdani ond beio rhywun arall, fel arfer.

256